Terra de Sonhos e Acaso

Terra de Sonhos e Acaso

Filipe de Campos Ribeiro

MARTIN CLARET

TERRA DE PESADELOS E PREDESTINADOS
Nick Farewell*

O proeminente mitólogo e crítico Joseph Campbell explicou em *A Skeleton Key of Finnegan's Wake*, análise sobre o livro de James Joyce, a recorrência dos números 11 e 32 do ponto de vista cabalístico: 11, queda, 32, redenção. Anos mais tarde, ao deparar inesperadamente uma passagem da Bíblia, exclamou: "Encontrei a solução para o livro!". Tratava-se de Romanos, capítulo 11, versículo 32, que dizia: "Deus condenou todos os homens ao pecado para mostrar-lhes a misericórdia". Ou seja, Joyce tinha baseado o livro inteiro em uma única frase sobre a impossibilidade da redenção, a explicação da natureza vil dos homens e, sobretudo, a negação da própria Igreja Católica. O romance de estreia de Filipe de Campos Ribeiro se concentra nesse campo ardiloso, intrínseco, ambíguo e paradoxal: não há escapatória para quem nasce homem.

A procissão de fé que se constitui como a esperança não passa de uma vicissitude, um *ouroboros* da repetição infinita de pecado e culpa. E, para o desespero de todos, não há redenção. Na terra do mal, onde só floresce o mal, todos os homens estão fadados apenas a colher o mal, a queda e o inevitável horror e as dores do trágico fim. Predestinado e premeditado.

---

* Escritor, roteirista e cineasta. É autor de sete livros, entre eles *GO*, best-seller escolhido pelo MEC e que causou grande comoção a ponto de milhares de leitores tatuarem o seu título. É também autor de *Uma vida imaginária*, obra premiada e adaptada para os teatros nos EUA.

Diante da impossibilidade de saída e condenação ao pecado e à danação, a ideia do bem se torna tão abstrata quanto a esperança, a salvação, um pesadelo recorrente, e o amor, um passatempo, autoengano, a própria maçã que retroalimenta e pune os homens que acreditam no sagrado significado do sentimento.

A mãe não é nada gentil. O pai pecaminoso gera frutos que percorrerão a mesma *via crucis*, completando a demência inconsciente, erro corroborado e induzido de estar trilhando um caminho novo, se autocondenando e se redimindo, na loucura de exercer o papel de mortificado e carrasco ao mesmo tempo, uma vez que Deus não existe ou está morto. Ou pior, abandonou os homens, deixando-os à mercê do destino já traçado do caminho pecaminoso.

É pandemônio! Sodoma e Gomorra sem punição, *sucubus* e *incubus* à solta. Se no mundo só existe o mal, o que é a ideia do bem? E se as ideias estão invertidas para resultarem no único lado da moeda, somos todos enforcados e afogados? É nauseante, tonitruante e enlouquecedor pensar nisso. E é justamente esse o tema central do livro de Filipe. Na obra do escritor, nada parece ser o que é, nenhuma crença se sustenta e a vida e a morte estão por um fio que pende de um enforcado a outro sucessiva e infinitamente. Assustador? A vida é assustadora. Filipe tece habilmente através do juízo racional do personagem com que o leitor se identifica para demonstrar o teorema, o evangelho segundo o mal, a prova cabal de que somos todos completamente loucos. Prepare-se para o clima de paranoia! Na etimologia, o que antecede a razão. Você está prestes a mergulhar no mundo sem volta do abismo, do espelho que vai refletir não o seu corpo, mas sua alma. O que precede a razão, que, na interpretação de mundo de Filipe, é sinônimo de loucura. Atente também para a simbologia dos nomes dos personagens: Ismael, filho de Abraão; Fausto, o personagem célebre que negocia a sua alma. Todos têm nome e sobrenome de pecado: ciúme, soberba e luxúria. Não é a premissa do autor, a cosmogonia bíblica e também Joyceana?

Terra de Sonhos e Acaso é sobre a fundação do mal. O próprio Joyce teria dito que, escrevendo sobre sua cidade, teria escrito sobre todas as cidades do mundo. Ou, para ficar na *Terra Brasilis*, Guimarães Rosa teria dito que "O sertão é o meu mundo". Filipe constrói sua narrativa geográfica se baseando na fundação do país onde nasceu e mora. Tipicamente paulistano, tece relações profundas sobre o presente e o passado, transfere sua experiência para o personagem e explica a origem do nosso mundo a partir do solo manchado de sangue dos bandeirantes, jesuítas, índios e imigrantes, para elaborar sua tese de genealogia do mal.

Caro leitor, você tem em mãos um mundo inteiro. Que se concentra em uma cidade fictícia, que na verdade existe de verdade em homônimo, acentuando ainda mais a confusão entre real e imaginário. Portanto, não me pergunte se o livro aponta uma saída ou por quem os sinos dobram nesse rastro de mortes macabras e dança vertiginosa, ritualística e sistemática que precede a descida voluntária ao inferno.

O inferno é gelado, ao contrário do que você imagina, e vai percorrer a sua espinha. Ele nunca poderá ser imaginado nem nos sonhos, nem ao acaso.

Boa leitura!

TERRA DE SONHOS
E ACASO
Filipe de Campos Ribeiro

Experiências terríveis
levantam a questão se
aquele que as experimenta tem,
em si, algo terrível.

FRIEDRICH NIETZSCHE,
Além do bem e do mal

Um homem que lê jornal pode se convencer de que estar a par dos acontecimentos lhe dará alguma vantagem. E que poderá usar as informações obtidas como um talismã contra as adversidades que ainda estão por vir.

Penso que existe mesmo um instante, um momento de absoluta lucidez, quando a explosão ainda zumbe nos ouvidos, em que nos damos conta do quão despreparados realmente estávamos. Indefesos mesmo, apesar de todo o tempo gasto entendendo a situação.

É um instante fugaz, que logo é substituído pelo olhar para trás. Quando analisamos o desenho de tudo o que ocorreu e percebemos que o desastre diante de nós era inevitável. Que não conseguimos antever e que era tão óbvio!

Fizemos o melhor possível com as informações que tínhamos disponíveis.

É como se estudássemos um mapa rodoviário, esperando enxergar nele onde acontecerão os desastres de automóveis.

É exatamente isso o que estou fazendo agora. Aconteceu uma coisa comigo.

Vou narrar os fatos rigorosamente, para que eu possa tê-los registrados em algum lugar. Espero que você, leitor, possa interpretá-los com generosidade.

Talvez meus médicos do futuro encontrem neles os primeiros indícios da minha derrocada casual no abismo da esquizofrenia. Talvez, se eu encontrar uma mulher, meus filhos do futuro encontrem aqui a prova concreta do que eles sempre souberam, que o pai deles era um louco, um mentiroso, um ignorante. Nem nossa vida sexual é tão inconfessável quanto nossa crença no sobrenatural.

Talvez a pergunta não seja *O que você faria se soubesse uma verdade que ninguém sabe?*

Talvez seja: *Se você tivesse certeza absoluta de que fantasmas existem, assombram a terra e são um destino possível — se não O destino — dos mortos, isso não mudaria completamente sua visão do mundo, a maneira como age nele?*

Espero que não. Aqui está a minha história.

1.
SIGNIFICATIVO

Enfim, estava em Rio das Almas. De novo. Pela primeira vez em quinze anos.

Não sou de Rio das Almas. Meu nome é Ismael, mais bíblico que literário, tenho 30 anos e sou de São Paulo. Sempre fui da capital, de Santana, Zona Norte, mas passei todas as férias até meus quinze anos em Rio das Almas. Meus pais tinham uma casa lá. A casa ainda existe, e é a razão de eu ter dirigido quatrocentos e dois quilômetros para estar ali novamente.

Há três dias, uma chuva como nunca antes registrada lavou do mapa boa parte da cidade. A enxurrada desceu a serra, carregando árvores e casas, criando rios caudalosos que antes não haviam, montes onde não existiam, removendo outros, soterrando bairros inteiros e mudando a topografia da cidade.

Até então, mais de oitocentas pessoas estavam desaparecidas. Assisti a tudo pela TV, no hospital, com o meu pai. Ele tinha acabado de acordar do coma e assistia a tudo desolado. Nos anos anteriores, perdera quase tudo, menos a nossa casa de Rio das Almas, que, apesar de não visitarmos, minha mãe nunca deixou vender. Agora a casa poderia estar lá, destruída também, como as várias que víamos ceder à enxurrada, que corria ensandecida cortando as casas até levá-las como se fossem maquetes numa inundação.

Decidi sair do quarto para me esticar, mas antes passei a mão pelo ombro raquítico do meu pai. Os olhos dele permaneciam vidrados na TV. Peguei o controle e coloquei no mudo. Ele tentou protestar, mas desistiu. A rua do hospital era barulhenta, indiferente. Na volta, peguei dois cafés na máquina.

Entrei no quarto com os cafés e meu pai não olhou para mim. Eu desconfiava de que já há algum tempo ele tivesse percebido que estava sempre errado sobre tudo. Ele não queria falar porque perguntaria sobre a casa, e devia achar que só de mencioná-la poderia interferir no destino dela. Senti pena do meu pai. Ele era uma daquelas pessoas para quem no fundo você espera que dê tudo certo, apesar de estar morrendo de complicações causadas pela Aids. Além disso, houve um tempo em que eu o amava. Não tem muita gente no mundo de quem eu possa dizer isso com convicção.

— Eu já tive estive no seu lugar, filho. Às vezes, você tá aí a tarde inteira, de acompanhante, querendo sair, e eu acordo. Fiz a mesma coisa com o seu vô. Ele ficou puto! Eu, não!

— Quer café, pai?

— Eu posso tomar café?

— Acho que pode, não sei.

— Brigado.

Tomou o expresso num gole. Fechou os olhos.

— Me dá um cigarro?

— Espera o horário de visitas passar.

— Tá bom.

Meu pai tentou pôr o copinho vazio na mesa ao lado. Levantei, fui lá e o ajudei. Ele então fechou os olhos de novo, para que eu não pudesse interferir em mais nada. Mas ainda peguei seu suspiro, dolorido, aquele que vinha antes das suas raras palavras de autocrítica, geralmente bem pesadas.

— A gente devia ter vendido aquela casa! E agora, filho?

— Não aconteceu nada com a casa. Aquela enxurrada que destruiu tudo foi no Barreiro. No Nova Petrópolis só choveu!

— Tem certeza?

— Tenho!

— Você tá falando isso porque sabe que nunca vou sair daqui para checar, né?
— Claro que vai sair daqui! E a casa tá lá! Eu falei com o seu Dimas. Em Nova Petrópolis não deu nada, foi só no Barreiro!
— Graças a Deus! Depois de tudo o que a gente penou para não vender aquela casa! Eu ia surrar sua mãe!

Ele riu e eu ri também. Geralmente qualquer menção negativa à minha mãe vinda dele bastava para que eu ficasse possesso. Olhando em retrospecto, o fato de eu ter rido é mais uma evidência de que eu sabia que aquela era, provavelmente, a última conversa que teria com ele.

— Filho, agora que só tá nós dois aqui... Faz um favor pro seu velho pai?
— Claro! Fala!

Meu pai tentou se reclinar, mas desistiu.

— Dentro do armário — sussurrou. — Onde eu guardo as camisas, tem um forro. É o meu esconderijo!

Quase tive um ataque. Ele tinha um esconderijo dentro do armário que dividia com a minha mãe! Se os epidemiologistas do futuro viessem pesquisar as pessoas que contraíram Aids na nossa época, taí uma coisa que não poderiam deixar barato!

— O forro tá pregado — continuou. — Arrebenta ele para mim! Atrás dele tem umas coisas minhas, uma bolsinha azul! Passa lá em casa, traz essa bolsinha pro pai?
— No armário, atrás das camisas?
— Isso! Tem um forro lá, normal. Tem que quebrar o forro. Mas sua mãe não pode estar lá! Espera ela trocar com você e faz isso?
— Espero, pai... Quando ela vier eu vou lá e resgato sua bolsa!
— Isso, filho, brigado! Ela tá bem?
— Quem?
— A sua mãe?
— Tá... Tá bem, sim. Tá ótima!

— Quando é que ela vem?
— Eu... Ela tinha acabado de sair quando cheguei e o senhor acordou.

Eu poderia ter mantido essa história por dias, por quanto tempo fosse necessário. Mas alguma coisa na minha voz me entregou, mexeu com alguma coisa na cabecinha oca dele e aquilo voltou.

— Não, filho... Eu lembro! Ela não tá bem, sua mãe não tá bem! Sua mãe tá muito mal! Eu que trouxe ela pro hospital, magra, tossindo... Acabei ficando também! Eu lembro! Eu visitei ela, ela tá aqui no quarto ao lado.

Não respondi. E então meu pai percebeu o que tinha acontecido. Sua respiração disparou e eu vi meu pai apavorado. Naquele corpo de moleque anêmico, meu espelho distorcido, para onde há muito tempo eu costumava olhar para saber o que fazer.

— Eu matei sua mãe! Eu que passei isso para ela, filho!
E chorou.

Até hoje, quando sinto alguma dor lancinante, imagino que seja assim que os outros me veem. Meu pai abriu a boca e chorou. Um choro fino. Longo e abandonado. Eu nunca tinha visto nada daquilo, nem ele chorando, nem aquele choro, e imagino que nunca mais vá ver.

* * *

Entrei na casa com a chave da minha mãe, um chaveiro sem frescuras, um bujão de gás com o telefone atrás, grande o bastante para ela encontrar na bolsa quando procurasse. Chaveiro de quem desistiu de brincar de casinha e parou de tentar achar beleza na vida.

A casa era assim também, móveis da minha infância decoravam paredes sem quadros. Tudo muito funcional, estéril, a cara da minha mãe! Resolvi fazer aquilo logo para que não precisasse pensar nessas coisas. Se tinha uma coisa que me deprimia era minha mãe. Meu pai pelo menos fazia suas cagadas, dava para rir um pouco.

Fui até o quarto dos dois. Abri o armário, procurei pelo forro atrás das camisas do meu pai. Era oco. Quebrei o forro com um chute, espatifando o compensado. O tal compartimento secreto era um fundo falso de uns vinte centímetros, no máximo, que escondia uma bolsinha azul da Varig. Lá dentro, escova de dentes, pasta de dentes, um canivete suíço e um maço de Parliament, com uns dois cigarros faltando. Notei algo entre o plástico que envolvia o maço e o papel. Era uma unha, pequena, cortada em meia lua. Da mão. De mulher. Devolvi a unha para onde ela estava. Um chaveiro com o logo do Banco Nacional repousava no fundo da bolsinha, com duas chaves. Nunca tinha visto aquele chaveiro. Devia abrir alguma coisa que minha mãe não podia saber que existia. Tipo a casa de alguma mulher com Aids.

Meu celular apitou. Era uma mensagem do meu pai:

"Filho, não tenho muito crédito com você, mas, por favor, escuta seu pai, é MUITO IMPORTANTE: deixa o seu Dimas vender a casa. NÃO VÁ, de maneira nenhuma, praquela cidade ou praquela casa! Considere isso o último pedido do seu velho pai. Não tente me entender, só não gostaria que você voltasse lá. É um exercício de fé, eu sei. Seu pai ama você!"

O que quer que isso significasse naqueles dias, eu não tinha a menor curiosidade em descobrir. Mas, olhando para aquela bolsinha azul encostada no tampo de um fundo falso, notei algo que me chamou a atenção. Havia um buraco no tampo, grande o bastante para enfiar um dedo. Puxei o tampo para cima e ele veio, era um fundo falso dentro de um fundo falso. Lá embaixo, encostado no concreto do chão, havia uma foto virada de ponta-cabeça. Me debrucei e pesquei a foto.

Era uma paisagem. A vista de Rio das Almas, tirada do mirante da cidade. O curioso era que no primeiro plano havia a copa de uma árvore, no topo do mirante, antes da paisagem. A foto fora tirada como se o fotógrafo estivesse meio recuado. Como se ele quisesse dar uma perspectiva da beira do morro. Ou talvez ele tivesse medo de altura e não chegou muito perto do abismo. Parecia uma daquelas fotos que tiramos de alguém com uma paisagem ao fundo, mas sem a pessoa. Só a paisagem, Rio das Almas, que se estendia lá embaixo naquela luminosidade da revelação das fotos dos anos setenta. Me deu um arrepio. Creditei ao fato de que, em breve, aquele seria um registro tido como importante para um homem morto, meu pai, antes de eu nascer. Mas não era só isso.

Era como ver uma paisagem terna e sentir medo.

* * *

Quando cheguei ao hospital, meu pai já tinha voltado ao coma. Não voltaria a falar com ele.

Naquela noite, acordei com meu pai agitado, balbuciando um estranho convite no seu sono pesado:

"Vai lá... No Tietê... Quando quiser... Quando quiser!"

E calou-se. Respirava fundo, parecia estar no meio de um sonho intranquilo. Estava em coma? Não sei, não quis perturbá-lo chamando alguém.

Daquela noite não me lembro de muita coisa. Sonhei com a minha mãe. Estávamos num parque perto da casa dela, e ela queria que eu fizesse não lembro o quê. Eu reclamava, dizia para ela o quanto aquilo era ridículo, mas resolvi fazer essa coisa que não lembro porque era aniversário dela. Ela estava saudável e parecia feliz de estar lá naquele parque comigo. Eu só queria ir embora dali.

De repente, estávamos numa construção gigantesca de concreto. Parecia um centro cultural. Meu pai tinha ido junto, mas tinha sumido. Minha mãe me mandou procurá-lo lá fora, ele devia estar fumando. Saí na rua e lá estava ele, fumando encostado no muro. Me juntei a ele e acendi um cigarro também. Aí eu acordei.

Três enfermeiros tiravam pacientemente os fios do meu pai. Ele tinha morrido.

Quando os enfermeiros saíram, fui até ele e passei a mão nos seus cabelos. Ele parecia um bonequinho sem vida, magricelo e inquieto. Apertei-lhe a mão fria. E chorei.

Fui até o banheiro pegar suas coisas. Lá tinha outra bolsinha dele, essa de uma companhia de seguros. Meu pai era o rei das bolsinhas! Era pretensamente muito sofisticado para ter uma pochete e macho demais para ter uma nécessaire. Fucei aquela bolsinha, a não secreta, a que minha mãe podia mexer. Além dos documentos, do bilhete de loteria e da caixinha de analgésico, encontrei outro papel, antigo, dobrado várias vezes.

Era um exame de gravidez da minha mãe, de 1980, seis meses antes de eu nascer. No verso, tinha uma frase, uma estrofe, com a letra da minha mãe, a mesma com que ela assinava seu nome:

"E a gente continua procurando por alguma coisa profunda e significativa. Forjada na dor."

Eis a mulher! Não conseguia imaginar minha mãe escrevendo aquilo. Nem escrevendo aquilo atrás do exame em que ela descobriu estar grávida de mim. Nem meu pai guardando aquilo na sua bolsinha na época, e transferindo para todas as outras bolsinhas que comprou na vida. Guardei aquele pedaço de papel no bolso. Talvez eu mostre isso pra algum analista se um dia eu vier a fazer análise. A verdade é que fiquei um pouco incomodado com aquilo, com vergonha de ter lido. Sem saber se era algo muito deles. Ou da geração deles. Ou se todas as mulheres muito jovens são mesmo assim.

Então me ocorreu uma passagem de um livro. O parágrafo que abria o livro. Um velho perguntava a outro, seu amigo:

"— Qual é a pior coisa que você já fez?"

E ele respondia:

"— Não vou contar... Mas vou te dizer como começou a pior coisa que já aconteceu comigo."

"— E como foi?" — perguntou o amigo.

"— Foi depois de um desejo inconsciente."

Aquelas palavras gravadas pela minha mãe no verso do exame de gravidez. Pareciam um monumento a isso, aos desejos inconscientes, que meu nascimento materializaria. E ali ela o notou, e escreveu. Não conheci minha mãe assim.

"... alguma coisa profunda e significativa. Forjada na dor."

Talvez tenha sido o último desejo inconsciente que ela tenha deixado passar. Ela nunca mais abriria aquela porta.

* * *

Era nisso que eu pensava, enquanto rodava pela estrada de Rio das Almas. A que entrava na cidade estava fechada por canaletas, com setas que piscavam para o vazio, obrigando os motoristas a pegar o retorno. Não havia mais nenhum carro, e ninguém vigiava o bloqueio. Afastei as canaletas do caminho. Passei e voltei a colocá-las no lugar, fechando a passagem para os futuros motoristas que tivessem menos direito de entrar lá.

Adiante, reconheci o velho bairro dos pobres. Tinha se transformado numa montanha de terra vermelha que chegava até quase a beira da estrada. Antes dava para ver casas e telhados, até a serra, que agora engolira tudo e se aproximara da rodovia. Fiquei pensando se os moradores tinham sido avisados a tempo ou se estavam soterrados junto às casas e entravam na contagem dos "mais de oitocentos desaparecidos". Mais à frente, à direita, algumas casas de beira de estrada continuavam em pé, com um detalhe curioso: pareciam ter sido pintadas de barro, até a altura das janelas, indicando até onde a água tinha subido naquele lugar.

Um barulho de cachoeira me perseguia, como se fosse se desnudar em alguma curva da estrada. Logo depois vi uma erosão no asfalto. Mal passava um carro. Percebi então que do lado esquerdo da estrada corria um rio bravo. Caudaloso, margeando a rodovia. Um rio que nunca tinha estado lá, e agora existia.

Virei à esquerda na estradinha que levava até a minha casa, toda enlameada. Meu carro deslizava de um lado para o outro, a lama mole reluzindo o sol. As árvores também estavam tingidas de barro até a altura da janela do meu carro.

Fui em frente, patinando, o asfalto voltou. Dirigi por mais alguns minutos. Cheguei à entrada da casa. Eu tinha flanado, como que num sonho, do enterro até aquela entrada. Agora eu acordava. O portão, o mato louco passando pelas frestas do portão. O letreiro mentiroso que dizia FAZENDA e a segunda parte quebrada. *A casa era uma ruína* — previ.

No mesmo instante me veio a proibição do meu pai. E uma repulsa por aquele lugar.

Era como abrir a sepultura de alguém querido e esperar encontrar a mesma pessoa que se tinha enterrado. Mas eu não tinha vindo de tão longe para *não olhar*.

Passei o portão, subi a ladeira que dava para a casa e, depois da curva, a avistei!

A casa de pedra, a casa da minha infância. Em perfeito estado. Mesmo o mato que crescia desgrenhado pelo terreno parecia ter evitado suas paredes. A casa se estendia lá, pequena, mas magnífica. Muito mais impressionante do que eu me lembrava, muito mais imponente que aquele lugar perfeitamente comum, de lembranças ternas, fresco no verão, quente no inverno e com muitos lugares para se esconder. Tinha sido, provavelmente, a casa mais luxuosa de Rio das Almas. Talvez ainda fosse. Eu poderia conseguir mais de um milhão e meio por ela. Ou dois, fácil!

Não senti nostalgia, talvez eu fosse incapaz. Em vez disso, me senti profundamente perturbado, sem razão. Imaginei o quanto disso seria pela circunstância horrível em que eu a revia. Ou se meus pais também sentiram o que eu sentia naquele instante.

O que seria plausível. Depois de tantos anos sonhando com uma casa, eventualmente construindo a casa... Era de se esperar que, depois de tantas expectativas de uma vida inteira, houvesse frustração diante de uma promessa de tanta felicidade que se mostrara inalcançável. Um clímax de esperança irrealizável e aquela melancolia que se segue ao perceber o que, no fundo, já se sabia.

Eu tentava pensar como meus pais, refazer o que sentiram, mas sabia que nunca poderia. O mal-estar que a casa evocava poderia ou não ter algo a ver com expectativas frustradas. Mas, para ser honesto, eu intuía que não. Aquele sentimento ruim de forma alguma era o que a casa representava para mim quando eu era criança. Tinha restado ansiedade diante daquela ruína perfeita, aumentada pela casa ao lado.

A casa vizinha, mais simples que a nossa, mas de dois andares, estava num estado ainda pior do que eu esperara encontrar a minha quando passei pelo portão. A casa vizinha se estendia em cima de um barranco, seu branco encardido e suas janelas quebradas espiavam a entrada da nossa. Nunca tinha sido um problema, sua existência de canto. Não podia ser ela. O que justificava então aquela ansiedade repulsiva? Por que aquele medo?

Deveria entrar e deixar minha mala antes de sair, mas o escurecer do dia me fez só testar o trinco da porta e, ao confirmar que abria, voltei ao carro com a minha mala e decidi adiar minha entrada. Não sei se era medo de entrar na casa à noite, pragmatismo por ter descoberto que ela passara incólume pela enxurrada ou um respeito tardio às proibições do meu pai. O fato é que dei meia volta e tomei o caminho do centro da cidade. Além de ver a casa, outro motivo me trazia a Rio das Almas naquele momento sombrio. Precisava rever meu amigo, o Henrique.

2.
HENRIQUE

Henrique era o meu melhor amigo. Continua sendo, se ainda estiver vivo. Essas coisas não acabam assim. A verdade é que nada do que aconteceu depois teria acontecido se eu não tivesse procurado por ele.

O Henrique era o cara mais engraçado que existia. Nos conhecemos no colégio, eu estava acabando o primeiro ano do colegial, ele acabando a oitava série. Era época de provas, e tinha um professor de Educação Física, o Walter. O Walter era um fanfarrão. A maior diversão dele era botar a gente para fazer abdominais e ficar desconstruindo tudo o que a gente tinha aprendido nas aulas mais sérias. A gente lá, se matando, e ele passando por nós contando UM, DOIS, QUEM SABE LOGARITMO NÃO PEGA MULHER, CINCO, SEIS. Esse era o naipe do sujeito.

Então, na época das avaliações, o professor Walter teve a brilhante ideia de fazer todo mundo bater pênaltis. Quem fizesse o gol passava com dez. Trave era cinco. Travessão, seis (não me pergunte o porquê). Quem chutasse para fora, ou se o goleiro defendesse, ficava automaticamente de recuperação em Educação Física. Diziam que era o inferno na Terra.

Esse era o sistema de avaliação do professor Walter. Mas, naquele ano, ele resolveu aprimorá-lo com um toque de mestre. Recrutou o goleiro no terceiro colegial. Beleza, o garoto escolhido era uma força da natureza. Um metro e noventa de pura ignorância, um rapaz à frente do seu tempo: muito antes de existir o bullying, ele já o praticava ardorosamente com todo pobre-diabo que estudava naquela escola. Ele era uma anta, e sua irmã, a Cíntia, era reconhecidamente a menina mais vagabunda do colégio. O que nos fazia crer que a mãe era uma prostituta alcoólatra. Bom, não vem ao caso. O fato é que foi esse ser ignóbil que o professor Walter escolheu para separar os moleques, que já morriam de medo dele, das suas férias.

Pedi para ser o primeiro. Posicionei a bola e o imbecil do Beleza fez uma provocaçãozinha condizente com a sua idade mental. Bati o pênalti. Não tomei conhecimento daquele idiota, que caiu para o lado errado, e mandei a bola para o fundo do gol.

— Boas férias — disse Walter, e me deu um tapinha nas costas. Peguei minha mochila e fui para casa.

Na semana seguinte, quando voltei para recuperação de Matemática (dessa ninguém escapava), a escola estava em polvorosa! Depois que saí, parece que a avaliação do professor se transformou num show de horrores. Tinha gente chorando antes de bater o pênalti. O saldo foi mórbido. Só na minha classe, de vinte e dois meninos, dezoito pegaram recuperação. Alguém quebrou o código dos estudantes e dedurou para a mãe o que aconteceu. O professor Walter foi demitido sumariamente. Nenhum dos professores queria falar sobre isso.

Naquele dia, terminei os exercícios de Matemática mais cedo e saí da sala. A escola estava vazia, passei no banheiro antes de ir para casa. Quando entrei, surpreendi um garoto terminando de pichar uma mensagem na parede de azulejos:

PROFESSOR WALTER — ONDE ESTIVER —
SAUDADE ETERNA.

Era um garoto magrelo, boa pinta, com cara de saco cheio e olhos grandes, que deviam estar maiores por ter sido surpreendido. Ficamos lá, parados por um instante. Apontei para a parede. E caímos na risada. Era o Henrique.

Rapidamente nos tornamos melhores amigos. Nas férias seguintes, ele passou uma semana comigo em Rio das Almas, na casa de pedra. E foram aquelas férias as minhas últimas na casa. Logo depois, meus pais subitamente pararam de ir, e eu não me senti à vontade em pedir para ir a um lugar ao qual eles mesmos não iam.

Nossos vinte anos passaram, estudei Filosofia, ele estudou Letras. Me tornei caixa do Banco do Brasil; ele, professor de Português. Até que, um dia, algo aconteceu. Sem maiores explicações e sem outro motivo aparente além de um término com uma menina bonita, Henrique resolveu sair de São Paulo. Foi morar em Rio das Almas, cidade com a qual ele não tinha a menor ligação além das férias que passou na adolescência com a minha família. Tudo muito repentino, tudo muito estranho.

Com o tempo, passei a encontrar indícios que talvez explicassem essa virada súbita e sem sentido na vida do meu amigo. Ele era mesmo meio pirado. Deve ter sido muito feliz naqueles dias de férias que passamos lá. Eu sei que fui. Talvez ele nunca tenha deixado de comparar aquele sentimento de aventura, felicidade e coisas por acontecer com a rotina morta de uma vida adulta malsucedida. Provavelmente sentia-se melhor com os meus pais do que com os dele, que eram divorciados e meio distantes. O negócio é que acabei criando umas narrativas que explicavam como tudo no fim apontava para um desfecho em que ele largava tudo e se mandava para Rio das Almas. Mas, no fundo, eu mesmo não entendia o porquê de ele ter feito uma coisa dessas.

Nos falamos algumas vezes pelo telefone. Ele sempre estava bem, sempre contando uns casos bizarros que aconteciam com ele. Era o Henrique! Mas nunca o visitei e nunca perguntei por que ele tinha feito o que fez. Ele me diria, se quisesse. Naquele momento, depois de três anos, eu estava indo reencontrá-lo! E seria a mesma coisa! Se não fosse, tudo bem, ele continuaria sendo meu melhor amigo.

* * *

 A rua que seguia até a escola onde Henrique trabalhava passava às margens da linha férrea. Em nenhum momento via-se os trilhos de trem. A enxurrada passara por lá, transformara o leito dos trilhos num córrego de argila. Virei à direita e entrei na rua da escola.
 O asfalto estava barrento, os muros tingidos de terra até a altura dos joelhos. Imaginei o alagamento naquelas ruas afugentando os moradores, que acharam que a água só pararia de subir quando chegasse ao telhado. Tiveram sorte. No fim da rua, havia a escola. Ao longe, o que se via era uma cena bizarra: uma figueira havia caído sobre um dos prédios da escola, o telhado, partido por sua copa gigantesca. Apesar da situação surreal, adolescentes uniformizados dirigiam-se para o portão, que estava aberto.
 Entrei no pátio e notei que só ali e em alguns corredores havia iluminação. As salas estavam escuras e não havia sinal dos adolescentes. Decidi checar, mesmo assim.
 À esquerda havia o que parecia ser o setor administrativo da escola, onde se lia SECRETARIA numa porta e COORDENAÇÃO na outra, ambas apagadas. Ouvi vozes lá fora, reprimidas num cochicho. Os adolescentes. Cruzei o pátio em direção a um dos corredores apagados, que se iluminou. Alguém acendeu a luz antes que eu pudesse alcançá-lo. Não deixei que o medo me impedisse de virar o corredor e encontrar os adolescentes, que estavam reunidos. Uns dez deles, meninos e meninas, ao redor de algo, olhando para o chão.
 Uma menina me viu e sufocou o grito. Todos se voltaram para mim e se afastaram. No chão, uma menina sem camisa cobriu os seios com os braços, depois com a camisa, o sutiã pendurado, e levantou-se. Eles estavam encurralados no corredor e começaram a caminhar na minha direção, me evitando, encostados nas paredes. Avancei também. Quando o primeiro garoto

passou ao meu lado, começou a correr. Na outra parede, outro garoto, protegendo a menina seminua, escapou com ela. Todos correram em duas filas e eu, no meio, deixei que fossem, mas então estiquei o braço e agarrei um dos garotos, que se debateu.

— Calma aí, moleque! — eu disse, sacudindo-o. — Não vou fazer nada. Onde estão os professores?

O garoto tremia, quase em prantos, e balbuciou que não estavam fazendo nada. Insisti na pergunta.

— E o professor Henrique? Você conhece?

Ele se desvencilhou de mim e deixei que escapasse.

Correu para o pátio, onde um garoto e uma garota o esperavam para fugir.

Não havia mais ninguém na escola. Resolvi sair dali, voltei para o carro. Quando liguei os faróis, avistei uma das meninas encostada no muro, olhando para mim. Fui até ela, que não se inclinou na janela, mas não parecia ter medo.

— O que você quer com o professor Henrique? — perguntou com frieza.

Expliquei que era amigo dele, que não o via havia três anos e tinha ido à cidade para reencontrá-lo. Ela disse que sabia onde ele morava e podia me mostrar. E que a escola estava fechada.

— Por causa da chuva?

Ela demorou a responder.

— É!

— Não conheço direito a cidade. Pode me mostrar onde é a casa dele?

— Tá bom.

Entrou no carro sem medo, colocou meu suéter que estava no banco de passageiros no colo. Olhei para a menina, mas ela não olhou para mim. Virei o rosto para a rua para não a assustar, mas pude ver como ela era de perto. Tinha a pele branca, muito pálida, cabelos lisos e castanhos, escorridos. Tinha uns 15, 16 anos, mas era alta para a idade. Suas pernas apertadas na malha da calça eram longas e carnudas. Boca anêmica, rachada, olhos escuros e vagos, que em nenhum momento desviavam das ruas à nossa frente. Olhei para seu peito para ver se arfava, mas não. Seus seios eram pequenos e imaginei os mamilos como de um marrom leitoso, da mesma textura da boca. Ela ia me indicando quando virar à direita e à esquerda, sem tirar os olhos da rua. Queria perguntar se ela tinha aulas com o Henrique, mas teria que entrar na questão da escola fechada e do que fora aquilo tudo, por isso não disse nada. Fomos em silêncio, até que ela disse:

— Você cheira igual ao professor Henrique.

O suéter.

Devia ser verdade. Antigamente usávamos as mesmas coisas. Não duvidava que muitos produtos atrás do meu espelho fossem da mesma marca dos que estavam atrás do espelho dele. Crescemos juntos e partilhamos muitas escolhas de coisas como loções pós-barba e desodorantes. Houve um tempo em que até nossa voz era parecida, uma característica notada por muitas de nossas ex-namoradas. O que deixava sempre algo estranho no ar, como se implicasse que, um dia, pudesse haver algo entre um de nós e a namorada do outro. Uma curiosidade velada, como se elas quisessem, quem sabe, eventualmente provar se tínhamos o mesmo gosto.

A menina nada mais disse. Só ia ao meu lado, olhando para frente. Devo ter sentido alguma espécie de vapor exalando do banco do passageiro, porque um pensamento me assaltou. Imaginei por um instante como seria mordê-la. Lambê-la. O homem que a chupasse teria cárie, pensei.

Imediatamente começou a chover. Fechamos rapidamente as janelas. Uma chuva selvagem, de gotas grandes, tracejava sob a luz do farol, como uma TV com estática, e tamborilava no meu para-brisa. Fixei minha atenção na estrada, no momento em que vi algo pelo canto do olho. Não por mais de dois segundos, pensei ver alguém — uma mulher — agachada perto do acostamento, seus olhos brilhantes de coelho viraram-se para a luz do farol. Só tive certeza do que vi ao passar por ela e tentar olhar pelo retrovisor. A menina ao meu lado estendeu a mão e *tapou* o espelho, para que eu não a visse!

Reduzi no mesmo instante, ao que a menina ordenou:

— Continua!

Acelerei mecanicamente e notei que passava por uma entrada, que reconheci na hora. Era a entrada para a "estrada de trás", o outro acesso que ia dar na minha casa! Segundos depois, passada a minha perplexidade com a imagem daquela mulher de cócoras à beira da estrada, entre arbustos, impressa na minha mente, confrontei a menina.

— O que foi isso?

— O quê?

— Por que você fez aquilo?

— Aquilo o quê?!

— Quem era aquela mulher? — insisti, não caindo naquela encenação esdrúxula.

— Ah... Aquela era a Marta! Ela acha que é uma moto!

— O quê?!

— É, ela acha que é uma moto, fica fazendo barulho com a boca e andando por aí... Nasceu retardada. Acho que ela estava esperando para atravessar a rua!

Percebi que mentia, pela hesitação na voz, a calma calculada e a profusão de detalhes.

— Por que você tapou o retrovisor? — pressionei. Mas ela não respondeu.

O para-brisa começou a embaçar mais do que o normal, mesmo com o ar quente ligado. Não sabia se era pela excitação dos nossos hálitos ou por outros vapores que, agora, com o ar parado, se desenhavam no vidro.

Aquele caminho que tomávamos também não fazia sentido, parecia que andávamos em círculos.

— O professor Henrique mora fora da cidade? — indaguei. Mas ela demorou a responder.

— Não... Mora no centro.

— Então que caralhos nós estamos fazendo aqui?!

Olhei para ela. Ela olhava para mim, sabendo que eu olharia. E se ajeitou no assento, empinando o peito, pressionando os seios divididos pelo cinto de segurança. Ela mexia na altura do sutiã, insinuante, e pude ver seus mamilos duros, como pingentes secretos, roçando por baixo da camiseta. Ela percebeu que eu olhava. E sorriu.

— Por que estamos dando essa volta?! — perguntei, com frieza.

— Porque eu sou menor de idade, não quero que me vejam no seu carro.

— Me leva para a casa do professor Henrique. Agora!

Nem três minutos depois chegávamos em frente à casa do Henrique. Uma porta e duas janelas, simples. Estava apagada, mas já eram onze e meia. A menina fez menção de descer, mas eu disse que a levaria para casa. Ela protestou, talvez quisesse que Henrique a visse me guiando até lá, mas insisti que a levaria para casa antes. Depois do comentário do cheiro e do flagra do meu olhar, achei prudente que o Henrique não me visse chegando com ela.

— Você não vai encontrar ele aí — ela riu, num sarcasmo ressentido.

— Por quê? Onde ele está?

— Não tá aí!

— Como você sabe?

— A última vez que vi ele foi antes de ontem. Depois não vi mais. Já vim aqui ontem. Já vim hoje. A casa dele tá revirada!

— Como assim, revirada? Foi antes ou depois da enxurrada?

— Foi depois. A enxurrada mesmo foi há quatro dias. Mas foi antes de acharem a menina.

— Que menina? E onde eu posso achar ele?

— Não sei!

— Quem sabe?

— Só eu sei. E eu não sei — sentenciou.
Eu já estava cansado daquele joguinho adolescente, desliguei o carro e saí pela porta.
— Fica aí — eu disse.
Chamei por Henrique. Depois gritei seu nome mais alto. Bati palmas. Resolvi tocar a campainha. Já tinha me convencido de que ele tinha saído quando, valendo-me da nossa amizade íntima, regredi dez anos e decidi testar a maçaneta da porta. Estava aberta.
Tive receio de assustá-lo, caso ele voltasse e percebesse que alguém estava em sua casa. Resolvi espiar da soleira da porta. O que vi me impeliu a entrar.
Quando notei já estava no meio da sala, com a luz acesa. Seus livros, videogame e papéis jogados no chão. As estantes reviradas. A casa vazia. Como a menina disse. Um caos de coisas espalhadas, a antítese da sua personalidade! A não ser que ele tivesse tido um surto psicótico ou fugido apressado, foi outra pessoa quem fez aquilo.
O quarto, a cozinha e o banheiro também tinham sido revirados. Sua casa tinha sido invadida. Talvez ele tivesse sido levado.
Tentei o celular. Caiu na caixa de mensagens.
— Ele não atende — disse a menina, surgindo atrás de mim.
— Cadê o Henrique? — soei doce, porque me controlava.
— Eu não sei! Eu não sei! — ela levou as mãos ao rosto e chorou. Era verdade agora.
Eu fui até ela e a abracei. Ela dava o Henrique por perdido. Como se não fosse mais vê-lo.
— O que aconteceu aqui? — baixei o tom, tentando acalmá-la.
Ela só balançou a cabeça, indicando que também não sabia.
— Você chamou a polícia?
— Claro que não! — protestou.

— Por que você não me contou antes?

— Sei lá, eu achei que com você aqui ele pudesse aparecer — confessou, e seus olhos se encheram novamente.

Apertei o abraço. Deixei que chorasse. Olhei em volta, aquela casa revirada. Senti algo no meu nariz, mas não me permiti.

— Mas você tem uma ideia do que pode ter acontecido para ele sumir assim, não tem?

— Não, não tenho, não! — ela disse, irritada.

— Ele não te disse nada? Nada de estranho?

— Já disse que não! — explodiu.

Tentou se desvencilhar do meu abraço, tentei prendê-la, mas ela escapou. Percebi que eu começava a parecer repulsivo para ela, e isso me incomodou.

— Tudo bem — eu disse.

Ela se virou para a parede. Deixei que chorasse. Fui até uma das pilhas de escombros, a das garrafas de bebida. Peguei uma de uísque, de que eu não gostava, mas ele gostava. Ia experimentar de novo. Queria me provar que ele estivera certo. Na cozinha só tinha dois copos de requeijão, enchi um deles até a metade. Não é assim que se toma uísque, notei, mas eu não tomava uísque.

Voltei para a sala e parei na porta. Ela estava de cócoras, no meio do caos. Como a mulher-coelho na beira da estrada.

— O que vocês estavam fazendo na escola?

Ela se virou para mim e nenhum rímel tracejava suas bochechas, que pude ver corando, sob a luz branca do teto das casas pós-apagão.

— Era uma encenação? — arrisquei.

— A gente só tava zoando.

— Você disse que o Henrique desapareceu depois da enxurrada, mas antes da menina. O que aconteceu com essa menina?

— Mataram ela.

— Quem matou?

— Ninguém sabe.
— Você conhecia a menina?
— Não... Só de vista. Era mais velha.
— Adulta?
— É.
— E como é que mataram ela?
— Acharam ela no meio do mato. Com os olhos arrancados.

Tomei outro gole do uísque. Era ruim mesmo, mas descia bem.

— Aqui perto? — perguntei.
— Lá no mato da estrada, depois do Casep.
— E alguém tem ideia de quem pode ter feito isso com ela? Arrancado os olhos, você disse?
— É... Não, ninguém sabe. Só quem fez!
— E o Henrique conhecia ela?
— Duvido. Mas agora todo mundo vai achar que ele tem alguma coisa a ver, só que não tem!
— Eu sei que não tem!
— Sabe mesmo? — ela perguntou.
— Sei, sim. Eu conheço o Henrique. Desde que eu tinha a sua idade.
— A gente nunca conhece totalmente as pessoas — ela disse.
— Conhece, sim. Ele não faria isso.
— Eu sei.
— Mas você acha que pode ter alguma coisa a ver com ele? A morte dessa menina, e o sumiço dele?
— Espero que não.
— Eu também.

E ficamos em silêncio. O que quer que tivéssemos para dizer tinha morrido, e sobramos só nós dois e aquela casa insuportável. O horror do vazio.

A menina tirou algo da meia, um baseado, e o acendeu ali mesmo. Como que para me mostrar que eu é que era o visitante ali.

— Fuma no meu carro — eu disse. — A polícia vai vir aqui.
Ela apagou imediatamente e voltou a estocá-lo na meia.
— Vem, te levo para casa.
— Termina seu uísque — ela disse, se levantando.
Eu ia jogá-lo na pia, mas matei ali mesmo. Talvez com gelo, pensei.
— Vamos!

Ela assentiu, deixou que eu a enlaçasse pela cintura e foi comigo até a porta. Parou na soleira e olhou para ver se vinha alguém. Depois foi sozinha até o carro. Entrei em seguida; ela já não chorava, mas não olhava para mim.

* * *

Deixei a menina na rua de baixo da casa dela e dei a volta, e a vi entrando, num portão verde. Ela não me viu. Fui até a delegacia, seguindo a direção que ela tinha me indicado.
No caminho, pensei no Henrique. Então houve um segundo infinitamente angustiante, infinitamente cálido, enquanto os vapores da minha companhia esmoreciam. Foi quando o mundo real se afirmou, esfregando na minha cara que meu amigo estava desaparecido, que uma menina tinha sido encontrada com os olhos arrancados! E que, por mais que nós tentássemos dar algum sentido às coisas, um amigo tirado à força de casa e uma menina cujos olhos haviam sido arrancados eram, no fundo, só o que eram: coisas brutais, chocantes. Que sabíamos ser possíveis, mas que não imaginávamos que fossem aparecer nas nossas vidas. Em momento algum!
— Meu Deus — eu disse, e me ouvi dizendo.
Cheguei à delegacia ainda sob o peso dessas insanidades. Parecia que eu estava vivendo o pesadelo de alguém. Não era absolutamente eu que tranquei o carro, tudo se passava comigo como se eu estivesse assistindo a um filme. E a mulher agachada

na beira da estrada, os olhos brilhantes. A menina tapando o retrovisor, meus pais mortos. Eu não devia ter vindo, foi o que pensei quando me lembrei da proibição do meu pai antes de entrar pela porta da delegacia, que estava destrancada.

A delegacia estava aberta e já era tarde. Passava da meia-noite. Mais do que aberta, estava barulhenta, cheia de vida! Parecia ser uma festa acontecendo no salão do andar de baixo. A escada dava para um túnel. Nela, havia uma placa que indicava a direção da Prefeitura e da Delegacia, para um lado do túnel, e da Câmara dos Vereadores, para o outro, de onde vinham as vozes.

No corredor subterrâneo, cruzei com uma família, um casal e dois filhos, que levavam um embrulho em papel laminado, cheio de comida de festa.

Continuei seguindo pelo túnel, o burburinho ao fundo, até chegar ao salão da Câmara. A festa corria solta. Algumas poucas pessoas voltaram-se para mim quando entrei e logo me esqueceram. Só uma mulher manteve o olhar em mim, uma mulher velha, de mais de 80 anos e muito bem-vestida, o pescoço adornado por um colar de pérolas. A senhora interrompeu o homem que falava com ela, e ele também se voltou para mim. Ela não se levantou; pôs o prato de salgados de lado e fez um sinal para que eu me aproximasse. Só falou quando cheguei bem perto:

— Você não se parece com o seu pai. Mas te reconheci assim que entrou aqui! De todas as pessoas do mundo, você é a que mais lembra ele. Alguma coisa no seu rosto. Sem a confiança dele. Você é filho do Rodrigo, não é?

— Sou.

— Eu te reconheceria se entrasse num mesmo avião em que eu estivesse. Bem-vindo...

— Ismael — me apresentei.

— Ismael — ela disse, e se levantou para me cumprimentar. — Fui amiga do seu pai. Manuela, prazer. Há quanto tempo não vem a Rio das Almas?

— Ah, muitos anos...
— Sinto muito pelo seu pai. E pela sua mãe. Mais por ela!
— Eu também.
— Mas seu pai era um homem incrível! É muito difícil uma velha dizer isso de alguém mais novo, mas é o que ele era. O fato de ele ter morrido como um irresponsável não apaga isso, não para mim! Mas não foi culpa dele.
— Obrigado. Mas não acredito que alguma feminista respeitaria sua opinião.
— Eu já estou muito velha para confiar em qualquer coisa que não seja minha própria experiência. Sou a prefeita aqui de Rio das Almas. Conheci o seu pai desde que ele tinha a sua idade.
— Ah, prazer! Ele pegou aquilo aqui? Digo, a doença?
— Não, provavelmente foi em algum buraco de São Paulo. Mas foi aqui que ele perdeu a alma!
— Como assim?
— Você veio aqui para vender a casa de pedra, não foi? Para ver se ela ainda estava de pé depois da chuva.
— Isso, é isso mesmo. Mas vim aqui hoje porque meu amigo que mora na cidade desapareceu!
— O professor Henrique? — indagou, claramente surpresa. E olhou para o homem ao lado, um homem jovem, de menos de quarenta anos, que não esboçou reação. Eu trazia uma informação nova para eles.
— Como você sabe que ele desapareceu? — perguntou o homem ao lado dela. — Sou o delegado aqui — esclareceu.
— Eu fui até a casa dele. Estava vazia e revirada. E ele não atende o telefone.
— Você entrou na casa dele? — ele perguntou.
— Entrei. Ele é meu melhor amigo. E a porta estava aberta!
— Como sabia onde ele morava? — o homem perguntou.
Nesse momento, uma outra senhora idosa veio até nós e chamou a prefeita, que se levantou. Antes, virou para mim e

me deu um papelzinho quadrado, como uma cédula, e pediu que eu escrevesse meu nome nela.

— Só o primeiro nome. Você é o único Ismael em Rio das Almas.

— Para quê? — perguntei.

— Para o sorteio da Câmara dos Vereadores. Se você for sorteado, assume hoje mesmo o seu cargo.

— Que cargo?

— Vereador de Rio das Almas — ela explicou, impaciente.

— Vocês decidem isso por sorteio? E as eleições?

— Já tentamos isso. E você tem tanto direito quanto qualquer um de se candidatar. Basta ter uma residência aqui. Escreva seu nome. Isso. Obrigada. O sorteio vai começar.

Ela dobrou o papel e virou-se para o delegado.

— Delegado Marco, dê toda a assistência para o Ismael — ela disse. — O pai dele era um grande amigo da cidade. Se acolhemos tão bem o Henrique, porque era amigo do Rodrigo, vamos fazer ainda melhor com o filho. Dê tudo o que ele precisar, ajude-o da melhor forma possível. E descubra o que aconteceu com o professor Henrique!

Ela então se dirigiu para o púlpito, uma bancada com nove cadeiras, onde três homens e cinco mulheres sentavam-se um ao lado do outro, vestindo suas melhores roupas, e cada um com uma faixa listrada de amarelo e preto, com um brasão no meio. A prefeita subiu até a bancada, e a mulher à sua esquerda se levantou.

— Todos de pé — conclamou a vereadora, e a festa parou.

As pessoas do auditório se levantaram, enquanto a prefeita tomou seu assento na cadeira do meio. Os vereadores e a plateia continuavam em pé. Me levantei também, percebendo que era o único que continuava sentado. A prefeita depositou as três cédulas restantes — a minha no meio delas — e chacoalhou a urna. Depois, voltou-se para o povo.

— Meus amigos — começou a prefeita. — Mais uma vez parece que Deus nos testa, nós, os inabaláveis moradores desta terra tão sofrida! Os vereadores escolhidos terão a ingrata missão de dirigir nossa cidade, de encontrar e enterrar os corpos das mais de oitocentas almas irmãs que, mais uma vez, perdemos numa tragédia. Não cabe a nós questionar os desígnios do nosso Senhor. Os jornais, a TV, todos os que não são daqui falam em descaso das autoridades. Como se fosse possível estarmos preparados para uma tragédia dessas, que lavra a terra, revolve a serra e interrompe a vida dos nossos cidadãos dessa maneira tão cruel. Os que dizem isso acham que podem controlar as convulsões da terra. Eles dizem que as casas todas ficam numa área de risco e recomendam que abandonemos nossa cidade. Como se pudéssemos deixar para trás a terra onde nossos tataravós prospectaram ouro. Como se pudéssemos abandonar as casas que eles e os filhos deles construíram com o pouco que encontraram. Como se fosse razoável abandonar toda a vida que nossos avós construíram juntos, onde nossos pais sonharam conosco e prosperaram, onde frutificamos e construímos quem nós hoje somos. Enterrar nossa identidade e partir para algum outro lugar, onde andaríamos tropeçando pela vida, sob novas regras que nunca chegaríamos a entender completamente. Os mais jovens, eles não precisam de uma enxurrada para sonhar sair daqui. Muitos sairão e se tornarão outras pessoas. Mas, para os que ficarem, temos o dever de reconstruir essa cidade, como fizemos tantas outras vezes, e essa reconstrução começa hoje, com a eleição da nova Câmara dos Vereadores! Caberá a vocês, futuros escolhidos, preparar a terra para as gerações que se estenderão diante de nós. E esse futuro começa agora. Estamos com os nomes aqui na urna. Boa sorte a todos!

Todos se sentaram. Me sentei também.

— Para ser a mão do acaso — continuou a prefeita — representando a democracia, para sortear o corpo da nova Câmara dos Vereadores de Rio das Almas, chamo aqui a mais nova mulher da cidade: Amandinha!

Uma menina magrela, de uns doze anos, se levantou e caminhou a passos trôpegos até o púlpito. Senti com aflição a vergonha da menina, que olhava para os próprios pés. Diante daquele espetáculo bizarro, não me contive e cutuquei o delegado ao meu lado.

— Eles vão sortear mesmo! — eu disse

— Isso é coisa deles — respondeu, e percebi que ele também não era da cidade. Mais que isso, notei um sotaque carioca.

— Por que não fazem uma votação, com partidos e uma eleição normal?

— Dizem que isso reduziria a possibilidade de qualquer um poder ser responsável pela cidade. Política é algo inato, que todos sabem fazer e independe de talento ou habilidade. Mais perto de sexo do que de alguma técnica que se aprende. Ou você acha que só as prostitutas sabem fazer sexo? — ironizou.

Não respondi. Pareceu até fazer sentido naquele momento.

— Não se preocupe — ele disse, rindo da minha perplexidade. — Eu também achei meio chocante quando cheguei aqui.

A pobre Amandinha estava lá, diante da urna de votação, quando abriram a parte de cima da caixa. Ela teve que ser ajudada pela prefeita para meter a mão lá dentro, e tirou a mão rapidamente segurando um papelzinho dobrado, idêntico àquele no qual eu tinha escrito meu nome.

A prefeita apontou o papelzinho na mão da menina. Disse algo a ela. Amandinha desdobrou o papel e anunciou o nome, em voz baixa, e mostrou o papel para a prefeita. A prefeita ralhou com ela e Amandinha estremeceu. Levantou o papel para a plateia e anunciou o nome em voz alta, meio chorosa.

— Paulo Fontes.

O público veio abaixo, numa saraivada de palmas. Um homem simples, do campo, levantou-se enquanto era cumprimentado pelos que estavam ao seu lado. Foi até a bancada e recebeu a faixa da antiga vereadora, que o abraçou e desceu do púlpito, para a plateia. O homem abraçou a prefeita e acenou para o público com um sorriso de quem tinha ganhado algo pela primeira vez. O homem chorava. O povo celebrava.

Um a um os nomes dos sorteados eram anunciados por uma Amandinha cada vez mais fria. Era uma daquelas jovens que a prefeita falou, pensei, uma das que vão picar a mula assim que conseguirem alugar um quartinho na Santa Cecília. Cada um dos novos vereadores subia e recebia a faixa do antigo, que voltava para a plateia.

— Já está acabando — disse o delegado, notando minha tensão — Daqui, vamos para delegacia, cuidar do caso do seu amigo.

Quando finalmente os novos vereadores tinham sido empossados, todos no salão se levantaram e cantaram o hino nacional.

Antes de a cerimônia se dar por encerrada, o delegado tocou o meu ombro.

— Vem — ele disse, se levantando. — Vamos descobrir o que aconteceu com o seu amigo.

* * *

Voltamos pelo túnel, deixando para trás a Câmara em polvorosa. Subimos pela escada da delegacia vazia e depois por outra escada, onde o barulho da eleição foi abafado pela porta que o delegado fechou atrás de nós.

Estávamos no segundo andar da delegacia escura, e o delegado ia acendendo as luzes conforme avançávamos. Havia caixas por todos os lados, como se estivessem de mudança, mas ele não tocou nesse assunto nem no festival demente que acabávamos de presenciar.

— De onde você é? — perguntei, enquanto andávamos pelo corredor.

— Shhhhhh! — fez ele.
— O que foi? — perguntei, falando baixo.
— Tem gente dormindo — disse, apontando para a escada que dava para o terceiro andar.
— Quem?
— Uns militares. Eles se alojaram aqui, estamos dividindo a delegacia. Tem outros aqui do lado também na prefeitura.
— Militares aqui? Por quê? — perguntei.
— Você não viu quando chegou aqui? Tão na cidade toda!
E então lembrei de ter visto mesmo um jipe estacionado na frente da delegacia. E outro, quando levava a menina para casa. Um caminhão militar eu também tinha visto, vazio, perto da escola. Eu não tinha registrado nada disso, o que credito ao meu estado de ânimo desde que chegara. Mas, sim, eu os tinha visto, mais de uma vez.
— Vieram fazer as buscas e alguns estão dormindo aqui. A chuva soterrou bairros inteiros, a cidade está em estado de sítio. São eles que estão cuidando de tudo — ele disse, quando parou diante de uma das portas.
A sala do delegado era um escritório antigo, com uma grande mesa coberta por fotografias de uma mesma vítima. Uma jovem, talvez de vinte anos, jazia nua, com os cabelos desgrenhados, a pele sulcada por escoriações. Nas fotos de rosto, uma sombra chamava a atenção. Eu sabia o que era. Me aproximei e confirmei. Eram dois buracos na cavidade ocular. Procurei por outra foto do rosto. Era isso mesmo. Seus olhos tinham sido arrancados.
— É essa a menina — eu disse.
— Você sabia da menina? Então já vazou! — ele disse, estudando minha reação.
Não devo ter sido muito convincente, porque ele se dirigiu até a sua cadeira, do outro lado da mesa, e acendeu um cigarro. Eu estava sendo interrogado.

— Onde você leu que estava o corpo quando foi encontrado?
— Não disseram.
— Tudo bem, todo mundo já sabe. Ela foi encontrada ontem no pátio da escola.
Estremeci e ele notou.
— Quem era ela?
— Não sabemos, mas não é daqui de Rio das Almas.
Decidi não contar sobre a encenação do crime que a molecada andava fazendo na escola. Precisava descobrir se tinha algo a ver com o Henrique.
— O senhor imagina quem possa ter feito isso?
— Não, ainda não temos suspeitos. A hipótese dos peixes não está descartada.
— Dos peixes?
— A cidade está com mais de oitocentas pessoas desaparecidas depois da chuva que caiu semana passada. E já aconteceu antes. Na enxurrada de 1977, três meninas também foram encontradas sem os olhos. As investigações concluíram que tinham sido os peixes que comeram.
— Mas o senhor não disse que a enxurrada foi semana passada e a menina foi encontrada ontem na escola? A escola estava fechada?
— Não, mas trabalhamos com a hipótese de que alguém tenha encontrado o corpo e jogado na escola para paralisar as aulas. Funcionou.
— Mas não é coincidência que essas três vítimas com os olhos arrancados em 1977 sejam meninas?
— Não sei, nem tenho que saber. A cidade está agora sob jurisdição do comando do Exército, eles que têm de achar qualquer coisa. Essas fotos só estão aqui porque sou curioso.
Ele olhava para mim, me estudando.
— Mas tem, sim, uma coincidência — ele disse, finalmente.
— Seu amigo Henrique. Desde quando ele está desaparecido?

— Não sei.
— Você foi à casa dele?
— Fui, agora há pouco.
— Você entrou pela porta? Tinha a chave?
— Não, ele nem sabia que eu tava aqui.
— Não era esperado. E entrou mesmo assim?
— Eu bati, e ele não me atendeu. Aí liguei para o celular dele, e ele não atendeu. Ele sempre atende quando eu ligo. O portão estava destrancado e a porta estava aberta.

Ele sabia que eu não estava contando toda a verdade. Ele sabia que eu notara que ele sabia, e então sorriu. Um sorriso que me dizia que não confiava em mim. E que, o que quer que eu estivesse escondendo, não tinha importância. Não era nada perto do que ele estava escondendo de mim. Foi assim que interpretei. Até minhas mãos tremiam, e eu tentava escondê-las debaixo da mesa.

— Vamos lá, Ismael, a prefeita me mandou cuidar do seu caso. Você entrou na casa e ela estava toda revirada. Como se alguém tivesse procurado por alguma coisa escondida.

— Isso! Tudo jogado no chão, ele não faria uma coisa dessas!

— Quando foi a última vez que você falou com ele? Ou teve notícias dele...

— Não vejo o Henrique há três anos, não falo com ele há quase seis meses!

De repente, algo mudou no delegado. Uma perturbação, muito evidente, se abateu sobre ele. Não sabia se fora algo que eu dissera ou uma conclusão tardia, mas eu estava diante de um homem perplexo. Algo lhe ocorrera, como se ele tivesse acabado de tropeçar em alguma coisa que estivera ruminando por muito tempo, e finalmente fizesse sentido. Ele então pareceu me levar a sério e pegou um pedaço de papel na gaveta.

— O professor Henrique me procurou há dois dias, parecia muito abalado — ele disse, sem sarcasmo. — Muitos alunos dele não voltaram depois da chuva, mas ele ficou fazendo perguntas estranhas. Queria saber se eu ligaria para você caso alguma coisa acontecesse com ele.

— Para mim?!

— É esse o seu telefone? — Estendeu o pedaço de papel.

— É, sim!

— Vou mandar uma viatura para a casa dele. Como não tem nada a ver com a enxurrada, acho que os militares aqui em cima não vão se importar. E gostaria que o senhor checasse seu e-mail, ligasse para a sua casa em São Paulo para ver se ele tentou entrar em contato com você nesses últimos dois dias. O professor parecia estar passando por uma crise nervosa. Ele ficou falando sobre os militares estarem atrás dele.

— Meu Deus, como assim, militares?! Será que ele ficou louco?

— Pode ser. Mas, de fato, a cidade está sob intervenção. Mais de um por cento da população está desaparecida, tem regiões a que ainda nem conseguimos chegar. E são os militares que estão coordenando os trabalhos da Defesa Civil. Se for um surto psicótico, ele teve bastante material para alimentar sua paranoia.

— Só que o Henrique não era paranoico — eu disse. — Pelo contrário...

— Não estou dizendo que era — protestou, e nós dois percebemos que falávamos dele no passado. — Onde posso encontrá-lo, Ismael, caso precise falar com você?

— Você tem meu celular. Vou estar na casa de pedra, pelo menos por mais alguns dias, para colocá-la à venda.

— Está pensando em pedir quanto por ela? Não precisa responder. Sou curioso.

— Pelo menos uns dois milhões — eu disse, sem embaraço. — Se bem que talvez não chegue a tanto, tem de se considerar a enxurrada...

— E a casa ao lado.

— O que tem a casa ao lado?

O delegado sorriu, surpreso com a minha pergunta. Um sorriso irônico.

— Você já a viu habitada?

— Não lembro, acho que não — eu disse. — Não.

O delegado deu de ombros, ainda sorrindo, com aquela expressão que as pessoas têm quando não acreditamos em algo que disseram, mas que se prova verdade.

— O que aconteceu ali?

— Nada — disse o delegado. — É que a casa ficou desabitada por tanto tempo que a estrutura afundou um pouco. E ela ficou meio torta. Levemente, mas é estranho olhar para ela, e ninguém aqui na cidade quer alugar.

— E o que tem a ver com a casa de pedra?

— É ao lado dela. Pode até ser que comprem, mas vão querer jogar o preço lá embaixo — prosseguiu. — A não ser que você ache alguém de fora, que não ligue de ter uma vista inquietante. Ou alguém que tenha saído de Rio das Almas há muito tempo e queira voltar. Como seu pai.

Nos despedimos, ele prometeu me manter informado de qualquer novidade na procura pelo Henrique e me fez prometer que eu faria o mesmo, caso algo aparecesse. E garantiu também que faria de tudo para encontrá-lo o mais rápido possível.

Saí dali com uma má impressão daquele delegado. Uma coisa ruim, das que sentimos todas as vezes que outros vêm conjecturar sobre o real valor das nossas coisas. Ele tinha acrescentado mais uma variável na desvalorização da minha casa. Baseado num senso estético xucro, que depreciava tudo que não fosse geometricamente retilíneo e com cara de condomínio fechado. Liguei o carro e toquei para lá.

E me veio um sentimento ainda pior. Tão desconfortável que estremeci.

Ele não tinha tido pudor em me esconder nada, e sabia que eu dormiria lá. E se ele tivesse sido *generoso*?

* * *

Não me lembro de como cheguei à casa dos meus pais. Quando me dei conta, já me aproximava do portão da casa de pedra.

Enquanto meu pai fechava os olhos, sonhando que a enxurrada lavara a casa da face da Terra, meu amigo enlouquecia — por que não ligou? — e os corpos dos afogados flutuavam pela serra, para o abismo. A menina aparecia na escola, sem os olhos. O mundo todo se desfazia ao mesmo tempo, e eu não conseguia deixar de ligar o desaparecimento de Henrique com a fuga dele de São Paulo.

Henrique sempre fora o meu amigo mais sensível. Também era o mais generoso, o mais idealista, apesar do cinismo mórbido. O tipo de homem que o mundo engole. É claro que eu checaria se ele tentara me contatar por e-mail ou se tinha me mandado uma carta para São Paulo, ainda que não se faça mais isso. Mas tinha uma certeza íntima de que o Henrique tinha fugido, dessa vez para nunca mais ser encontrado. De qualquer forma, eu precisava ao menos tentar. Ele pediu que me ligassem. Que ligassem para mim! No seu rol de referências fodidas, eu era a pessoa que ele julgava ser a mais indicada para resolver as coisas caso ele se metesse num buraco muito fundo. Coitado!

Eu honraria seu voto de confiança. Ficaria na cidade até conseguir uma resposta mais ou menos clara do que acontecera com ele. Não venderia a casa imediatamente. Mesmo porque, com toda essa tragédia, a casa devia ter se desvalorizado em um milhão. Talvez mais.

3.
A CASA

Eu estava na porta da casa às escuras, com a chave na mão. Tinha resolvido não acender a lanterna do celular, que iluminaria o trinco da porta, mas escureceria todo o resto. Não conseguia encaixar a chave na fechadura, meu coração começando a bater forte. Sentia medo do escuro ao redor, tinha de entrar logo e alcançar o interruptor. Meu pai nunca deixara de pagar a conta de luz e as casas no caminho estavam acesas; as chances de a casa ter luz eram grandes. Consegui enfiar a chave e girá-la, a porta se abriu sem ranger. Tateei a parede, apertei o interruptor. Não tinha luz na sala, devia estar queimada. A claridade da lua entrava pelas janelas enormes. Atravessei a sala reconhecendo cada canto, à procura do interruptor do corredor, que não funcionou. A casa estava mesmo às escuras. O corredor longo e deserto estendia-se à minha frente, tão escuro que eu não sabia se a porta na outra extremidade estava aberta ou fechada. Senti que havia algo ali. No fim do corredor. Se havia, me observava. Saí às pressas da entrada do corredor e fui até a cozinha, onde havia a luz da lua.

Na cozinha escura, acendi a boca do fogão e esquentei água na leiteira. Fui até a despensa, acendi um fósforo e procurei por xícaras de café. O fósforo apagou, acendi outro, e outro. Alcancei o pó de café numa das prateleiras, não parecia estar vencido. Na pia, em frente à janela empoeirada, dispus o pó, as xícaras e o coador. A água ainda não fervia, e agora eu passava a mão pelo vidro da janela, removendo a poeira. Olhei para fora, as árvores projetando suas sombras arabescas pelo terreno deserto. No canto, vislumbrei a casa ao lado. Seu aspecto decadente, ligeiramente inquietante mesmo. Logo percebi: estava realmente um pouco torta, um quase nada. Eu nem teria percebido se o delegado não tivesse me falado. Mas ela lá, assim, daquele jeito, no escuro... Era perturbadora. Mas eu estava sugestionado. Era isso, eu na minha casa de férias, na sua versão deprimente e assustadora. A água começou a ferver, silvando em borbulhas.

Tirei a leiteira do fogo e despejei a água sobre o coador. O pó do café se misturou com a água e foi escorrendo para dentro da xícara. Quando sobrou só a borra no coador, coloquei-o na pia, voltei a leiteira para a boca acesa e desliguei o fogo. Olhei para fora.

E vi uma mulher.

Nua, parada no meio do terreno.

Aquilo me atordoou. Ela não parecia me ver por trás da janela. Foi um momento longo, nem a mulher nem nada mais se moveu. Até que ela deu um passo à frente.

E pareceu ser tragada pelo solo!

Tive um instante de pavor, até notar que onde ela caiu havia água transbordante. Lembrei da nossa piscina suja. Ela tinha se deixado cair. E naquela parte escura do terreno, na piscina ainda mais escura, a mulher, belíssima e corpulenta, nadava. E eu a observava. Esperando que ela emergisse.

A vi novamente subindo, do outro lado da piscina. Se debruçando sobre a borda e saindo da água, que escorria pelo seu corpo. E notei com apreensão como sua silhueta era deslumbrante. Ela se abraçou, com frio, os cabelos negros escorridos pelo rosto. Pude sentir seus pelos eriçados, sua boca amarga pela água parada da piscina.

Até hoje não sei por que decidi segui-la e corri até a porta. Quando cheguei ao quintal e avistei a piscina, ela não estava mais lá.

A princípio não acreditei. Ela não poderia ter ido a lugar nenhum naqueles poucos segundos. Mas depois fui até a piscina, com infinita cautela, e vi o declive no terreno que levava à estrada. Ela podia ter saído por ali. Eu já não tinha coragem de correr até lá e tentar alcançá-la. A água da piscina ainda bruxuleava, mas não havia ninguém.

E havia a outra casa. Levantei os olhos e vi a casa no morro, a casa assimétrica, abandonada, ao lado das bananeiras. Estava deserta, como quase sempre esteve.

Lembrei que havia também um ponto cego para a minha casa, por onde ela podia ter contornado. Ou *entrado*.

Foi quando percebi ter prendido a respiração. Um medo primitivo, irracional, tomou conta de mim e quando voltei a respirar comecei a fazê-lo com dificuldade. Evitei olhar para a casa ao lado. Em vez disso, voltei os olhos para a mata cerrada, além da minha propriedade. Os pássaros, calados. Um peso circundava a paisagem totalmente escura, a não ser pelo último resquício de luz da lua atrás das nuvens. Olhei para a minha casa, o medo opressivo dificultava minha respiração.

Finalmente, tomei coragem e olhei de frente para a casa vizinha.

Na janela do segundo andar, vi um rosto sombrio de mulher. Aparecendo e desaparecendo.

Com o choque, dei um passo para trás e caí na piscina. Me debatia para me livrar das folhas que me puxavam, emergi de frente para aquela casa. A água turva em meus olhos me impedia de ver com clareza, mas por um momento confirmei o que havia visto. Algo incerto, como um rosto, desaparecendo novamente na janela. Foi apenas um instante. Quando recuperei a clareza da visão, não havia mais nada.

Saí da piscina e corri até a porta da minha casa. Na hora de entrar, me detive. Encharcado, coberto de folhas mortas, voltei-me para a casa no morro. Não havia ninguém lá. Eu ofegava, mas sustentei o olhar como que desafiando a mulher a aparecer mais uma vez na janela.

Mas a casa vizinha parecia deserta. Entrei em casa e tranquei a porta atrás de mim.

*　*　*

Tanta coisa estava acontecendo ao mesmo tempo que eu não conseguia sentir nada por elas.

A morte da minha mãe, e depois a do meu pai e seus segredos bobos e infelizes no quarto do hospital.

A menina com os olhos arrancados, jogada no pátio da escola e a encenação dos alunos.

Meu querido amigo Henrique, por quem eu sentia muito pouco, mesmo depois de saber que ele acreditava que eu era o fiador da sua vida. Minha responsabilidade por identificar seu paradeiro.

A mulher nua na piscina da casa de pedra. E a da janela na casa abandonada. E a ideia de que tudo aquilo fosse um sonho esquizofrênico, temperado pelo meu estado de nervos deteriorado, ou que pelo menos deveria estar, se eu via mulheres em ruínas.

Mesmo a volta para a minha casa da infância não foi capaz de despertar em mim nada além de indiferença e medo do escuro.

Os eventos dos últimos dias iam se sucedendo na minha memória. Eu já não tinha o menor controle sobre os pensamentos que irrompiam em minha mente! De uma forma que eu nem conseguia determinar com quais deles eu realmente me importava. Se é que havia um! Pela primeira vez na minha vida eu não tinha o controle sobre o que sentia ou pensava, nem sobre as ideias que me assaltavam, nem as imagens, nem as vontades. Elas iam e vinham, ao seu bel-prazer, na intensidade que escolhiam aparecer. O que talvez fosse uma boa coisa. Por toda a minha vida, mantivera sob rédeas curtas minha atividade mental, e isso não tinha me levado muito longe.

Isso dito, sempre que eu estava em São Paulo, minha cidade, e por acaso sentia uma brisa que parecia soprar de Rio das Almas, via esse lugar aonde eu costumava vir quando era menor... Sei lá, isso me dava uma paz. E nos momentos difíceis da vida adulta, de términos, demissões, rejeições e medo de um futuro que se mostrou pior do que eu já imaginava... De alguma forma, essas imagens de Rio das Almas que me ocorriam me davam uma certa paz. Como se houvesse um lugar no qual eu me sentia confortável, uma casa para onde eu podia voltar. Mesmo quando minha vida tomou proporções ridículas — especialmente nesses momentos —, eu pensava em Rio das Almas.

A mentira entrou cedo na minha vida. Lembro de me esgueirar por Rio das Almas, andar por sua terra com algum chocolate roubado antes do almoço, esconder perfumes que eu roubava do armário dos meus pais. Mesmo assim, ao vagar por aqueles campos, ao atravessar aqueles riachos com um sentimento de culpa e algo roubado debaixo da blusa, mesmo assim eu me sentia em casa. Aquela era a minha casa e, mesmo que eu nunca tivesse tido paz ou felicidade desde minhas primeiras memórias, lá eu tinha isso, de alguma forma. Aquelas pequenas corrupções todas vinham a mim como algo meu. Elas me identificavam e me acalentavam, e eu sabia que, se tinha medo de ser descoberto, era pelo medo de perder o amor de alguém. Quando esse medo acabou, não restou muita coisa.

Sabia que estava divagando. Mas, de uma hora para outra, parecia importante que eu entendesse pelo menos quais dos golpes dos últimos dias tinha sido o mais duro, qual deles ia continuar aparecendo nas minhas lembranças anos depois que tudo aquilo estivesse longe, bem longe. Do que eu me lembraria da semana em que morreram meus pais?

Naquela noite, tive um sonho vívido. E talvez essa fosse a chave para entender com o que eu, no fundo, me importava.

Não sonhei com minha mãe, nem com meu pai, nem com o Henrique, nem com a menina sem olhos. Nem com a menina que saía nua da piscina, nem com o cheiro de sexo que subia com ela da água parada. Ou talvez fosse ela, mas creio que não.

Sonhei com uma menina nova, de uns vinte, dezenove anos, com cabelos muito escuros e escorridos e um olhar bobo de quem nunca viveu numa cidade grande. Eu não estava no sonho, mas ela esgueirava-se com duas mexericas debaixo do braço. Parecia estar indo embora para a sua casa. E ela andava rápido, como se tivesse roubado as mexericas e estivesse apreensiva de que alguém a mandasse devolvê-las e a acusasse. Podia ser eu quando criança, mas sabia que não era. Era uma menina mesmo, muito bonita, com um caráter tão fraco quanto fora o meu próprio. Em um dado momento, ela parou no meio da estrada escura e começou a descascar uma das frutas. Cheirou seus dedos, olhou de novo para trás, para ver se não era mesmo seguida, e continuou seu caminho, mastigando os gomos doces da mexerica. Senti uma dor no coração. Simpatizei com ela por ser tão desonesta quanto eu, além de pobre o bastante para ter de fazer aquilo naquela idade. Ou talvez ela pudesse pagar por uma mexerica e tivesse roubado só porque aquela era sua índole e não conseguisse fazer diferente.

O sonho foi só isso. Toda a fuga da menina não durou mais que alguns segundos, mas foi de uma nitidez com a qual eu jamais sonhara antes. E eu tinha certeza de que nunca tinha visto aquela menina. Nunca, na minha vida! Ou talvez tivesse visto, o que me fez pensar que ela deveria ter o rosto de alguma atriz pornô. O fato é que aquela menina caipira fugindo com as mexericas e olhando para trás com medo de ser pega me comoveu. Profundamente.

Acordei em paz e um pouco excitado. Aquela menina fugitiva tinha resgatado meus sentimentos ternos, que eram abundantes na minha infância corrupta, mas que foram desaparecendo, até não existirem mais, conforme a vida foi ficando cada vez mais árida.

Estava na cozinha da casa de pedra, num colchão improvisado, olhando para o teto.

O sol entrava pelas grandes janelas da casa, já era quase meio-dia.

A geladeira começou a zunir, a lâmpada estava acesa. A luz voltara.

Fui até o interruptor que eu tinha testado na noite anterior e apaguei a luz.

Andei até a sala, era a sala da minha infância, os móveis de madeira de lei, tudo de muito bom gosto para os anos oitenta. Lembrei da secretária eletrônica. Não havia nenhum recado, o que, com a geladeira ligada, o relógio digital do micro-ondas e a TV em *stand by*, me fez perceber que meu pai voltava até a casa de tempos em tempos.

Meu celular tinha sinal. Disquei o número de sete dígitos que eu, por algum motivo, ainda sabia de cor. O número não existia. Disquei o mesmo número, agora com um 6 na frente, e o telefone da casa começou a tocar. Deixei que tocasse e, no quinto toque, a fita cassete da secretária eletrônica começou a rodar.

— *Você ligou para a casa do Rodrigo e da Clara* — era a voz do meu pai, antes da doença — *e do Ismael* — minha voz de criança. — *Deixe seu recado* — continuava meu pai — *que a gente te liga assim que puder. Obrigado* — e eu de novo: — *Tchau!*

No bipe, desliguei.

Aquele ali era o pai que eu amava, mas não gostei de quem eu era. Ainda não gosto de quem sou, mas melhorei.

Precisava encontrar o Henrique. De algum jeito acordei sem nenhuma urgência. Talvez aquilo tudo fosse um grande mal-entendido e, se eu aparecesse agora na casa dele, o Henrique estaria lá, recolhendo as coisas do chão, com uma cara de ressaca e uma história sem pé nem cabeça para contar. Era muito mais plausível que qualquer outra explicação, e seria também a cara dele dar uma dessas.

Fui até o corredor que levava à sala dos fundos e aos quartos. Acendi a luz e atravessei o corredor às pressas. Só parei de sentir medo quando abri a porta do outro lado e cheguei à saleta ensolarada. Um medo antigo. Fui direto ao banheiro da saleta — um hábito antigo — de azulejos verdes e pintados com flores amarelas, me meti debaixo do chuveiro.

Saí de casa tomado por uma paz estranha. Como se eu sempre tivesse morado lá.

A luz do dia iluminava o quintal, aquele cenário de fotos velhas, mas me perturbou um pouco olhar para a piscina e a casa ao lado, decrépitas.

Dirigi até a casa do Henrique.

4.
VELHOS AMIGOS

A entrada da casa estava diferente: o tapete da porta inclinado, um vaso de planta quebrado. A porta da casa do Henrique estava fechada, mas continuava destrancada.

Minha esperança de que tudo aquilo fosse uma pegadinha do malandro se esvaneceu quando entrei. A casa continuava revirada. Henrique tinha mesmo desaparecido.

A polícia tinha passado e derrubado vasos, mas parecia não ter mexido em nada. Resolvi mexer nas suas coisas. Ele tinha pedido que eu viesse, e ali estava eu. Não encontrei remédios além de analgésicos, não encontrei instrumentos de consumo de drogas. Encontrei, espalhados pelo chão, perto da sua gaveta, trabalhos escolares não corrigidos e, no meio, cartas de alunas.

"Professor" — e um desenho de coração vermelho.

"Muitos, muitos, muitos, muitos (e assim sucessivamente, por toda a folha de caderno) — "Muitos beijos!!! Te adoro! Ana Flávia" — e uma foto de uma adolescente, doce e sensual, numa blusa de lã e calça do colégio.

Não sabia o que fazer com aquilo, dobrei as cartas e guardei no bolso da bermuda, caso o desaparecimento chegasse à mídia e a polícia resolvesse trabalhar. No fim, não tinha sido má ideia me chamar, pensei com algum orgulho.

* * *

Fui direto à delegacia para saber novidades sobre o caso. O delegado enrolou para me atender, depois o peguei saindo da delegacia e ele foi seco ao afirmar que estavam procurando o Henrique, e recusou-se a falar mais.

Guiei sem rumo pelas ruas do centro, que não havia sido afetado pela chuva. Algo me ocorreu e virei imediatamente em direção à casa da menina da noite anterior, a do suéter. Entrei na rua dela, imaginando se teria coragem de tocar a campainha. Enquanto avaliava o quão estranho seria chamá-la, estacionado na frente da casa da menina, ela apareceu na janela. Nos olhamos por uns instantes e fiz sinal para que ela viesse até o carro. Alguns minutos depois apareceu com um vestido bonito, botas altas, cabelo preso num coque e batom.

Parou ao lado do carro.

— Preciso falar com você — eu disse. — Não quer entrar?

Ela entrou, de novo não olhou para mim, e dei partida. Ela exalava um perfume barato, excitante.

Perguntei se ela conhecia o mirante da cidade, ela disse que sim. Sugeri que fôssemos até lá e ela topou. Queria mostrar-lhe a cidade, e esperava que ela me apontasse uma casa ou prédio que pudesse dizer algo sobre o Henrique. Ou que lá em cima ela baixasse a guarda e dissesse alguma coisa — qualquer coisa — que pudesse levar a algum lugar. O que viesse primeiro. Era isso.

* * *

Chegamos ao topo do mirante. Ela parecia encantada com a vista da cidade daquele ângulo.

— Eu nunca tinha vindo aqui — confessou.

— Seu nome é Ana Flávia, né? — arrisquei.

Seu encantamento desapareceu por completo e deu lugar a uma expressão azeda.

— Eu sou o Ismael. Qual é o seu nome?

— Não é Ana Flávia — retrucou.
— Mas você conhece a Ana Flávia, não?
— Por quê? Conheço, todo mundo conhece. É uma puta.
— Estuda com você?
— Não, ela é do último ano. Se não morreu, né. Ela morava no Barreiro e não apareceu mais na escola.

Talvez daí viesse a perturbação do meu amigo. O Barreiro foi o bairro mais atingido pela enxurrada, podia ser que ela tivesse desaparecido com a chuva, podia ser que ele estivesse agora naquela área interditada, cavando lama com as mãos.

— A polícia foi lá ontem — eu disse. — Derrubou um vaso, mas nem remexeu nas coisas direito. O delegado falou dele no passado, como se achasse que nunca mais vamos encontrá-lo.

Os olhos da menina finalmente fixaram-se nos meus. Olhos de terror e desolação, profundamente angustiados.

— Preciso encontrá-lo — continuei. — Você imagina o que possa ter acontecido?

E então ela chorou. Um choro baixo e desesperançado. Eu a abracei contra mim; ela se deixou abraçar. E começou a chorar alto.

— Calma. Tá tudo bem.
— Eu falava para ele que ia contar para polícia! Ele ficava assustado. Fingia que não, mas ficava! Ele se assustava com qualquer coisa! — confessou, como se refizesse um mapa mental. — Eu dizia que faria qualquer coisa para fugir daqui e ele dizia que faria qualquer coisa para ficar aqui! Será que ele tava mentindo? Será que ele fugiu? Assustaram ele?

Ela se inclinou e voltou a chorar, e a abracei novamente.

Confesso que não entendi o desespero da menina. Se ela chorava pelo horror de um homem adulto ter desaparecido, se pela falta que ele faria na vida dela ou se achava que ele estava morto. Mas aquela precipitação abandonada nos meus braços me preocupou. Ela tinha certeza de que nunca mais o veria. A mesma atitude que a minha ex teve quando contei que o nosso cachorro, que tinha ficado com ela na separação e fugido, provavelmente não seria mais encontrado. Deixei que ela chorasse no meu ombro e ela passou a soluçar alto, como uma criança, que era o que ela, no fundo, era.

Aquilo me tocou e a apertei contra mim. E desejei que ela pudesse ser poupada de todas as dores do mundo que ainda viesse conhecer.

* * *

Levei a menina para casa e prometi que daria notícias assim que soubesse dele. No fim, acabei convencendo a menina que ele era um fujão mesmo, que assim como tinha ido embora sem mais nem menos de São Paulo, devia ter feito o mesmo agora. Na verdade, poderia ter sido bem isso mesmo.

No caminho, consegui arrancar dela que a Ana Flávia trabalhava numa loja de eletrodomésticos no centro da cidade. Seria um ponto de partida melhor que a escola, que estava fechada. O que quer que tivesse acontecido, devia ter relação com essa Ana Flávia. Certeza! O Henrique era meu melhor amigo. E ele era igualzinho àquela música do Pimpolho, daquela banda sensacional dos anos noventa. Na verdade, dava para substituir o nome "Pimpolho" por "Henrique" sem nenhum prejuízo semântico.

"Henrique é um cara bem legal / Pena que não pode ver mulher..."

Bem capaz que ele estivesse numa outra cidade, cheio de culpa e cara de pau, dando em cima de alguma garçonete caipira, desfilando sua erudição canalha. Eu gostaria mesmo de acreditar nisso, e até ri um pouco. Mas não acreditava. A coisa ali era muito mais pesada do que eu gostaria de imaginar. Tinha ainda um velho amigo do meu pai, o padre Fausto, e a história vai ficando cada vez mais boçal. A chuva no Barreiro. O padre Fausto. Mas esse era o nome dele. E ele era muito amigo do meu pai, muito respeitado na cidade, e conhecia todo mundo. Se alguém pudesse saber de algo que ninguém sabia, seria ele. E ele me receberia. Adorava o meu pai. Quando ele ia lá em casa, jogavam baralho e falavam besteira até o dia nascer.

* * *

Depois de todos aqueles anos, não esperava encontrar o padre engraçado e jovial que conhecera na infância. Os anos deviam tê-lo deixado sério, solene. Eu sabia disso, mas sabia também que havia uma memória melancólica nos velhos que um dia foram engraçados. Uma disposição de tentarem se divertir toda vez que se encontram com quem conhecera seu eu antigo, mais leve. Ele me receberia com nostalgia e boa vontade.

Ao avistar as torres da igreja erguendo-se sobre as casas, me veio a lembrança da mulher nadando nua na minha piscina. E da outra. O rosto na janela da casa em ruínas. Precisava me lembrar de não trazer esse assunto à tona. Porque, se ele dissesse algo místico sobre isso, não conseguiria mais dormir na casa.

A construção era antiga e caprichada, a porta era talhada com demônios-lagartixas, os donos do mundo, segundo acreditavam os católicos. Rastejando sedentos na soleira da casa de Deus. O rosto da mulher na janela da casa abandonada, surgindo e desaparecendo, me inquietava a mente, mas cortei o pensamento.

Na igreja vazia, meus passos ecoavam nas paredes dos santos martirizados. Pela lateral, entrei na sacristia.

— Padre Fausto — eu chamava.

Continuei abrindo portas, até que alguém viesse me impedir. Cheguei a uma escada em caracol que levava ao subsolo. Estava escuro e tive medo de entrar ali. Quando voltei, deparei-me com o padre Fausto atrás de mim, me encarando.

— Quem é você? — me perguntou com autoridade nervosa.

— Desculpa entrar assim, ninguém atendeu. Sou o Ismael, filho do Rodrigo e da Clara.

O semblante duro do padre se desmanchou num sorriso.

— É verdade! É a cara da sua mãe! — Me abraçou e tomou meu rosto em suas mãos. — Seja bem-vindo! Achei que fosse um judeu! — E riu e eu ri também. Seu senso de humor era exatamente como eu lembrava, assim como seus olhos sagazes e cabelos desgrenhados, agora mais brancos e mais rebeldes.

— Me acompanhe. — E me abraçou e me escoltou de volta para a sacristia.

Puxou uma cadeira, mandou que eu me sentasse e alcançou uma jarra de vinho tinto dentro de um dos armários. Dispôs duas taças na mesa e as encheu até a borda.

— O primeiro milagre! — disse ele e levantou a taça. Brindamos. — E tem gente no mundo que não é cristã!

— Mas o senhor tem de admitir que as setenta e duas virgens de olhos grandes e seios em forma de pera são um páreo duro! — lembrei, e rimos os dois.

— O nosso Messias insiste que temos de dar a outra face. Não é pouco!

— Pode ser um pouco bobo — ponderei.

— Mas tem uma coisa que é melhor que ser belo, melhor que ser justo, que ser rico ou alegre... O melhor é ser bom! Não sabemos o porquê disso, mas sentimos que é, não é mesmo? Que o melhor é ser bom?

— Acho que sim — admiti. — Mas o senhor está dizendo que Cristo foi melhor que Maomé?

— Não melhor. Só não era mesquinho nem rancoroso. Logo, foi superior! — concluiu Fausto, sorvendo um grande gole da taça. — Sinto muito pelo seu pai. E pela sua mãe. Eles estão no Céu, nos observando, neste exato momento, se não tiverem nada mais interessante para fazer — disse o padre e piscou para mim.

— Padre, tem um negócio muito louco acontecendo, e eu preciso da sua ajuda.

Ele se acomodou na cadeira. Era o que estava esperando.

— Eu tenho um amigo, meu melhor amigo, na verdade — continuei. — Que veio morar em Rio das Almas há uns anos. Ele é professor.

— O professor Henrique — concluiu.

— Isso... Ele desapareceu na noite passada. Fui até a casa dele... Ele tinha sumido!

— Como "sumido"?

— A casa dele tava toda revirada, todos os papéis, discos, livros no chão. Já liguei para ele, ele sempre atende, mas dessa vez... Eu conheço ele, padre.

— Boto fé — disse o padre, pondo a mão no meu ombro.

— E você tem ideia do que pode ter acontecido? Digo, se ele pudesse estar se sentido acossado por alguém e resolveu fugir e deixar tudo para trás. Ou se pode ter sido sequestrado por alguém?

— Não sei, padre. Mas o que mais me preocupou foi que corri até a delegacia para dar parte e o delegado me disse que o Henrique tinha estado lá essa semana, totalmente perturbado, e que tinha lhe pedido que me contatasse se alguma coisa acontecesse com ele — eu disse, tentando soar o mais lógico possível.

— Aí te ligaram e você veio a Rio das Almas.

— Não! — respondi, horrorizado. Acabara de perceber a estranheza daquilo tudo. — Não, padre, eu vim vender a casa de pedra dos meus pais. Foi uma coincidência! — concluí.

— Coisas horríveis têm acontecido desde aquela chuva. Ela mexeu com a terra. Levou centenas de pessoas. É como uma troca — ponderou.

Ignorei a última parte, perdido em minhas próprias conjecturas de causa e efeito. Como era incrível que Henrique tivesse pedido para me contatarem e desaparecido na mesma semana que meus pais morreram. Na mesma semana em que finalmente voltei para Rio das Almas. Para onde eu não voltava havia quinze anos, desde que eu tinha exatamente quinze anos. Dava para ficar louco se começasse a pensar em tudo isso.

Quando me voltei, para o padre ele também parecia perdido em pensamentos. Resolvi respeitar sua introversão, algo sombrio engrossava o ar daquela sacristia. Quando voltou do transe reflexivo, sorriu para mim, pegou uma cadeira e fez menção para que eu sentasse à cabeceira de uma mesa de madeira escura, pesada. Obedeci.

Ele foi até uma estante de livros e girou uma das prateleiras. Atrás dela, outros livros surgiram, de muitos tamanhos, só que todos mais finos, de capas escuras e desgastadas. Eu soube naquele instante do que se tratava. Padre Fausto retirou quatro volumes da prateleira secreta e enfiou a mão no que parecia ser um buraco dentro dela. De lá, retirou um livro de capa negra, desarranjado, as folhas assimétricas davam a impressão de terem sido juntadas e colocadas de volta sob o peso da capa.

— Existem tantos sacramentos do bem como do mal. Um bom padre deve conhecê-los. Saber os seus nomes — disse, trazendo o volume com o corpo rijo, hoje eu penso.

Dispôs o livro na minha frente, como se quisesse se livrar dele. Eu já sabia mais ou menos do que se tratava. Posso estar olhando com um viés retrospectivo, mas sou capaz de jurar que, naquele momento, previ tudo o que aconteceria a partir dali!

O fato é que senti algo pela primeira vez. Uma impressão ruim. Como se a sacristia tivesse ficado um pouco mais fria. Aquele livro tinha uma coisa ruim nele, apesar de se parecer só com um livro muito antigo e malcuidado. A capa era dura e inteiramente preta. Tinha cheiro de incenso, um odor evanescente, diferente daquele que rescendia aquela igreja.

O padre inclinou-se e abriu o livro, na primeira página. Era uma página em branco, amarelada pelo tempo. O conteúdo dele começaria nas próximas páginas. Nunca tinha sentido aquela apreensão, nunca tão sombria. Estava paralisado. Era como se eu estivesse diante de uma porta e soubesse que, ao abri-la, entraria num mundo novo, um mundo de feiura sufocante, e acabaria esquecendo o anterior. Estava olhando para ele quando o padre voltou a falar. Me arrepiei.

— Esse é o *Livro sem Título*. O engraçado é que esse acabou virando o nome dele — disse, sem sorrir. — Quando você começa a ler o livro, não consegue mais parar. E ele te leva à loucura! É um livro que traz profundas revelações para quem o lê.

— Revelações sobre o fim do mundo?

— Depois que você começa a ler, o livro começa a falar com você. A falar DE você. Te chama pelo nome. Te conta teus segredos mais inconfessáveis. Aqueles que você guardou ou aos quais não deu importância, justamente para que não ficassem voltando à sua mente. O livro começa a falar deles. Como se quisesse te provar que você está lendo sobre você mesmo. Até te lembra dos segredos que você já esqueceu. Te dá o nome dos seus avós, dos seus pais mortos. E fala de coisas que só eles saberiam. Te conta sobre onde eles estão agora, com os detalhes mais doentios. E te exorta a fazer coisas. E é aí que a pessoa enlouquece!

— Nossa! — eu disse. — Que bizarro!

Senti meu corpo tremer por um segundo. Voltei-me para o padre, tirando os olhos do livro, que parecia um abismo que começava a me observar, como dizem.

— E o senhor leu esse livro? — indaguei.

O padre riu, com doçura. Tomou o livro das minhas mãos e o fechou. Guardou o tomo de volta no buraco da prateleira, colocou de volta no lugar os volumes que o ocultavam e girou a prateleira secreta, ocultando aquela biblioteca sombria. Do outro lado, havia os livros simétricos, alguma enciclopédia, imaginei. Ele voltou-se para mim.

— Se eu li? Não, é claro que não! — fez graça. — Seria loucura sabendo o que se sabe!

— O senhor acha que ficaria louco se lesse o livro?!

— Eu só acho que não arriscaria ler uma coisa dessas — ponderou.

— Mas como você sabe do que o livro fala?

— Por relatos colhidos junto a pessoas que o leram. Em sanatórios.

— Em mais de um?

— Dois em Lisboa e um no Recife. Até onde eu sei.

— E o cara que traduziu o livro?

— Não existe nada que diga que o livro foi traduzido. Ele foi escrito em português. Sua única edição é de 1298, de Lisboa — disse, e virou-se para a prateleira onde agora estava a enciclopédia. — Parece, sim, haver outras cópias, uma no acervo da Biblioteca do Congresso, em Washington, a outra na Diocese de Coimbra.

— E a sua cópia?

O padre riu.

— A minha eu roubei! De um cofre, no acervo restrito da PUC de São Paulo.

— Nossa!

Ele riu novamente.

— Consegui me convencer de que fiz isso por altruísmo, mas não sei.

— Bom — mudei de assunto, para esconder meu deleite pela história do roubo — Mas então além do original foram feitas outras cópias.

— Três, pelo que se tem notícia — ponderou. — Mas isso é tudo de que se sabe. Não sabemos nem mesmo quem escreveu o livro, muito menos se foi o autor quem fez as cópias — explicou, antecipando-se à minha pergunta.

— Certo. Então quer dizer que ninguém *são* leu esse livro!

— Todos os relatos foram tomados em sanatórios.

— O senhor não acha possível, padre, que o que o senhor tem aí seja a pegadinha mais longa em língua portuguesa? — provoquei.

O padre se levantou, girou a prateleira, pegou novamente o livro na estante e o pôs na minha frente. Olhei para aquela capa dura, preta e infinitamente velha. Ele esperou.

— Também tenho essa curiosidade — disse ele, finalmente.
— Não gostaria de lê-lo? Na companhia de um padre?

Fitei aquela capa preta e pensei ver uma sombra nela, talvez uma gravura há muito apagada pelo tempo. Levantei os olhos para o padre e ele me fitava com um sorriso zombeteiro. E então eu ri.

— Não, brigado — disse, afastando o livro de perto de mim.

O padre recolheu o livro novamente.

— Então não vá dizer que o senhor é ateu — gracejou, e rimos.

— Eu nunca disse!

Padre Fausto voltou o livro para a prateleira secreta e sacou outro livro, mais fino e longo, que parecia ser um caderno antigo ou um livro de contabilidade. Passou a mão pelo pescoço e tirou seu crucifixo, talhado rusticamente em madeira, como uma relíquia.

Colocou o outro livro na minha frente e me estendeu o crucifixo.

— Toma — me ofereceu.

Eu segurei aquela cruz pequena nas mãos, era uma antiguidade.

— Esse crucifixo pertenceu a um dos jesuítas que trabalharam aqui, em Rio das Almas. Ele e todos os jesuítas foram expulsos da Vila de São Paulo e adjacências em 1640, pelos bandeirantes. Uma família devolveu o crucifixo à igreja, muitos anos depois. Olhe para ele...

Obedeci.

— Você consegue sentir o SAGRADO nesse crucifixo? — indagou.

Senti o peso de madeira de lei do crucifixo em minha mão. Penso que senti até mesmo sua antiguidade. Mas o sagrado...

— Não — admiti, depois de um momento.

O padre riu e tomou de volta o crucifixo da minha mão. Voltou a colocá-lo em volta do pescoço.

— Imagino que não — disse, sem ironia.

Abriu o livreto longo na minha frente. Folheou as páginas. Pude vislumbrar que se tratava de um caderno de ilustrações, com alguns textos, algumas citações entre aspas e algumas poesias, ou salmos, em estrofes. As ilustrações pareciam ser de algum estudo de botânica, muitas flores e plantas, desenhadas sob diferentes ângulos. Podia também ser um diário ou o livro de estudos de um homem louco.

O padre folheou as páginas rapidamente até um certo ponto, quando começou a folheá-las devagar. Como se tivesse medo de virar numa página errada.

Parou, exatamente em outro estudo de botânica, as flores de um ipê. Voltou-se para mim.

— Essas são as anotações do padre Jorge, que foi padre aqui em Rio das Almas até o começo do século passado — explicou, tomando minha mão e a colocando em cima da página aberta. — Atrás dessa página tem outra ilustração. Você não sabe o que é.

Assenti, não sabia.

— Mas já tem uma impressão, não? Uma sensação?

— Sinto — e eu sentia, mas estava sugestionado.

Dramaticamente, o padre virou a página. O que vi era algo impactante. Não sei o motivo, por ser tão simples.

Era um retrato, desenhado com ponta fina de carvão. Do rosto de uma menina de olhos fechados, na penumbra. Com os cabelos caídos em metade do seu rosto, os cabelos desenhados com mais força, como que num esforço de escondê-la parcialmente. De dificultar um pouco sua identificação. Pela metade descoberta, via-se uma menina bonita, muito jovem, mas já sensual. Parecia dormir, sonhando um sonho doce. Um rosto apaixonante, de certa forma. Um belo desenho! Como se fosse a encarnação de algo muito íntimo e profundo.

— Olhe para essa figura — pediu o padre, tirando-me do meu devaneio. — Olhe bem... Você consegue sentir o MAL nesse desenho?

Eu conseguia!

Um tremor gelado correu pelas minhas costas, e me senti paralisado. Era como se olhasse para a própria face do demônio, para algo muito feio e terrível, naquele rosto tranquilo e suave. Não conseguiria explicar. Era um medo muito fundo, sem razão de ser.

E o padre sorria.

* * *

Padre Fausto me acompanhou até a porta da igreja e me deu um forte abraço. Voltei-me para ele para agradecer, mas encontrei seus olhos duros, me encarando.

— Uma mulher vai procurá-lo — disse.

Senti um vazio gelado arrepiando a espinha. Como o que senti ao ser sugestionado olhando para a ilustração. Como o que sentia quando era criança e tinha medo de tudo. E na casa de pedra. A mulher na janela. Na piscina. O padre notou o meu medo, mas não tocou no assunto.

— Talvez ela já tenha ido até você, talvez não, não importa — disse.

— É um fantasma? — perguntei.

— Não, ela pode tocá-lo. Tem muitos nomes, mas os sertanejos chamam de assombração.

— O que tem ela? — perguntei sem tocar no assunto das mulheres que vira na casa de pedra — Digo, essa mulher...

— Ela vai procurá-lo e vai encontrá-lo. Assim como encontrou o seu pai. Talvez POR ela ter encontrado o seu pai antes! É capaz que o seu amigo esteja com ela. Se estiver, ela vai te levar até ele. Só quero que você me avise quando ela te contatar. Promete?

— Prometo — assenti, confuso.

— Isso é uma igreja!

— Tô sabendo — ri, por educação. — Mas quem é ela?

— Também não sei direito. Só que está aqui há muito tempo. E que desgraça os homens.

— É a menina do desenho?

— Eu acho que é — confirmou.

— E o meu pai?

— Precisamos pegá-la! Venha a mim assim que ela falar com você!

5.
OS MITOS SERTANEJOS

Demorei a entender o que acabara de acontecer. No caminho de volta, peguei todas as ruas erradas e vaguei por um tempo, perdido pela zona rural. Parecia que eu havia olhado para o abismo e o fluxo de sangue na cabeça embotara meus sentidos e anuviara meus pensamentos. O que fora aquilo?

Uma torrente de imagens e lembranças passavam sem governo pela minha mente.

Meu pai. Os loucos no sanatório. Minha mãe no inferno escuro. A ilustração do padre. O padre desenhando. E as mulheres. A mulher saindo da piscina, a mulher na janela, a mulher correndo e a outra, a do meu sonho, com as mexericas.

Estava perdido em pensamentos quando notei que dirigia por uma estrada de terra.

Precisava voltar para casa, mas anoitecera e eu tinha medo. A mulher me esperando na janela.

A estrada era uma bosta. Meu carro trepidava sobre a terra esburacada. Eu não conseguia sair daquela estrada escura, que ia ficando cada vez pior, e eu acelerava, cada vez mais.

Num dos trancos do caminho, ouvi meu pneu estourar, pondo fim à minha agonia.

Consegui encostar o carro. Não tinha estepe, tinha usado o meu anos atrás e fiquei de comprar outro, o que nunca aconteceu. O telefone, lógico, não pegava. Desci do carro e esperei. Aquele problema prático desviou minha mente das loucuras que me assaltavam até aquele momento. Resolvi que esperaria por alguma alma notívaga que passasse por ali.

Menos de dez minutos depois avistei um carro e acenei. O carro passou por mim, mas parou logo à frente. Eu corri até ele. Era um Corcel verde, caindo aos pedaços. O motorista, um caipira parrudo, de barba branca e bem aparada, me olhava com indiferença. Contei sobre o pneu e disse que precisava chegar à cidade para conseguir ajuda, que não sabia onde estava. Ele ouviu a história até o meio, abriu a porta do carro e me disse para entrar. Não disse mais uma palavra. Fui com ele no banco de passageiros pensando em puxar assunto, mas não fazia a menor ideia de como começar. Algo me dizia que política, mulher ou futebol poderiam irritá-lo, porque eu facilmente tocaria num ponto errado. Só agradeci e toquei no assunto da enxurrada, mas tudo o que recebi foram respostas monossilábicas. Consegui descobrir que ele morava na cidade e me dei por satisfeito. Ele me dera carona apenas por convenção, por respeito a alguma regra que dizia que ficaria mal se não desse. Devia ter se arrependido ao notar que eu nem dali era.

A verdade é que aquele senhor me dava um certo medo. Não era calado como são as pessoas caladas. Parecia estar absorto nos próprios pensamentos, o que me fez concluir que se tratava de algum roceiro de um sítio distante, que se acostumou a ficar tempo demais com seus próprios pensamentos e não tinha o menor interesse em deixar que alguém soubesse quais eram.

Fiquei olhando para a estrada e imaginando o que ele teria no porta-luvas. Com certeza tinha um canivete em algum lugar. Aqueles carros velhos geralmente traziam alguma lembrança do tempo que ainda eram novos. O carro do velho era de uma simplicidade desfigurada. Além de muito sujo de terra, nada ali dizia coisa alguma a respeito dele. Nem um humilde "não me inveje, trabalhe". O velho não tinha aliança e sua camisa era tão puída e amarelada que fiquei imaginando se algum dia alguma mulher já havia colocado as mãos ali.

O velho apertou o acendedor do carro, tirou um cigarro do bolso e pôs na boca. Não pude ver a marca. Puxou o acendedor em brasa e acendeu o cigarro. Me ofereceu um e eu aceitei, achei que dizer que tinha parado me denegriria aos seus olhos. Fomos fumando na estrada escura. Quando quebrou o silêncio, num acesso de empatia caricata.

— Veio visitar alguém? — perguntou, casualmente.
— Vim, meus pais — menti. — Vim ver se estavam bem, com esse negócio todo da chuva... Se precisavam de alguma coisa.
— Seus pais tão mortos.

Senti meu corpo gelar. Ele sabia quem eu era. E me pegou mentindo. Mas continuava lá, ao volante, sem expressão.

— O senhor conheceu meus pais?
— Só o seu pai. Era um moleque. Agora tá morto.

Senti vergonha por ter sido pego mentindo. E raiva por ele ter dito isso do meu pai. E medo. Toda a confusão e excitabilidade das últimas horas voltaram de uma vez. Aquele homem, ele poderia ser o assassino da estrada. Sabia que não era, mas poderia, se de uma hora para outra resolvesse ser. Eu sentia o que ele era. Ele era mau.

— Meu pai não era melhor ou pior que a maioria dos homens — desafiei, mesmo sabendo que deveria ficar quieto.
— Vim aqui vender a casa dele. Vale dois milhões de reais! — concluí, como se o valor da casa pudesse avalizar meu pai. — Dois milhões, é o que vale, e eu vim aqui para vendê-la.

Vi seus olhos brilharem. Que caralhos eu estava fazendo?! Me arrependi imediatamente de ter dito aquilo. Ele não disse mais nada e continuamos, em silêncio.

Passamos por uma elevação ao lado da estrada. Havia um rastro de fogo no mato. Perfeitamente reto, queimando no escuro. O rastro comprido lançava sombras sobre a mata ao redor. Passamos pelo fogo. Logo à frente havia um outro incêndio, idêntico ao anterior, em linha reta. Dessa vez o velho diminuiu a velocidade, analisando o fogo.

— Tá demais — disse ele.

— É cigarro — afirmei.
— Senhor?
— É cigarro!

Ele freou e parou o carro. Senti meu corpo se tensionar quando ele olhou para mim, com o carro parado.

— Isso aí é cigarro aceso que as pessoas jogam pela janela. Quando cai no mato, causa incêndio — expliquei, tentando aparentar tranquilidade.

O velho motorista estendeu a mão em direção a mim e, gentilmente, tirou o cigarro da minha boca. Num tapa, lançou o cigarro no mato. E esperou, nós dois observando a bituca acesa queimando lá no mato seco. Até que se apagou. Ele me olhou com desprezo, engatou a primeira e retomou a viagem.

Logo à frente, uma outra língua de fogo se estendia, agora sobre o asfalto. Fazia uma curva para fora da estrada, fechando o caminho. Pela primeira vez notei que o motorista também parecia tenso. Ele virou a direção como se fosse dar a volta no fogo, mas começou a seguir alguns metros para fora da estrada. E parou.

Quando olhei para a frente, vi o que ele via.

Na nossa frente, iluminada pelos faróis, havia uma sucuri gigante, presa na cerca de arame farpado. O velho desceu para olhá-la, e fui atrás.

— Tá morta? — perguntei, e ele não respondeu. Ele estava com medo. Senti medo emanando dele.

Fomos até a cerca e lá estava ela, a sucuri gigante. Com sua bocarra arreganhada, as presas da cobra mordiam o arame farpado. Estava morta, e no lugar dos olhos havia dois buracos calcinados.

* * *

Chegamos à delegacia com a cobra no porta-malas. Devia ter entre sete e oito metros. O senhor resolveu levá-la por acreditar que era a maior cobra de que se tinha notícia naquela cidade. Ele posicionou a cabeça dela de modo que quem abrisse o bagageiro desse de cara com a boca aberta do monstro! Aquelas presas do tamanho de uma caneta esferográfica, e os dois buracos na órbita dos olhos. Assim que ele abriu o porta-malas, dois investigadores pularam para trás. Foi um barato!

O senhor resolveu ficar até que a imprensa chegasse, e eu precisava achar um borracheiro que fosse comigo resgatar meu carro.

O delegado não estava, algo havia acontecido, mas ninguém na delegacia quis me dizer o quê. Alguém me disse que era uma menina que havia desaparecido. Perguntei se não havia mais de oitocentas pessoas desaparecidas na cidade por causa da enxurrada. Me disseram que essa menina havia desaparecido na noite anterior. Não sabiam se tinha algo a ver com a outra menina, encontrada na escola com os olhos arrancados. Mas acreditavam que não, porque essa menina agora era estudante do último ano daquela mesma escola. Muito querida por todos. Sobre o caso de Henrique, não consegui mais que uma resposta protocolar. Estavam investigando. Não tinham pistas novas. E não podiam me dizer se havia algum suspeito, para o bem da investigação.

Encontrei o borracheiro no bar do posto de gasolina. Ele concordou em ir comigo até o carro e fazer o serviço, mas teria que cobrar um absurdo por isso. Sabia que eu era o herdeiro da casa de pedra, e que estava lá para vendê-la.

O "meio do nada" onde estava meu carro era, na verdade, perto de uma das entradas da cidade. Ele terminou o serviço em menos de dez minutos, me agradeceu e perguntou se eu queria segui-lo.

A lua brilhava na altura do horizonte, iluminando a mata nos morros ao redor da estrada, que às vezes viravam pastos, e eu podia ver a sombras das poucas árvores, recortando o céu. O carro da frente se distanciava, e deixei que sumisse na estrada. O mundo parecia ter ficado deserto, e parecia que a qualquer momento a luz dos meus faróis iluminaria algo no caminho. Meus pais passeando no acostamento, de mãos dadas. Henrique. A mulher nua, gotejante, no meio da pista. Ou a menina do desenho do antigo padre. Aquela que viria até mim. Ou outra cobra, ou assombração pior. E foi o que aconteceu.

No horizonte, avistei sombras humanas subindo a encosta do morro. Em fila, carregando galhos, paus. Três delas levavam lanternas. Era uma procissão de adolescentes, que sumiram no declive do morro.

Intrigado com aquela atividade inusitada, dei meia volta na estrada e parei o carro mais ou menos onde os tinha avistado. Estacionei, apaguei os faróis e imediatamente comecei a suar, sem motivo. Eu era como aquela definição que a Clarice Lispector tinha escolhido para defini-la, um *tímido ousado*. Ou o contrário do que dizia o brasão da bandeira de São Paulo — *non ducor, duco*. Eu continuava a fazer as coisas porque não conseguia parar de fazê-las. Mesmo com o coração acelerado, desci do carro e fui na mesma direção que eles. Subi o morro e revi novamente aquele grupamento juvenil. Vi-os entrar numa mata de eucaliptos e fui atrás. Apesar de escondidos pelas árvores, eu podia vê-los pelos feixes de luz das lanternas. Mas sabia que eles não me veriam.

As matas de eucaliptos são chamadas de florestas silenciosas porque são matas reflorestadas e nenhum pássaro vive por lá. Apesar disso, eles não ouviriam quando eu me aproximasse, o barulho que faziam cobriria qualquer outro. Não sei que tipo de curiosidade mórbida me fazia segui-los, aquelas crianças, mata adentro. Talvez a vontade de fazer algo proibido, de sentir a excitação que exalava deles enquanto faziam essa transgressão, de expor seu segredo, de sentir o cheiro de xampu das garotas proibidas ao me aproximar delas. De ser visto com medo e desejo quando as surpreendesse. Seria lindo se fosse assim, mas não era por isso que eu os seguia. No fundo, sabia que estavam atrás de algo que só eles sabiam, que eu só poderia descobrir por meio deles. Queria sentir aquela confusão desesperada em seus olhos, porque era assim que eu me sentia em relação a tudo o que vinha acontecendo. E sabia que essas crianças teriam respostas ou meias respostas, pois eram — agora eu via — do mesmo grupo de adolescentes que eu surpreendera reencenando a morte da menina sem olhos na escola do Henrique.

Ao perdê-los de vista e alcançá-los logo depois de mais um declive, em meio aos eucaliptos, percebi que me ouviram chegar. Uma das garotas sussurrou algo, e todos se viraram para trás e me viram. E saíram correndo.

— Ô! — gritei. — Calma!

Dois meninos e duas meninas à frente pararam e olharam para trás. Os outros continuaram correndo, mas depois olharam também.

— Não vou fazer nada — gritei, quando todos me viram. — Tô procurando o meu amigo!

— O professor Henrique — disse um dos moleques, o mais cínico, que parecia ser o líder da expedição.

— O que tão procurando? Sabem onde ele tá? — perguntei, sem saber ao certo o que perguntar.

Começaram a sussurrar entre eles, até que uma das meninas, aquela a quem eu dera carona, a do suéter, a do Henrique, quebrou o código deles.

— Tamo procurando a Bia. Ela sumiu ontem — ela disse.

O burburinho se intensificou.

— É amiga de vocês? — perguntei.

— É aquela que você viu na escola, que era a menina morta, que tava com os peitos de fora — disse a menina.

O grupo, indignado com a delação, começou a voltar por onde tinha vindo. A menina que tinha falado comigo ignorou a debandada e continuou lá, enquanto os amigos passavam por ela e por mim, voltando em direção à cidade.

— Por que tão procurando ela aqui? — perguntei. — Acha que ela pode estar morta?

O rosto da menina se contorceu, como se eu tivesse formulado algo que ela ainda não admitira.

— Você acha — balbuciou, não foi uma pergunta.

— Não sei, mas parece que vocês acham que sim. Ou ela vem sempre aqui?

— Não, nunca vem. Eu venho às vezes. Mas ela não tá na cidade — recompôs-se.

— Por que aqui?

— Aqui é onde passava a estrada do ouro. Às vezes dá para ver pedaços dela no meio do mato. Quando alguém quer fugir, foge para cá.

Os amigos dela já sumiam no horizonte, voltando de onde vieram. Fiquei com ela ali, perdida, no escuro, naquele mato por onde havia passado uma estrada, segundo ela. Senti que ela iria embora, correria atrás deles se eu não dissesse mais nada.

— Não achei o Henrique — eu disse, finalmente.

— Eu sei.

— Alguém sabia de vocês dois?

Ela olhou para mim, furiosa.

— Como assim? O que ele te contou?

— Nada, mas eu conheço o Henrique, desde criança. Você é o tipo dele.

A menina saiu andando, mas segurei seu braço.

— Me solta!

— Calma — tentei.

— Me solta!

Soltei. Ela correu na direção dos outros. Deixei que fosse, mas tentei um último apelo.

— Por favor, não vá embora! Me ajuda! Ele pediu que me chamassem se alguma coisa acontecesse com ele, ele sabia que ia acontecer! Preciso encontrar o Henrique antes que alguém encontre! Por favor! — supliquei.

A menina parou de correr, virou-se para mim e voltou caminhando. Apertei o passo e a alcancei. Toquei seu ombro, ela se encolheu, tirei a mão. Percebi que ela chorava.

— O que tá acontecendo aqui? — perguntei, com suavidade.

— Eu não sei voltar — disse ela, limpando as lágrimas para que eu não percebesse que chorava.

— Eu sei, tô de carro. Tá ali, ó. — Apontei para a estrada.

* * *

Dirigia em silêncio, com a menina do meu lado. Ela não quis me dizer mais nada, parecia arrependida de ter traído os amigos, me tratava com frieza e desprezo. Como se eu quisesse tirar alguma coisa dela.

Recebeu uma mensagem no celular. E soltou um grito agudo, e depois levou a mão à boca.

— O que foi? — perguntei.

Ela estava transtornada, a boca se abria e fechava, num esgar de horror. Seu corpo tremia em espasmos. Ela não conseguia falar.

Tirei o celular da mão dela.

Era uma foto, de uma menina com os olhos arrancados. Outra menina. A amiga dela, a daquele dia na escola. A procissão de adolescentes a tinha encontrado.

* * *

Cruzamos com quatro adolescentes correndo na estrada, em desespero. Eles gritaram quando viram o farol do carro, mas não pediam ajuda. Tinham medo de quem poderia ser. A menina saltou do carro e foi ao encontro dos adolescentes, que a abraçaram. Perguntei onde estava o corpo e um dos garotos me apontou o pasto no horizonte, um pouco atrás de onde estávamos. Desci do carro e fui em direção ao lugar indicado. Notei que a menina e o outro me seguiam, soluçando, abraçados.

Cheguei ao ponto onde havia mais seis adolescentes em volta do corpo, num círculo. Uma reedição macabra da primeira vez que os vi, mas dessa vez era real.

Abriram passagem para que eu entrasse no círculo, com a menina jogada no chão como se fosse uma boneca encostada, numa posição desconfortável, os braços retorcidos e uma das pernas viradas num ângulo impossível. Um dos meninos virou o feixe da lanterna para o rosto da menina morta. Tinha os olhos arrancados e uma expressão retardada, com a boca aberta. Como se tivesse sido lobotomizada.

* * *

— Meu amigo, não faço a menor ideia de como as crianças sabiam que o corpo tava lá — eu disse ao delegado.

Eu devia ter caído em alguma contradição, porque era a quarta vez que ele me fazia a mesma pergunta, em menos de duas horas de interrogatório.

Eu havia omitido que conhecia a menina a quem dei carona, que já tinha visto aqueles adolescentes reencenando o primeiro crime na escola vazia. E, obviamente, omitira a ligação de Henrique com a menina da carona. Se ele esperava que eu revelasse que meu amigo estava comendo sua aluna de quinze anos, teria que fazer melhor do que aquilo.

— O que o senhor está escondendo? — disse uma voz feminina, seca, embargada pela idade.

Virei-me e vi que a prefeita estava sentada no canto da sala. Não fazia ideia de que tinha entrado ou há quanto tempo estava na sala. Era óbvio que eu escondia alguma coisa, que protegia o Henrique, mas não pelos motivos que eles imaginavam. Pelo teor das perguntas, ficou claro para mim que o Henrique era o principal suspeito da morte das duas meninas com os olhos arrancados. Admito também que não soube explicar com clareza o que fazia com aquele grupo de adolescentes, e fiz a burrada de contar que, quando eles perceberam, tentaram fugir. Era confuso até para mim, eu não culpava o delegado por me achar cúmplice do maluco dos olhos. Eu estava um bagaço. Devo ter contado essa história maluca de uma forma ainda mais maluca. Não que houvesse uma maneira aceitável de contar aquilo. Percebi que eles queriam algo real, que sentissem que era verdade. Resolvi dar isso a eles.

— Vocês querem ouvir uma coisa muito louca? Prometem que não vão me internar? — perguntei.

E contei a história da mulher nadando na minha piscina. E do rosto da outra mulher — seria a mesma? — na janela da casa abandonada. O delegado, obviamente, escutou tudo com a maior incredulidade. Mas a velha, a prefeita, escutava atenta cada detalhe que eu contava. Pareceu assustada.

Por fim, me perguntou com doçura se eu não queria ir para casa dormir, já que devia estar exausto. O delegado se incomodou, claramente esperava me deter para averiguação, como eles dizem. Mas a prefeita me disse que fosse embora e a procurasse quando estivesse me sentindo melhor. Indicou um hotel na cidade, caso eu não quisesse voltar para casa. Eu agradeci, cumprimentei a senhora e o delegado, este visivelmente contrariado, e saí da delegacia, com o sol da manhã já alto.

6.
ESTRANHO ENCONTRO

Vagando pela manhã, vi pessoas que andavam apressadas pela cidade. Tinham um propósito. Eu não. Quando descobri que meu pai tinha Aids, tive raiva dele. Quando minha mãe morreu, contaminada pelo meu pai, tive pena dela.
"Vai lá... No Tietê... Quando quiser... Quando quiser!"
As últimas palavras do meu pai falavam com uma amante secreta, a portadora do vírus que matou minha família. Ela seria de Rio das Almas, eu supunha. O reencontro com a cidade me causou indiferença, e o reencontro abortado com o Henrique me deu certo alívio, porque temia que as coisas não fossem mais como eram. E um senso de responsabilidade, porque ele esperava que eu viesse ajudá-lo a se livrar de sabe-se lá em que ele tinha se metido. O padre me causava apreensão, porque ele parecia ter lido o livro do meu destino e visto o final quando virou a última página. Mais medo ainda me dava acreditar que existia tal coisa, um destino escrito, antecipando o que aconteceria com a gente, irrevogável. A visão da mulher saindo da minha piscina só me dava arrepios, e eu já tinha certeza de que se tratava da mesma figura perturbadora que aparecia e desaparecia na janela. Nada daquilo era um sonho, nada daquilo era loucura. Visões de uma mente profundamente estressada. Já a menina do meu sonho, a das mexericas, com sorte seria outra menina. Não aquela do desenho do antigo padre da paróquia. De repente eu não duvidava de mais nada,

não teria de procurar por mais nada, porque, se tudo aquilo existisse, como acreditava o padre, viria até mim.

E havia aqueles corpos mutilados, as duas meninas — e a cobra — com os olhos arrancados. Aquilo me impressionou de uma forma que eu não conseguia parar de pensar naqueles rostos com dois buracos. Que antes eram meninas que, quando não estavam entediadas, olhavam para o mundo e achavam tudo novo, tudo excitante, um grande palco de experiências a serem descobertas.

Eu estava tentando criar uma narrativa para tudo aquilo, tentando juntar aqueles eventos de modo que se interligassem e fizessem sentido. Mas sabia que o mais provável era que meu pai tivesse pego a doença em algum quartinho mofado, que tivesse passado para a minha mãe e matado os dois. Que Henrique tivesse fugido para outra cidade, como ele sempre fazia. E que as mulheres, os sonhos e as visões fossem a expressão do meu desespero mental, sintomas de uma esquizofrenia galopante que já se instaurara em mim e não podia mais ser parada. O Henrique tinha pedido para me ver porque sabia que ele estava prestes a descer ao último andar da sua derrocada. E queria se despedir, antes de partir para seu exílio anônimo. Para que ninguém o visse morrendo. Estranhos são os encontros dessa vida. Minha aproximação, desde a infância, de outro garoto que tinha a decadência inscrita no seu DNA. Nossa amizade espontânea, então, teria sido construída por afinidade, por um futuro comum para o qual, naquela época, nem eu, nem ele sabíamos que caminhávamos.

* * *

O centro de Rio das Almas, de dia, era tão barulhento quanto o centro de São Paulo. Pairava sobre a cidade uma indiferença pesada. Como se as mais de oitocentas pessoas desaparecidas na chuva tivessem deixado seus habitantes cínicos, embotados demais para se desesperarem com essa onda de crimes bizarros. Todo mundo vivia sua vida e, se havia algum horror latente, ele era sussurrado. Se algum psicólogo viesse para a cidade em busca de oportunidades, ficaria decepcionado. Tantas tragédias só tinham deixado os habitantes mais arredios, e duvido que eles quisessem dividir seus pesadelos com alguém.

Andava a esmo pela cidade quando me vi parando na frente da casa da aluna do Henrique. Ela tinha passado a noite depondo na delegacia e devia estar dormindo. Me assustei quando um homem, que devia ser o pai dela, saiu pela porta. Ele me viu olhando para a casa, então saí andando.

Precisava me inteirar um pouco da vida na cidade, conversar com as pessoas. Eu havia pedido férias no trabalho, e ninguém se opôs. Um mês para esgotar todas as possibilidades, para fazer tudo o que estivesse ao meu alcance para tentar encontrar o Henrique. Ou pelo menos saber o que se passou com ele nos dois anos que vivera ali. Mais à frente ficava a biblioteca da cidade, até onde eu me lembrava. Se eu ainda o conhecia, o Henrique devia frequentá-la. Nada alegra mais os bibliotecários do que os professores de Português. Conheceriam o Henrique, com sorte alguém de lá seria seu confidente.

A biblioteca estava onde eu me lembrava. Um pequeno prédio de dois andares, parecido com uma escola pública. Entrei, fiz um aceno gentil para a bibliotecária, uma senhora apática e fora de moda há pelo menos três décadas, e me embrenhei pelas estantes de livros. O Henrique gostava de literatura americana, da parte mais porcaria da literatura americana. Especialmente ficção científica. Ray Bradbury, Arthur C. Clarke, qualquer autor que não valesse muita coisa despertava em Henrique uma paixão obsessiva. O espaço, astronautas, tudo o que saiu de moda com o fim da Guerra Fria o deixava maluco! Distopias sobre sociedades do futuro e aquele monte de máquinas e aparelhos estranhos, era disso que ele gostava.

Encontrei um livro do Philip K. Dick, *Identidade perdida — O homem que virou ninguém*. Era sobre um cara, Jason Taverner, um famoso apresentador de TV que um dia acordava e via que todos os registros sobre sua existência tinham desaparecido. E que mesmo sua namorada e seus amigos pareciam nunca ter ouvido falar dele. Típica maluquice que deixaria o Henrique falando disso enquanto não terminasse de ler o livro! Abri a contracapa e lá estava o cartão da biblioteca, com a data e assinatura de todos os que tinham emprestado aquele livro. A penúltima assinatura, do mês de novembro, era do Henrique. A última era uma letra feminina, Marta, de dezembro. Me chamou a atenção a grafia da assinatura dela. Parecia a letra de uma criança, recém-alfabetizada. Ou de uma adulta semianalfabeta.

Me deprimi imaginando uma mulher, sem estudo, levando seu RG surrado para pegar o livro que o Henrique tinha indicado, só para agradá-lo. Se esforçando para ler o livro na cama, com o gosto do esperma dele na boca, mas caindo no sono, num quartinho fodido. Tive pena dela. E dele, por ter acreditado que ela conseguiria. E de mim também, por só conseguir enxergar com cinismo o que era uma coisa bonita.

Se havia mesmo uma ligação entre o Henrique e essa mulher — como eu podia ter tanta certeza de que estava certo? Simples, eu sabia — ele teria mostrado a ela algum clássico de leitura fácil. Edgar Allan Poe ou *O médico e o monstro*, do Stevenson. Fui até o livro de contos do Allan Poe. Procurei pelo cartão da biblioteca. Lá estava a assinatura dele, de outubro, e a dela, de novembro.

Fui até a bibliotecária, com os dois livros na mão.

— Tem cadastro? — ela me perguntou.

— Não. Tô procurando pelo professor Henrique, ele pegou esses dois livros aqui no mês passado. Sou amigo dele, de São Paulo.

— Ah! — lembrou-se. — O professor Henrique vem muito aqui! Adora ler! Já foi à casa dele?

— Já, mas parece que ele viajou — menti. — E essa mulher aqui, a Marta?

— A namorada dele, né?

— Isso — assenti. Sabia que estava certo! O Henrique eu conhecia!

— O que tem ela?

— Não conheço ainda. É boa gente? — arrisquei.

— Para ser sincera, não conhecia também. Parece que é daqui, mas eu nunca tinha visto ela antes.

— Ela é aluna dele? — arrisquei. Bibliotecários, em tese, não se chocariam com essas coisas.

— Não, parece que não era aluna de ninguém — ela riu ao dizer. — Me pareceu muito simples, a menina. Mas, vai saber, a gente fica julgando os outros...

— É verdade — sorri. — Eu sou amigo de infância do Henrique, lá de São Paulo, e vim para cá para encontrá-lo, mas ele não tá em casa. A senhora teria o endereço dessa Marta?

— Olha, não podemos ficar dando o endereço dos leitores. Me desculpe.

— Imagina. — Mas insisti: — É que faz muito tempo que não o vejo e perdi o telefone dele. E a escola tá fechada por causa da chuva. Tô voltando hoje para São Paulo, não queria ir embora sem vê-lo.

— É, mas não posso mesmo — desculpou-se.

— Tudo bem. Posso deixar umas coisas dele com você? Para você dar para ele quando ele vier aqui?

— Olha, também não podemos receber coisas em nome dos outros — disse ela, inventando essa regra.

— Tá certo. Putz, você não podia mesmo me dizer onde a Marta mora? — forcei a barra. — Ele deve estar lá com ela! Ou um telefone de alguém que possa me dar o telefone dele. Queria muito vê-lo, estudamos juntos, ele é o meu melhor amigo! — eu disse, e era mesmo.

A bibliotecária me mediu por um momento, virou-se para o arquivo e abriu uma gaveta de cartões.

— Olha, vou te dar só porque dá para ver que é muito seu amigo. Mas não diz para ninguém quem foi que te deu!

— Nossa, brigadão!

Vi que ela procurava pelo sobrenome de Marta.

— Aqui, Marta Mendes. Rua Cedro do Líbano, 1422.

Levei ainda um instante para registrar a informação.

Era o meu endereço. O da casa de pedra. A menina tinha dado o meu endereço.

* * *

Saí perturbado da biblioteca, e a bibliotecária saiu à porta para me ver partir. Devia ter se arrependido ao ver minha reação.

Sabia que deveria voltar à casa de pedra, mas todo o meu corpo repugnava essa ideia. Resolvi então seguir o conselho da prefeita e me estabelecer no hotel, no centro da cidade. Eu não pregava os olhos havia mais de trinta horas, precisava conseguir dormir em paz.

A tarde ainda estava no meio, e percebi que havia horas que não comia alguma coisa.

Dei por encerrado o meu dia e resolvi tentar não pensar mais em nada. Fui até a praça da igreja, onde tinha uma padaria que servia o melhor pão de queijo da cidade. E o melhor arroz doce, que meu pai comia enquanto elogiava o senhor que fazia. Era lá que minha mãe comprava picolés para mim também. Deviam servir comida boa.

Cheguei lá e não fui reconhecido; também não reconheci ninguém. Evitei perguntar do senhor, que provavelmente já tinha morrido. Pedi um bife à milanesa com arroz, feijão, salada e batatas fritas. Devorei aquilo tudo em minutos, e estava maravilhoso.

Resolvi passar mais uma vez pela casa da aluna do Henrique. Sabia que o nome dela era Rita, porque era assim que os amigos dela a chamaram, naquela colina onde estava a menina morta. Não era ela a Marta, a mulher que eu estava procurando. Mas fui até lá mesmo assim. Ela era a única que tinha conversado comigo desde que cheguei a Rio das Almas.

Peguei meu carro na frente da delegacia e dirigi até a porta da casa dela. A janela estava aberta, mas não quis buzinar. O pai dela já havia me visto ali antes, e eu tivera muita sorte de não ter ficado detido na delegacia. Era melhor ir até o hotel e dar o dia por encerrado.

O hotel era num prédio branco de seis andares, com um neon indicando que era um hotel, que devia ser aceso à noite. Ficava na rua da prefeitura, ao lado da estação de trem abandonada. Não esperava luxo, só rezava para que não fosse um motel, aquele declive ambíguo no H de Hotel, onde os hóspedes ficassem gemendo alto de madrugada.

A recepção era simples, pintada de branco. Havia um balcão e sofás, um vaso de flores e quadros de natureza morta. Atrás do balcão havia um computador velho, um quadro de chaves e outro com os preços dos quartos. Pedi um quarto simples, que custava noventa reais a diária, mas a recepcionista disse que havia um desconto de vinte reais assim que leu meu nome no formulário do check-in. Cortesia da prefeita. Paguei por uma noite, recebi minha chave e subi para o quarto.

As toalhas estavam dispostas em cima da cama, como origamis, ao lado de dois minissabonetes, xampu e condicionador. Havia uma TV pendurada na parede e ar-condicionado.

Me joguei na cama para ter forças para tomar banho. *Amanhã...* Eu não sabia o que faria no dia seguinte! Voltaria à delegacia, tentaria conseguir alguma informação sobre a investigação do Henrique, se é que havia alguma em andamento. Perguntaria pela Marta, a mulher que lera os livros indicados pelo Henrique. Tentaria descobrir onde ela morava, me apresentaria, falaria com ela. Perguntaria o porquê de ela ter dado o meu endereço. Ou descobriria se ela tivesse desaparecido também. Voltaria a visitar o padre, diria a ele que me contasse o que quer que estivesse escondendo. De dia eu iria até a casa dos meus pais, entraria naquela casa abandonada. Talvez visitasse novamente a aluna do Henrique, perguntaria sobre a Marta. Todas aquelas possibilidades giravam dentro da minha cabeça. Quando, então, adormeci.

※ ※ ※

Tudo o que eu sabia, tudo o que tinha aprendido sobre o mundo, todas as certezas morais e sobre como as coisas eram, e como eu deveria agir de acordo com como elas eram... Tudo isso se quebrara, espalhando os cacos confusos pelo chão. Eu perdera o meu norte. Não sabia mais em que acreditar. Mesmo que evitasse pensar a respeito de qualquer coisa, mesmo assim, me sentia permanentemente à deriva, boiando através dos dias, rezando para que a tempestade no horizonte fosse cair em outro lugar. Só nos meus sonhos eu tinha alguma segurança, algum alento. Pelo menos, quando sonhava, eu conseguia distinguir o que era triste, o que era belo e o que era assustador. Essa ordem da importância das coisas se desfraldava nitidamente diante de mim durante o sono.

Até então.

Naquela noite, até mesmo essa âncora de sanidade se foi. A partir dali, comecei a ter sonhos "reais". Sonhos vívidos, detalhistas e respeitadores das leis da física.

Sonhei que estava assistindo a um interrogatório. Não me via no sonho, era como se eu não estivesse lá. Como se estivesse assistindo a uma cena de arquivo, acompanhando todos os detalhes que se passavam à minha frente, e não pudesse interferir. Sonhei com Henrique.

Ele está em pé, diante de uma mesa, num lugar escuro, muito assustado. Uma luminária pende um pouco acima de sua cabeça. Do outro lado da mesa estão dois militares, sentados um ao lado do outro. Um deles tem um aspecto jovem, acentuado por um rosto quase infantil, cruel. O outro é mais velho, não saberia dizer mais sobre ele. Esse último inclina-se sobre a mesa, dirigindo-se a Henrique.

— Aproxime-se.

Henrique obedece. Puxa a cadeira e senta-se à mesa.

— Quem é você? — continua o militar mais velho. Só ele fala, enquanto o outro mantém os olhos duros no meu amigo, talvez esperando identificar alguma mentira.

— Meu nome é Henrique. Quem são os senhores?

— Somos seus interrogadores.

— Posso saber o que eu fiz?

— Estamos aqui para descobrir.

— O que querem que eu confesse? — pergunta Henrique, colaborativo.

— Vamos começar pelo fim. Por que não nos diz quem é você? — diz o militar mais velho. O tom é ameno, como se estivesse respondendo a um pedido de ajuda.

— Eu sou Henrique Moura. É minha profissão que vocês querem saber? Sou professor de Português, dou aula para o Ensino Médio na escola Urbano Derville Allegretti, aqui em Rio das Almas.

— Prossiga.

— Eu fui... — Dá de ombros, faz um esforço para ser claro. — Fui professor também em São Paulo, antes de me mudar para cá, há dois anos. No Colégio Salete, na capital, colégio privado. Depois de lá, me mudei para Rio das Almas e continuei dando aulas.

— Descreva suas atividades no Derville Allegretti.

— Eu dou aula pros alunos do primeiro ao terceiro ano. Sigo a apostila que o diretor me indicou, eles têm uma apostila aprovada pelo MEC. Eu ensino o que está escrito na apostila.

— Você repetia o que já estava escrito na apostila? — pergunta o militar, escarnecendo.

— Basicamente — diz Henrique. — Mas também sempre ensino alguma coisa a mais.

— Como o quê?

— Baseado no conteúdo da apostila.

Enquanto um dos militares toma notas, o outro continua encarando Henrique, como se não pudesse perder nada que o traísse. Henrique baixa os olhos, esperando que o interrogatório recomece.

— Como era sua relação com os alunos do Derville Allegretti?

Era. Henrique percebeu, no mesmo instante que eu. Ele tinha dito "era". Eu conhecia o Henrique. Se antes ele já estava com medo...

— É boa, eu acho — e estremece. Sente que estremecia, e sente que o militar do rosto infantiloide percebe também.

— Você acha? — provoca.

— Eles gostam de mim, aparentemente. Eu conto piadas. Eles riem. O conteúdo das piadas é politicamente incorreto, senão eles não ririam.

— O senhor teve relações sexuais com algum dos meninos do colégio?

— Não, senhor, eu não sou gay. Nem com nenhuma menina. É por isso que estou aqui?

— É por isso que você deveria estar aqui? — pergunta o militar mais velho. O mais jovem se inclina sobre a mesa. Ele sorri agora.

— Como professor de humanas, tenho o dever de te informar que a ditadura acabou há uns trinta anos...

— Sua mulher sabia das suas relações com as suas alunas?

— Nunca fui casado, mas já tive, sim, algumas namoradas durante minha carreira de professor — diz Henrique, e o militar jovem sorri mais uma vez. — Todas maiores de idade — continua Henrique. — E nenhuma delas soube de nada, porque nunca aconteceu nada.

— Como se deu a sua corrupção moral? — prossegue o mais velho.

— Boa pergunta... Eu não lembro! Mas minha corrupção moral foi tanta que teve o cuidado de não me meter em nenhuma prática ilegal.

— O senhor parece em paz consigo mesmo — diz o mais velho. Eu, que tudo observo, já não sei se ele está sendo cínico. Henrique também não devia saber.

— O senhor também parece em paz. Apesar de, com certeza, ter um histórico de abusos bem maior que o meu — diz Henrique.

— Nós, os bons militares, temos a retidão de caráter dos cavalos — professa. — Nós não somos outra coisa quando não estão olhando.

— Não quer dizer que sejam boas pessoas. Ser correto não tem nada a ver com...

— O senhor pode me apontar na Constituição onde está escrito que devemos ser bons? — interrompe, subindo o tom pela primeira vez. — Conte-nos então: como se deu sua corrupção moral?

— E por que eu falaria disso com você?

— Pode falar com ele, então — diz, apontando para o jovem militar que o encara. — A escolha foi sua.

Os dois, pateticamente, trocam de lugar.

— Prossiga — diz o militar mais jovem.

Henrique ri, rendido.

— O que exatamente vocês querem saber? — pergunta. — Minha corrupção moral? A de vocês é mais fácil, né? Começou quando tiveram de torturar o primeiro homem. Deve ter sido difícil, mas se acostuma, não é isso que é a corrupção?

Os dois o encaram, em silêncio. Esperando.

— A minha começou com as grandes mentiras. Não grandes, mas mentiras para pessoas que importavam — diz Henrique, soturno.

— O senhor mente para quem se importa com você. E ainda quer acreditar que é melhor do que nós? — provoca o de rosto infantiloide, claramente mais ostensivo que o outro.

— Sou melhor do que vocês só por estar deste lado da mesa.

— O senhor tem a chance de nos contar, sem culpa nem juízo de valor da nossa parte, o que fez de errado para estar aqui.

— Eu posso assinar qualquer confissão de culpa que vocês queiram — diz Henrique, e sente sua voz fraquejar. — Menos assassinato.

— Primeiro queremos ouvir da sua boca — diz o jovem.

— Eu não fiz nada, porra! — grita, e golpeia a mesa com violência. — Não fiz porra nenhuma para estar aqui! — Volta a recostar-se na cadeira, fragilizado. — Posso ter enganado pessoas, mas nunca com o intuito de machucá-las! Eu nunca quis machucar ninguém! Como todo mundo decente!

— Pode ser mais específico? — pergunta o militar jovem.

— Não! Eu já disse, assino qualquer coisa, mas não me peça para falar porque eu esqueci tudo... Eu esquecia no momento que fazia! Não posso falar!

Percebo que Henrique chora. Ele também percebe, no mesmo instante. O interrogador prossegue.

— O senhor então admite que praticou ilegalidades quando lecionava no colégio Urbano Derville Allegretti?

— Não admito porra nenhuma! Não pratiquei, tava falando de outras coisas... Vocês pegaram a pessoa errada!

— E quem é a pessoa certa? — pergunta o militar mais velho, depois de todo o tempo calado.

Henrique soluça, imerso em sua dor. Não responde.

— Bom — diz o militar jovem. — Encontramos então algo de que se recusa a falar. Podemos torturá-lo agora.

* * *

Acordei daquele sonho com o coração palpitante. Eu não sabia, mas, a partir daquela noite, todos os meus sonhos seriam assim. Crus. Terrivelmente detalhistas. Do tipo que deixa uma impressão viva, duradoura, se imprime na memória e pode ser lembrado em detalhes muitos dias depois.

Saí para a rua. A madrugada em Rio das Almas era silenciosa. Até os cachorros dormiam, e o barulho dos meus passos só era entrecortado por um eventual apito de guarda noturno.

Havia a presença dos militares na cidade, como há em toda cidade pequena em estado de calamidade. Em toda cidade cuja Defesa Civil seja capenga o bastante para não dar conta de nada realmente grave. Mas eu queria encontrar o centro de comando dos militares, conversar com eles.

O prédio da delegacia era um dos únicos que estava aceso. Entrei e perguntei pelo centro de comando para a secretária, que agiu como se eu não soubesse do que estava falando. Pedi que chamasse o investigador de plantão. Ela ligou para ele, falou baixo e desligou, dizendo para eu voltar pela manhã porque ele não poderia me receber. Agora, sim, eu começava a me preocupar. Por que ela negaria o óbvio, que havia militares na cidade, se eles passavam abertamente com seus caminhões pela rua?

A negação da secretária serviu para que eu começasse a levar a sério o que vira no sonho, e isso era um duro golpe na minha já abalada saúde mental. No fundo, eu sabia que era uma combinação de fantasia com coincidência, temperada pela ignorância da mulher.

Decidi sair a esmo e perguntar ao primeiro militar com que eu cruzasse na rua. Se é que havia algum.

Parecia então que até os poucos bêbados e notívagos com quem eu havia cruzado agora desapareceram. Minha intenção de procurar pelo comando militar devia ser a resposta certa, porque a realidade se moldara ao meu redor para frustrar meus planos. Eu devia mesmo estar enlouquecendo.

Quando resolvi voltar ao hotel, avistei o prédio da prefeitura. Duas janelas do andar de cima estavam acesas. Estacionado em frente estava um jipe militar.

A porta estava aberta.

Entrei sem bater. Andei pelo hall de entrada, luzes nos cômodos mais internos se estendiam pelo chão e iluminavam o caminho. Não chamei.

A copa estava acesa e vazia. Entrei em silêncio. A cozinha também estava acesa e vazia. Havia uma leiteira sobre o fogão aceso. A água na leiteira começava a esquentar. Eu tinha de sair dali.

Ouvi passos descendo as escadas. Me esgueirei para o grande móvel do hall, próximo à saída. Dois militares desciam até o andar em que eu estava. Me escondi atrás do móvel.

— Amanhã vemos isso — disse um ao escoltar o outro até a porta.

— Tá certo. Boa noite — disse o de saída.

— Boa noite — disse o que ficava.

Eu já não controlava minha vontade. Mesmo com todo o medo e ciência de que eu devia ficar imóvel até que o homem fosse embora, olhei por cima do tampo do móvel para vê-lo. E eu o vi, de relance, o reflexo de seu rosto na porta de vidro enquanto a fechava. Era um rosto jovem, loiro e asseado, como se tivesse saído do banho para ir à escola. Um rosto infantil.

O militar do meu sonho!

Me encolhi e não fiz nenhum barulho. Seus passos foram se afastando em direção à cozinha e, antes que parassem, eu estava saindo pela porta de entrada. Corri o mais rápido que pude até o meu carro e dei partida. Saí cantando os pneus. Não tive coragem de olhar para trás, por isso não soube se ele me vira pela janela, disparando para longe dali.

7.
O MOLHADO QUE ESCORRE

— Isso não faz muito sentido — disse o padre. — E não era isso que estava para acontecer. Mas acredito em você!

Só que o padre parecia cético, mais distante na extremidade da mesa da sacristia, para onde eu correra depois de encontrar o personagem do meu sonho andando e respirando dentro da prefeitura.

Mais que isso, o padre parecia duvidar da presença de militares no prédio da prefeitura. Disse que assim que o dia clareasse iria comigo até a casa da prefeita. Quando insisti — um pouco histérico, admito — que deveríamos ir vê-la naquele instante, senti que pela segunda vez naquela madrugada ele me olhava como se estivesse diante de um louco. A primeira foi quando supliquei que ele não acendesse a luz da sacristia, para que *Eles* não nos vissem de fora da igreja.

Eu me via nos olhos do padre e sentia tontura. Intuía que o próximo movimento dele seria me escoltar gentilmente até uma ambulância e dizer que os enfermeiros gente boa me levariam para um lugar tranquilo onde *Eles* não poderiam mais me incomodar. Contei a história do sonho com os militares e da minha incursão furtiva à prefeitura com a maior naturalidade possível, repetindo, exageradamente, que eu sabia o quão insano aquilo seria, se fosse mesmo verdade.

— Mas... É verdade? — perguntou o padre.

Hesitei por um instante.

— Olha... Não quero ir prum hospício — eu disse.

* * *

Chegamos à entrada da casa da prefeita nos primeiros minutos do amanhecer. Era uma entrada antiga e decadente, com duas ruínas de pilares onde deve ter existido um portão. A estradinha subia uma colina e lá em cima a casa se revelava, bem mais suntuosa do que eu esperava pela entrada. Uma casa térrea de fazenda, de paredes altas, um pouco descascadas, mas que anunciavam uma vida rica e ainda poderosa por trás das grandes janelas coloniais.

A senhora apareceu de roupão, segurando uma xícara de chá fumegante, como se nos esperasse.

A prefeita e o padre trocaram bons-dias, e ela esperou que nos aproximássemos antes que dissesse:

— E então, padre Fausto — disse ela —, o rapaz já se encontrou com a namoradinha do pai?

Então era verdade...

— Ainda não, senhora prefeita. Diz ele que não — disse o padre. — Mas ele pode ter visto coisas que ainda não vimos.

* * *

Contei toda a história, ali na soleira da porta da prefeita.

A foto escondida do meu pai, do mirante de Rio das Almas. Suas últimas palavras. A encenação do crime pelos adolescentes. Que eu omitira essa parte no meu depoimento ao delegado. As aparições na casa de pedra. A cobra gigante. O desaparecimento do Henrique. Meu sonho com Henrique sendo torturado pelos militares. Meu encontro na prefeitura com o que parecia ser o mesmo militar.

Ela ouvia atentamente. Nós três, eu, ela e o padre, em pé, no vento, do lado de fora da casa. E quando me interrompeu foi para apontar a parte mais irrelevante da história.

— Essa foto que você diz ter encontrado no esconderijo do seu pai — disse a prefeita —, também tenho algumas dessas.
— Do mirante? — perguntei.
— Não, não do mirante. Da mulher!
— A foto é do mirante — eu disse. — Você acha que pode ter sido tirada pela mulher? Por essa mulher de que você tá falando aí?
— Há uma mulher — disse ela. — Você já a viu. Já deve ter visto, pelo menos, nem que seja num desses sonhos que você teve.
— Não — eu disse. — Não tenho *esses* sonhos, tive *um* sonho, noite passada... Anteontem, na última vez que dormi.
— Mas então vai vê-la. Ela já viu você!
E novamente senti.
Um arrepio. Irracional, como o toque de ar frio.
Mais uma vez eu me sentia sugestionado. Como se estivesse numa seita e me visse de repente fazendo parte de um ritual profano. Que já tinha começado.
Que já estava no meio sem que me avisassem.
— Ismael! — gritou o padre. — Tá tudo bem?
Ele me segurava. Senti o mundo ao redor perder substância. Minhas pernas pesaram, minha visão escureceu numa borra por um instante. A *namoradinha* do meu pai. De quem essa puta velha pensava que estava falando?
— Deixa a gente entrar um pouco — pediu o padre.
A prefeita hesitou, mas abriu a porta.
Tudo durou um instante, mas eu já estava recomposto. Mesmo assim, deixei que o padre me escoltasse para dentro da casa.
— Estamos velando um corpo — disse a prefeita à porta.
— A cidade está em estado de sítio por causa da chuva, não queremos que os militares fiquem sabendo. Eles tomaram a prefeitura, a cidade está sob a jurisdição deles. Mas aqui fazemos as coisas do nosso jeito!

Me vi então de pé na entrada da sala. Havia um caixão no centro, sobre o tapete persa, coberto de flores. Pude ver o cabelo da menina a distância. Ela era morena. Era *outra* menina, a terceira em uma semana. Duas mulheres, uma idosa e uma de meia-idade, choravam, uma consolando a outra. E um homem de meia-idade. O pai da menina, que me vira à sua porta, a amante do Henrique.

Mas ele pareceu não me ver, ou não me reconhecer. Estava em choque.

Me aproximei do caixão e a vi lá! Estendida, como uma boneca de cera, sem vida. Uma imitação grotesca dela, Rita, a menina que andara no meu carro há duas noites. Ela tinha as pálpebras fechadas, inchadas, como se houvesse algodões por baixo delas. Pó de arroz maquiava o que pareciam ser escoriações pelo seu braço. Me virei para a prefeita, como se suplicasse uma explicação para tudo aquilo.

— Não é ela — limitou-se a dizer.

* * *

Acordei de um sono sem sonhos num quarto desconhecido, com a cabeça pesada.

Com um barulho de porta se fechando.

Pelas paredes de madeira e guarda-roupas antigos, imaginei que ainda estivesse na casa da prefeita. Ouvi passos no corredor e esperei. Eles passaram pela minha porta e sumiram mais adiante.

Pela janela rachada, pude ver que a tarde caía, o sol baixo ainda projetava sombras num jardim muito grande e bem cuidado.

Levantei sentindo o peso da gravidade. Sabia que havia sido sedado. Fui até a porta e a abri.

Saindo do quarto, havia um corredor comprido, que me levou de volta à sala da prefeita. No centro agora havia só o grande tapete persa, coberto por pétalas onde antes estava o caixão de Rita. A sala estava vazia.

— Está melhor, Ismael? — surpreendeu-me a prefeita, vindo do corredor.

— Você me deu alguma coisa?

— Tranquilizantes, para dormir. Te levamos para a cama, mas você não dormia.

Não me lembrava dessa parte, mas parecia verdade.

— Eu desmaiei?

— Não — disse ela. — Mas não estava muito bem. Não te culpo.

— Você disse que tinha fotos, como a foto do meu pai.

— É verdade — disse ela, e depois silêncio.

— Posso vê-las?

— Pode, mas você já teve demais por hoje! Eu também; acabei de voltar do enterro, tivemos que ser rápidos para não chamar a atenção dos militares...

— Eu gostaria de ver as fotos, se não se importa — insisti.

— Tá bem — disse ela. — Vou buscá-las. Mas depois você vai me prometer que vai tirar um tempo para descansar!

— Não preciso descansar! Já dormi o dia todo!

Ela se aproximou de mim e me abraçou.

Senti então o cansaço que na verdade sentia.

— Você viu em alguns dias coisas que levamos a vida toda para aprender — disse ela. — Isso porque somos preparados, desde pequenos. O seu pai nunca te contou nada, não é?

— Ele nunca me preparou — admiti, com tristeza, ignorando a súplica dele para que eu não fosse para lá.

— Talvez ele nem soubesse. Coitado! Era um homem maravilhoso...

— E aquela namoradinha dele que você falou? Que ia me encontrar.

— Sente-se aqui um pouco. Vou te mostrar — disse ela, e saiu da sala.

Fiquei lá no sofá, esperando, sentindo o cheiro dos lírios que estavam no caixão de Rita.

Não era ela, tinha dito a prefeita. E então me ocorreu o óbvio: só podia ser a mulher da piscina. Aquela, aparecendo e desaparecendo na janela da frente. A mesma da ilustração do antigo padre, do caderno. Mas eu tinha certeza absoluta de que nunca tinha olhado diretamente para aquele rosto! Talvez fosse aquele, borrado atrás da janela. Talvez aquele, não muito claro, da outra menina. A menina que comia as mexericas no meu sonho. Mas ela tinha me visto? Como poderia?

A prefeita voltou com um grande livro, encadernado em couro marrom.

— Olha isso aqui — disse ela, e sentou do meu lado, com o volume no colo.

Na capa lia-se, em letras douradas, cursivas:
Lembrança de Casamento de Reginaldo Ferreira Gusmões e
Havia um espaço sobrando depois do *e*, onde deveria haver o nome da noiva. Não estava apagado. Era como se não tivesse sido impresso.

Tentei tomar o livro nas mãos, mas fui detido pela prefeita.

— Eu também tenho meus momentos de descrença — disse ela, com gravidade. — Essa é a prova de que Deus existe e abandonou esta terra há muito tempo.

Deixou então que eu abrisse o livro. Era um álbum de fotografias. Comecei a folhear as fotos, uma a uma.

Havia um jovem, em seus vinte e tantos anos, de cabelos cacheados, de braços dados com a mãe, ao lado do altar. Aquele era o Reginaldo.

Na outra foto, as portas da igreja abertas. Um senhor de braços dados com o ar, onde *deveria* haver outra pessoa.

Em seguida, a foto mostra o senhor avançando pelo tapete vermelho, apoiando alguém que deveria estar de braços dados com ele, mas não está. Atrás dele, com as mãos suspensas, duas crianças seguram o que deveria ser a cauda do vestido da noiva!

Reginaldo sorrindo, recebendo a noiva invisível no altar.

Reginaldo ajoelhado, o padre em pé, no meio, de frente para ele e o nada ao seu lado.

Reginaldo coloca a aliança, que flutua no ar! Ao fundo, os convidados, vestidos como se vestiam as pessoas dos anos 1940 ou 1950, em ocasiões como essa. Todos sorriem na foto.

— Meu Deus! — eu disse. — O que é isso?!

Mas então eu já tinha entendido tudo! Folheei mais fotos, até o fim.

Reginaldo beija ninguém, observado pelo padre e pelos padrinhos seus lábios entreabertos tocam o ar.

Sob uma chuva de arroz, em meio aos convidados sorridentes, Reginaldo carrega um fardo invisível. A própria imagem da loucura!

Eu sabia! A foto do meu pai no mirante. Ela tinha estado lá, sua namoradinha. Em primeiro plano. Posando para ele!

8.
QUANDO PUDER

Já era difícil identificar o que era sonho e o que era real. O que era pesadelo e o que era a minha vida, acontecendo enquanto eu respirava e estava acordado. Deve ser esse o caminho da loucura. Se fosse...

Só porque você é paranoico, não quer dizer que não tenha ninguém atrás de você — disse Kurt Cobain. Mas ele também se matou, e o problema é este: todos os que disseram as coisas mais sensatas do mundo acabaram se provando insanos. Se houver prova maior da loucura agindo nesse mundo, não seria essa a mais contundente?

Como acreditar então no que eu vi? Não seriam bem maiores as chances de que eu tivesse começado minha escalada rumo à esquizofrenia e estivesse vendo coisas? Como agir numa situação dessas?

Eu sentia o cerco das minhas experiências se fechando, e tinha a escolha de ignorar tudo e voltar para São Paulo e deixar a casa ser vendida por alguém e jogar uma pá de cal nisso tudo e lembrar dessa época como uma alucinação causada por um transtorno pós-traumático... Ou podia continuar em Rio das Almas, desobedecer meu pai e cumprir o destino que o padre e a prefeita — dois pirados — diziam que estava desenhado para mim. Que sempre tinha estado destinado a mim, desde antes de os meus pais nascerem.

Era uma ideia religiosa, e meus pais foram muitos religiosos. Meu pai católico, aquele catolicismo cínico que só os católicos conseguem praticar. Minha mãe passou a vida entrando e saindo de diferentes religiões. A que mais durou foi o sufismo, aquela cabala dos islâmicos. Tinha uma história que ela contava toda quinta-feira para mim, para o meu pai ou algum amigo bondoso que tivesse azar de estar passando pela minha casa nas noites de quinta.

A história era maluca e perturbadora, ainda mais maluca e perturbadora que o busto de Cristo que meu pai deixava na sala, louco de dor. Mas nada me dava mais pesadelos que a história da minha mãe, *Canção do vale do paraíso*[1] era o nome dela:

Ahangar era um poderoso forjador de espadas que vivia em um dos vales do leste do Afeganistão. Em tempos de paz ele fazia ferramentas de ferro, ferrava cavalos e cantava.

As canções de Ahangar, que é conhecido por diferentes nomes em várias partes da Ásia Central, eram muito apreciadas pelas pessoas dos vales. As pessoas vinham das florestas de nogueiras gigantes, da montanha nevada de Hindu-Kush, de Qataghan e Badakhshan, de Khanabad e Kunar, de Herat e Paghman, para ouvir a mais bela canção daquela parte do mundo, a Canção do Vale do Paraíso.

Era uma canção inquietantemente bela, de melodia estranha, que contava uma história mais estranha ainda. Tão estranha que as pessoas sentiam que conheciam esse vale.

Às vezes perguntavam-lhe se o vale existia mesmo, ao que ele respondia:

— O vale da canção é tão real quanto o mundo real pode ser.

— Como sabes? — perguntavam — Já estivestes lá?

Mas, para Ahangar e para aqueles que ouviam a canção, o Vale do Paraíso era tão real quanto suas próprias vidas.

---

[1] Tradução livre de uma história da tradição oral sufi.

Aisha, uma jovem a quem ele amava, duvidava da existência de tal vale. Assim como Hasan, um guerreiro local que disputava com Ahangar o coração da jovem.

Um dia, quando estavam todos sentados em silêncio, após Ahangar ter cantando sua canção, Hasan, o guerreiro, desafiou-o:

— Se esse vale existe mesmo, por que não vais até ele e trazes uma prova?

— Eu sei que não seria correto — respondeu Ahangar.

— Aisha já não o ama! Ela não acredita na existência deste seu vale. E onde há desconfiança no coração, nada pode florescer!

Aisha ouvia tudo em silêncio.

Por fim, Ahangar dirigiu-se a ela:

— Se eu for até as montanhas, onde a neblina é cinza, e encontrar o Vale do Paraíso, concorda em casar-se comigo?

— Concordo — disse Aisha.

Naquela noite, Ahangar preparou seu farnel com tâmaras secas e partiu.

Andou, andou, mas nada encontrou. Por fim, quando estava prestes a desistir de tudo, avistou ao longe um muro que se estendia pelo horizonte. Ao escalar esse muro, Ahangar avistou um povoado num vale surpreendentemente parecido com o seu!

Ao se aproximar, as pessoas vieram saudá-lo, e então Ahangar percebeu que estava acontecendo algo muito estranho.

Meses depois, caminhando encurvado como um velho e mancando, Ahangar voltou ao seu vale natal. As pessoas vieram recebê-lo e notaram que ele havia envelhecido inexplicavelmente.

— Bem, mestre Ahangar — disseram — Chegara ao Vale do Paraíso?

— Cheguei — ele disse.

— E como é ele?

Olhando as pessoas reunidas, ele sentiu então um cansaço que nunca havia sentido. Buscou forças e, procurando pelas palavras certas, falou:

— Caminhei por meses e meses até a borda do mundo. Quando não havia mais nada, bem no fim, existia um muro. Ao atravessá-lo, cheguei a um vale exatamente igual a esse em que vivemos. E eu vi as pessoas. Não só eram como nós, como eram as mesmas pessoas! Para cada Aisha, para cada Ahangar, para cada Hasan, para cada um de nós existe outro exatamente igual naquele vale. Quando as vemos, vemos o nosso reflexo. Só depois vim a perceber que nós somos o reflexo deles. Somos seus duplos, seus gêmeos.

Todos pensaram que Ahangar tinha enlouquecido com o que sofrera, e Aisha casou-se com Hasan, o guerreiro.

Ahangar logo envelheceu e morreu.

Todos os que ouviram sua história começaram a definhar também, a secar e morrer. Não puderam esquecer. Por fim, murcharam e morreram, porque sentiam que estava para acontecer uma coisa sobre a qual não tinham nenhum controle. E ao perderem a esperança, se foi também o interesse pela vida.

Só uma vez a cada mil anos é dada a um homem a chance de ver esse segredo. Quando o vê, muda para sempre. Quando relata os fatos como são, esmorece e morre.

Todos que entram na órbita desse acontecimento o consideram uma tragédia, e que por isso deve-se evitar saber qualquer coisa sobre ele, pois não podem compreender, pela natureza comum de suas vidas, que há mais de um eu, mais de uma esperança, mais de uma oportunidade lá em cima, no paraíso da canção de Ahangar, o poderoso forjador de espadas.

Só muitos anos depois li coisa parecida: aquela passagem de *O processo*, do Kafka, que começa com "Um homem chega às portas da Justiça". Não a passagem, mas a tentativa de interpretar a história, ainda é um dos momentos da minha pobre experiência literária que mais me deram prazer! As duas histórias têm algo em comum. Algo fugidio, mas parece que o mais fascinante é serem um enigma impossível de ser resolvido. Tem sempre alguma coisa que escapa à nossa compreensão.

Minha mãe contou essa história mil vezes, toda noite de quinta. Pelo menos metade delas eu ouvi, tanto que decorei. *O paraíso da canção*.

Embora essa história seja da tradição sufi, e o Deus dos árabes e dos persas tenha outro nome, trata-se do mesmo Deus. Esse Deus doentio, cujo filho foi crucificado com seu consentimento.

A ideia dos gnósticos de que um dia tomamos o mal por bem, e assim continuamos, poderia ser o grande erro de interpretação da nossa civilização. E se os homens da caverna que mataram o arauto que saiu à luz do sol e viu a *verdade* fossem os homens bons? E se o arauto tivesse vislumbrado não a realidade, mas o próprio *inferno*? E as sombras que o inferno projetasse na parede da caverna fossem filtradas pelo bom Deus para nos proteger desse mal? E se o próprio Sócrates tivesse sido morto pelos homens bons, e a compreensão torta desse fato tiver lançado as bases para a civilização ocidental desde então? E aí?

A não ser que eu me tornasse um religioso e fundasse uma igreja, essas abstrações malucas que eu *vi* em Rio das Almas corroeriam minha alma. E eu já não tinha certeza de que, se eu fugisse naquele instante, se abandonasse a cidade e voltasse para São Paulo, conseguiria esquecer tudo aquilo e levar uma vida normal.

Se voltaria a sonhar com mulheres ou com dinheiro, com algum desaforo do dia, com meu chefe ou com a violência nas ruas me atingindo, como sempre sonhei antes de me meter naquela loucura.

Mas, de tudo, esta possibilidade que me ocorria era a mais inquietante: às vezes, tudo o que a gente pensa, todas as nossas ideias, todos os nossos conceitos estão errados! E se descobríssemos isso hoje? Será que seríamos capazes de rir disso?

Claro que eu ficaria em Rio das Almas! E esse relato que você lê agora é a prova de que sobrevivi.

A prefeita me deixou no hotel. Não, obrigado, não queria ir para casa. Me senti grato por aquele dia estar chegando ao fim.

Quando estacionou o carro em frente ao hotel, fiz um pedido: que ela encontrasse meu amigo, o Henrique. Ela disse que faria todo o possível e, adivinhando meus motivos para não querer voltar para a casa de pedra, me fez um pedido também.

Eu não podia pensar *nela*. Sabia que, se eu começasse a pensar *naquela coisa*, ela acabaria aparecendo.

Mas eu pensei. Assim que acendi a luz do quarto e deitei na cama. Imaginei que a tinha visto, com os cabelos nos olhos, como na ilustração do padre antigo. Imaginei que eu estava no mirante da cidade, como se estivesse na foto, e ela vinha a mim.

Mas, naquela noite, ela ainda não viria...

* * *

Acordei com o sol que entrava pela janela se estendendo sobre minhas pernas. As partículas de poeira cintilando sobre mim e o dia frio, ensolarado, emoldurado na minha frente quando abri os olhos.

Pela primeira vez em muito tempo me senti feliz, protegido no silêncio que anuncia uma tempestade magnífica. Mas nem sinal dela. Eu acabara de descobrir que meu pai tinha tido uma *namoradinha* fantasma, que já destruíra outras vidas antes da dele, e agora viria me pegar. Ufa, que alívio! Pensei que tinha sido uma mulher de carne e osso, que apareceria com um filho querendo a metade da casa! Ri sozinho disso, lá na cama.

No chuveiro, lembrei de músicas que sabia de cor. Letras que decorei sem querer, que falavam de coisas tão intensas que eu podia jurar que não eram verdade, não fossem acompanhadas por músicas tão bonitas que parecia inacreditável que tanta beleza existisse!

Lembrei das minhas próprias *namoradinhas*, de duas delas. Imaginei onde estariam. Eu nunca deixei de me preocupar com o destino das minhas ex-namoradas.

No fundo eu amava meu pai e minha mãe, assim como amava as minhas ex-namoradas. Amava o Henrique também. E todos eles a mim. Afinal, havia muitas pessoas que eu de fato amava, pensei, e isso me fazia feliz.

Saí pela rua sem pesos mortos, sentindo o ar da manhã. Ter desvendado a foto do esconderijo do meu pai e ter pedido ajuda à prefeita para encontrar meu amigo me descansou. Eu me sentia pronto para o mundo, desobrigado de lutar. Poderia fugir naquele momento e, se não fugia, era porque havia algo oculto, importante, para acontecer. Como as partes obscuras das letras de músicas que eu ouvia na infância, que continuei não sabendo o que significavam, porque não tocavam mais e porque, na época, eu não sabia inglês direito.

Eu andava pelo centro comercial quando me vi passando por uma loja de eletroeletrônicos e lembrei de algo importante: eu precisava de um despertador! De um rádio relógio, para adormecer ouvindo música e acordar na hora que eu determinasse.

Entrei na loja iluminada pelo sol da manhã. Caminhei por entre as prateleiras de aparelhos de som, celulares, máquinas de lavar e secar. Andei pelo corredor junto à parede, emoldurada por TVs passando desenho animado, todas mudas e no mesmo canal. Passei pelas muralhas de freezers e geladeiras, saí do lado dos ferros de passar roupa que me levavam para o balcão da loja. Lá estavam eles, os rádios relógios, um ao lado do outro, na prateleira. Me aproximei do balcão. Fui surpreendido pela atendente.

— Oi, posso ajudar?
— Pode.

Voltei-me para ela e tomei um susto. A menina era encantadora!

Era uma bela e jovial morena em seus vinte anos, com um vasto cabelo preso num coque em cima da cabeça, olhos pretos e seios pequenos escondidos debaixo do uniforme de atendente. Meu coração parou por um instante. Ela deve ter percebido.

— Tô procurando um despertador — eu disse, com uma frieza gentil.

— Tipo rádio relógio?

— Tipo isso, pode ser.

Ela virou de costas e pegou a chave da prateleira. Talvez ela também tivesse se abalado com o encontro. Voltou-se para as prateleiras e abriu, me mostrando os rádios relógios.

— Tem esses três modelos — disse.

— Quanto é?

— Esse aqui tá setenta e oito, esse aqui tá setenta e sete e esse... Quarenta e nove!

— Deixa eu ver esse de quarenta e nove?

— O de quarenta e nove?

Ela não me olhava nos olhos. Tirou o rádio relógio da prateleira, ligou na tomada e o colocou em cima do balcão, com os zeros piscando.

— Esse é muito bom — disse ela, ainda sem olhar para mim.

— Você tem esse em casa?

— Não, não tenho despertador.

— Usa o celular, né? — perguntei.

— Não — riu. — Também não tenho celular.

— Não? Nossa!

Ela riu de novo e ajeitou o aparelho no balcão.

— Tem rádio também — disse ela. Pegou o rádio e começou a mexer nos botões. Assisti à operação, em silêncio.

— Mas como é que liga o despertador? — perguntei, por fim.

— Peraí.

E continuou a lutar com os botões.

— Deixa eu tentar — pedi.

Mas ela não deixou. Tentou mais um pouco e depois cedeu. Me estendeu o despertador e eu comecei a mexer nos botões, tentando fazer aquele negócio funcionar.

— Deve ser aqui — disse ela, tentando também. Apertou mais uma combinação de botões, mas nada aconteceu. Notei que ela estava envergonhada.
— Tudo bem — eu disse.
— Tem manual.
— Não, deixa, brigado.
— De nada.
E colocou de volta o aparelhinho na prateleira. Quando eu estava indo embora, ela apertou algo e a geringonça chiou forte, um barulho de estática.
— Olha o rádio! — disse ela.
E riu, sem graça.
Eu não conseguia respirar de novo. E então nossos olhares se cruzaram por um instante, mas ela voltou a arrumar a prateleira que já tinha arrumado.
— É... Brigado — eu disse.
— Bom dia.
— Bom dia — respondi. E saí da loja.

* * *

Mesmo nas cidades serranas, dezembro é um mês de dias quentes e abafados. Mas não aquele dia. Andei por um tempo pelo centro, sem direção, me sentindo leve, aquecido pelo sol. Virei em algumas esquinas que eu não conhecia. Parei para tomar um refrigerante numa vendinha velha, de balcão de madeira, nunca reformada. Saí de novo pelas ruas, com aquela sensação quase esquecida de ter uma vida inteira pela frente.

Durou pouco a sensação, só até eu perceber que caminhava pela rua onde a Rita, aquela aluna morta do meu amigo, morava. Passei pela frente da casa dela. Não tive coragem de olhar. Se o pai dela estivesse saindo e me visse, poderia começar a fazer conjecturas. E eu tinha algo a esconder, o Henrique, e talvez isso transparecesse e fosse interpretado como algo pior.

Nunca é bom levantar suspeitas nos pais que tiveram as filhas brutalizadas.

Senti de novo o peso que pairava sobre aquela cidade. Uma gravidade grudenta, um abafado sombrio que impregnava toda a atmosfera do lugar e não te deixava se sentir bem. Talvez por isso nunca tenha sido turística.

A cidade era má.

Como todas as cidades paulistas, havia sido abandonada pelos jesuítas em 1640. Mas ali parecia que isso havia tido um impacto maior. Como se, sob circunstâncias apropriadas, as coisas realmente tivessem saído do controle por lá. Esse ambiente opressor só não era abandonado pelas pessoas porque elas tinham se acostumado com ele e o tomavam por algo normal. Para os habitantes de Rio das Almas, parecia natural se sentir mal o tempo todo, porque assim era a vida que conheciam.

Lá estava eu julgando. Com qual autoridade? Talvez fosse eu que estivesse me sentindo mal. Porque não era possível perder seus pais e seu melhor amigo desaparecer, tudo em dois meses, e ver poesia ao redor.

As meninas que apareciam mortas, sem os olhos. Aquela adolescente excitada que, sem saber, encenara a própria morte. Seus colegas, que sentiram o cheiro da morte antes da polícia ou dos militares. Aquele padre enlouquecido, aquele diário do seu antecessor. E aquele livro que tinha ido parar naquela cidade. O álbum de fotografias daquela mulher, a que espiava pela janela ao lado da casa de pedra e se banhava à noite na minha piscina. A que tinha passado Aids para o meu pai, e depois para a minha mãe, mas que já vinha matando e enlouquecendo de outras formas desde muito antes dos anos 1990. O fato de o Henrique ter fugido para lá, dentre todas as cidades do mundo. O militar que eu vi em sonho e depois na prefeitura. As tempestades e os deslizamentos e as enxurradas, que engoliam as pessoas vivas. Tudo apontava para o incomum, para algo além das desgraças que acontecem de tempos em tempos em todas as outras cidades que eu conhecia.

Parei quando me vi à porta da casa do Henrique. Eu era atraído para aqueles lugares, não sabia se isso também era parte da minha loucura ou se era parte de um destino determinado, sobre o qual eu não tinha nenhuma escolha. Lá estava eu de novo, forçando a porta do meu amigo, que agora estava trancada. Na terceira ombrada, ela cedeu.

Estava vazia.

Nada, nem os papéis no chão, nem os móveis revirados. Parecia que um caminhão de mudança tinha passado e desinfetado o chão antes de saírem. Era isso, eu senti. Henrique estava *morto*!

Eu o vi prestes a morrer, no meu sonho, nas mãos daquele militarzinho infantiloide. Aquela criancinha malvada, testando sua própria capacidade de praticar crueldades.

Liguei imediatamente para a prefeita. Ela me atendeu.

— Prefeita, tô na casa do Henrique... Levaram tudo embora, não tem mais nada aqui!

Ela ouviu em silêncio, por fim me respondeu:

— Esvaziaram a casa dele? — perguntou, perplexa.

— É, limparam tudo. Talvez o locatário saiba quem foi, quem pagou pela mudança.

— Eu sou a dona da casa. E da maioria das casas dessa rua. E não fiquei sabendo de nada!

— Será que foram os militares?

— Com certeza! Ou então seu amigo mesmo mandou um caminhão de mudanças durante a noite e me deu o cano no aluguel — ponderou.

— A senhora acredita que o Henrique tenha feito isso?

— Não acredito. E, quem quer que tenha feito, fez bem e em silêncio. Senão os vizinhos teriam me avisado. Não acredito que o professor Henrique tenha essa competência.

— Eu tô indo agora para prefeitura! Tenho um tio coronel, vou fazer com que falem com ele!

— Não! Não deixe que eles vejam seu rosto! Não deixe que eles saibam seu nome! Não se meta e não volte para casa de pedra, vá pro hotel e fique por lá!

— Por quê?

— Isso é sério, Ismael. A cidade está em estado de sítio, sob jurisdição deles. Não sabemos o que estão fazendo, mas você não quer entrar no radar dessa gente! Pode deixar que eu mesma vou descobrir o que fizeram.

— Tá bom — me resignei.

— Sinto muito pelo seu amigo.

E desligou.

Aquelas palavras me apertaram o peito e eu percebi que ela tinha chegado à mesma conclusão que eu. O Henrique estava morto. Ele tinha pedido minha ajuda. Eu vi o que estava acontecendo e não fiz nada. Cheguei a entrar na prefeitura ocupada, estar com o torturador distraído, ao meu alcance! Sua amante e aluna também estava morta. Não tinha coincidência nenhuma ali.

Deixei a casa do Henrique, aonde ele tinha ido para começar uma vida nova. Ninguém me viu entrando ou saindo. Me afastei o mais rápido possível daquele lugar. O sol brilhava, a cidade estava deserta ao meio do dia. E em mim um aperto muito forte de repente.

Não sei por que, naquele instante, a coisa mais nada a ver passou pela minha cabeça.

Lembrei de uma vez que fui tomar café com a minha ex. A gente tinha terminado havia uns três meses e perguntei, porque tinha acabado o assunto, o que ela andava ouvindo. Ela disse que tinha parado de ouvir The National. É uma banda americana que a gente ouvia na época para tomar café, para transar, para dormir... Para tudo! Ela disse que tinha parado de ouvir porque as músicas eram muito tristes. E só naquela hora, ao saber da morte do Henrique, eu entendia o porquê.

Na verdade ela estava me dizendo que ela estava triste, porque ainda me amava. Claro!

Aí em seguida me veio outra lembrança dela, um ano depois de a gente ter terminado.

Outro café — como éramos civilizados! Ela já de cabelos curtos quis me contar que o Espeto, nosso cachorro que ficou com ela na separação, tinha fugido. E começou a chorar.

Me deu um aperto, na hora nem consegui me aproximar para consolá-la. Fiquei olhando-a ali, soluçando baixinho do outro lado da mesa, limpando as lágrimas antes que escorressem pelo rosto.

Eu não sabia se ela chorava pelo Espeto, que ela — e eu também, um dia — amava e agora nunca mais ia ver. Ou porque se ali, olhando para outro ente querido que ela perdera nos últimos tempos, percebeu que agora estava completamente sozinha.

Saí da minha imobilidade, fui até ela e a abracei. E aí ela chorou alto.

Apertei-a mais forte e chorei também, outra vez desejando que aquele fosse o seu último choro e que ela nunca mais chorasse na vida, agora que eu não estaria mais por lá.

Fazia dois anos aquilo. E então percebi que eu chorava novamente. De todas as pessoas que eu conheci na vida, o Henrique tinha sido aquela de que eu mais gostava. O cara mais doce, o mais engraçado. E, desconfiava, o único que me tinha realmente em alta conta! Minhas ex-namoradas, que eu amara, sem dúvida, estavam ocupadas com suas próprias lutas. Pela primeira vez senti o que era estar realmente sozinho.

Deixei que as lágrimas caíssem. Com trinta anos eu ainda era muito jovem para me ver sozinho com a frieza necessária. O Henrique estava morto. Longa vida ao Henrique!

Tive uma banda com ele na adolescência. Queria ter na vida de alguém a mesma importância que o Nirvana teve na minha. E ele tocava baixo. Não era ruim a banda.

O amor é um negócio estranho, que funciona melhor em retrospecto.

E é raro.

Já tinham secado as lágrimas quando virei à esquerda na avenida. Meu pai tinha me dito, e foi a última coisa que ele me disse — que não fosse para Rio das Almas. Em hipótese alguma!

Ele também tinha dito, no seu sono de morte, para ir até o Tietê. *Quando quisesse!* Mas isso não foi para mim.

* * *

Pulei o muro da escola, onde não havia portão nem casas ao redor. Estava vazia, não sabia se porque ainda estava interditada ou se porque era domingo. Fazia sentido se fosse domingo. Explicaria as ruas vazias no centro. Ou, ainda, talvez o ano letivo já tivesse terminado, já que estávamos a alguns dias do Natal. A verdade é que, de qualquer forma, eu não podia ser visto perambulando pela escola. Sabia que devia estar um passo atrás dos militares no encalço dos vestígios deixados pelo meu amigo. Mesmo assim, talvez eles fossem lentos o bastante para não ter pensado em fuçar o seu armário na sala dos professores.

Andei pelos corredores vazios, todos iguais, melancólicos pela pobreza das instalações. Passei pelo corredor onde os adolescentes encenavam a morte da primeira menina. Cheguei ao casebre onde funcionava a secretaria, em frente ao pátio. As marcas da inundação por barro tinham sido limpas das paredes, e os livros e os arquivos, retirados da sala. Fui em frente. Encontrei os banheiros dos professores e três salas, só as da Direção e da Coordenação tinham indicação na porta. A última, idêntica às outras, devia ser a sala dos professores que eu procurava. Um adesivo ainda indicava o nome do professor Henrique, escrito à mão, sobre a fita crepe. Abri o armário, que estava, é claro, vazio, a não ser por duas canetas e alguns clipes no fundo.

Resolvi checar os armários dos outros professores, e estavam todos cheios de pastas, livros, folhas de trabalhos de alunos e pacotes de bolacha fechados com pregadores de roupa. Os militares tinham estado lá e haviam feito a limpa.

Ouvi uma porta batendo, barulho de passos no pátio.

Me esgueirei até a única porta. Havia grades nas janelas. Vi um homem varrendo o pátio. Esperei que ele entrasse em algum corredor e saí sorrateiramente. Pulei o muro ao lado do portão.

Aterrissei do outro lado, quando o ouvi gritar por mim.

Saí correndo. Virei a rua antes que ele conseguisse destrancar o portão. Entrei no meu carro e saí acelerando. Ele poderia ter visto meu carro se corresse até a esquina, mas não fez isso. Diminuí a velocidade, não havia nada mais do Henrique para ver. Eles já tinham feito o trabalho.

Não pense que eu sou ingênuo de nem ter considerado a hipótese de o Henrique ser o assassino por trás das adolescentes dos olhos arrancados. É claro que isso tinha passado pela minha cabeça! E não havia dúvida de que ele estivesse ligado aos assassinatos, de alguma forma. Tudo acontecia muito próximo de onde ele circulava. Mas, se estou sendo habilidoso na minha narrativa, você já deve ter percebido que o Henrique era o cara perfeito para ser encontrado na cena do crime, com a faca na mão e um olhar assustado, quando a polícia chegasse. Ele era feito para se meter nessas! Era a cara dele!

Se os militares estivessem realmente interessados em resolver os crimes, estariam no encalço dele na primeira coincidência. Mas nada era tão simples. E, naquela época, eu já tinha adivinhado que aquela perturbação mórbida girava em torno da existência daquela mulher, a que aparecia para mim, que dera meu endereço na biblioteca ao pegar os livros que meu amigo havia lido e assinava como Marta.

Se os militares tivessem ido até a biblioteca, já teriam rastreado esse nome. Se não, para eles, o fantasma que assombrava Rio das Almas, e eventualmente arrancava os olhos das meninas, ainda não tinha um nome. Mas eu tinha o nome. Eu tinha a foto do meu pai e havia visto o álbum de casamento do pobre-diabo com os braços estendidos no ar. Precisava descobrir por que ela tinha se aproximado do Henrique. E se era a mesma mulher, se ele a tinha visto com o meu pai naquele dia, no mirante da cidade, anos antes. Precisava vê-la. Algo em mim já sabia que, se fosse embora para minha vida, onde meus pais e meu amigo não existiam mais, não conseguiria seguir em frente. *Ela já viu você*. Precisava vê-la.

* * *

O sol do meio-dia já ia alto. Depois da curva na subida avistei a casa de pedra como se fosse um navio naufragado. Essa foi a sensação. Estacionei em frente e bati a porta do carro com cuidado, o que por si só já desqualificaria tudo o que eu viesse a relatar a seguir.

Dei a volta na casa e cheguei à piscina de água suja, enrugada pelo vento. Acima dela, a *outra* casa. Demorei para levantar os olhos. Esperei ver o rosto da mulher na janela, mas não vi. Era só o medo, que aumentava a cada passo que eu dava em direção à casa ao lado, junto com as palpitações do meu coração dentro do peito. Que aumentaram ao ponto de estalarem no meu ouvido. Reduzi a velocidade dos passos.

Estava diante da porta da casa abandonada, preparado para o meu estranho encontro. Testei a maçaneta. Estava trancada. Não tinha chegado tão longe para agora voltar para a cidade. Tomei distância e investi meu corpo contra a porta, que se espatifou. Os fiapos de madeira podre rasgaram a pele do meu ombro, um bom alívio para me distrair do terror obstinado que me fazia seguir sempre em frente.

Era uma sala ampla, abandonada com um sofá, uma mesa com cadeiras e uma estante vazia. Mais nada. O medo me impelia a andar e, assim, fui desbravando a casa.

Cheguei à cozinha, cheia de armários, um fogão e uma geladeira velha de trinco. No meio do chão, em frente à pia, havia uma garrafa de óleo de soja, pacotes de macarrão e temperos. Abri o armário debaixo da pia e lá encontrei, ao lado do bujão de gás, um alçapão secreto, aberto, uma entrada estreita com uma escada que levava à escuridão lá embaixo. Estremeci e gemi alto, sem querer.

Eu havia encontrado a porta do inferno. Já poderia ir para casa.

Mas não fui. Tomado pelo desespero, por um cio profano, como meus antepassados cavadores de minas de ouro, ajoelhei e comecei a entrar no buraco. Havia essa escada rústica, como que talhada por um marceneiro senil. Depois do segundo degrau, a escuridão já era completa, e comecei a descer, engatinhando. Depois de alguns degraus, já era possível ficar de pé sem bater a cabeça no teto.

Continuei descendo e logo cheguei ao chão. A luz baça que vinha do alçapão não era suficiente para que meus olhos se acostumassem com a escuridão, mas eu estava numa sala. Um porão. Não conseguia enxergar o que havia nela, mas podia ver suas quatro paredes delimitando o espaço. Trinta metros quadrados, eu supunha. Andei até a parede para senti-la, quando tropecei em algo. Apalpei o chão. Era um colchão de solteiro, com um lençol e uma coberta. Desarrumados. Senti algo que parecia ser uma vela, ao lado havia outras, e uma caixa de fósforos. Alguém ia lá, frequentava, ou tinha frequentado aquele lugar. Risquei um fósforo e pude ver que não havia nada além do colchão. Vi alguns tocos de velas e garrafas de vinho vazias. E um cinzeiro. O fósforo se apagou e risquei outro. O cinzeiro parecia cheio de molho shoyu, onde flutuavam bitucas de cigarro de filtro vermelho. Pincei uma das bitucas. O fósforo se apagou e acendi mais um. O cigarro era um Camel. Poucas pessoas fumam Camel. E o Henrique era uma delas. Soube então que era ele, o Henrique, que tinha estado naquele buraco!

O fósforo se apagou. Derrubei uma garrafa vazia, o barulho de vidro ecoou pelo porão.

Olhei instintivamente para a entrada, o alçapão, e pensei em algo terrível. Se alguém me visse ali e fechasse aquela portinhola, eu ficaria emparedado, à mercê da sede e do desespero, na melhor das hipóteses. Meu instinto de sobrevivência quebrou o encanto e me impeliu a fugir dali. Corri desesperado pelas escadas, com o coração disparado, até emergir pelo chão da cozinha.

Fechei o alçapão e arrastei o bujão de gás para bloquear a entrada. Coloquei a garrafa de óleo de soja e o macarrão em cima também e fechei o armário debaixo da pia.

Minha camiseta estava ensopada, minha respiração, ofegante. Foi quando ouvi um murmúrio, alguma fala indistinta no andar de cima. Uma voz de mulher.

Dessa vez saí correndo, passei pela sala sem olhar para a escada. Saí da casa e continuei correndo até alcançar o meu terreno, sem olhar para trás.

Quando cheguei até a piscina, resolvi olhar.

A casa se estendia imóvel, com a porta arrebentada como dentes tortos e suas duas janelas como os olhos de um robô. Só isso, nenhuma figura de mulher me observando por elas.

Era dia. Corri para a minha própria casa, a casa de pedra. E me senti seguro, estranhamente em casa quando a chave abriu a tranca.

* * *

Já tendo atravessado a minha casa, estava diante da porta no fim do corredor. Abri a porta sem pressa. A luz branca do sol através da cortina fina iluminava o lugar e dava uma impressão de sonho, como se o sol fosse cor de gelo, mais branco que o bege. Estava no quarto dos meus pais, arrumado pelo capricho da minha mãe e decorado com a breguice do meu pai. Intocado desde sempre. Reconheci o quarto imediatamente.

Entrar ali era uma viagem no tempo. Era um quarto grande, de decoração datada, com móveis planejados, típicos dos anos 1980. Era como se tivesse entrado numa instalação de museu, sobre como era a vida das pessoas naquela época.

Mas, estranhamente, aquele era o único lugar até então que tinha me despertado uma familiaridade, uma volta à infância sem o sabor de deterioração do passado.

Havia os quadros na parede, com fotos dos meus pais muito jovens, recém-casados. E fotos deles um pouco mais velhos, comigo e com a minha irmã, crianças. Minha irmã, que morreria logo depois.

Depois, só havia os porta-retratos nos criados-mudos.

A foto da minha formatura. Vi meu rosto de agora, mais envelhecido e em frangalhos, refletido no vidro da minha foto de beca. Meu reflexo ainda mais velho do que eu me lembrava.

Me detive no criado-mudo, com um abajur e um rádio relógio da mesma época, parados no tempo. Abri a gaveta do criado-mudo. Estava vazia, exceto por uma caneta, que rolou no tampo. Fechei a gaveta, e a caneta rolou novamente lá dentro.

Voltei-me para o grande armário planejado, do tamanho da parede. Tentei abri-lo. Estava trancado. Lembrei que a chave ficava na fechadura, e lá estava.

Vasculhei as roupas nos cabides e encontrei as prateleiras de cima. Muito altas, mas agora eu poderia alcançá-las se subisse no tampo das gavetas de baixo. Foi o que fiz.

Subi nos tampos das gavetas e estiquei os braços, tateando o que havia lá em cima. Topei com um fardo de tecido. Desenrolei o fardo e encontrei: o revólver do meu pai. Era um 38, agora eu sabia. Encontrei também caixas de munição. Mas foi a espingarda, antiga — teria sido do meu avô? — que me chamou a atenção. Havia caixas de munição para ela também.

Abri a espingarda pelo meio, como se fosse carregá-la. Fechei-a, testei a mira, e a envolvi novamente no tecido, mas não a guardei de volta. Coloquei na prateleira de baixo, onde encontrei uma pasta de documentos e ofícios, na qual se lia:

Serviço Nacional de Informação

Aquilo, sim, era bem surpreendente! Que caralhos aqueles papéis estavam fazendo ali? Joguei os documentos na cama para não interromper minha exploração. E continuei fuçando nas prateleiras.

Abri outra porta do armário, onde encontrei a vitrola do meu pai, com os discos enfileirados embaixo.

Tinha Jorge Ben Jor, Tim Maia, Rolling Stones, Xuxa, Gilberto Gil e Raul Seixas.

Tirei esse último e botei na vitrola. Pus o disco para rodar e coloquei a agulha na faixa 7.

Al Capone começou a tocar. Muito alto.

Abri outra porta do armário e, ironicamente, encontrei o bar. Cheio de garrafas de vários tipos de bebidas nacionais, com seus rótulos antigos. Quase todas vazias. Um museu da boemia! Confesso que senti orgulho por eles.

No meio daquela aula de design de rótulos antigos nacionais, havia os importados também, trazidos a peso de ouro de todos os lugares do mundo. Essas garrafas estavam quase todas cheias, muitas ainda lacradas, talvez esperando um momento especial o bastante, que nunca veio.

Eram uísques, vodcas, tequilas. Uma me chamou a atenção: uma garrafa de absinto, da antiga Tchecoslováquia, em que se lia um teor alcoólico de 95%! Resolvi abri-la, em homenagem aos meus velhos. Limpei um copo de uísque na camiseta e preparei um drinque para mim, enquanto Raul gritava para Lampião dar no pé, pois *Eles* iriam à feira exibir sua cabeça.

* * *

Eu já devia estar bêbado, porque pulava em cima da cama cantando *Metamorfose ambulante*, que tocava pela segunda vez. Eu nem tinha percebido o disco virar.

Notei que no chão havia mais discos e caixas de sapatos espalhadas. Nem sinal dos papéis do SNI. E eu nem liguei.

Caí na cama e olhei para o armário aberto. E, daquele ângulo, vi algo metálico reluzindo atrás das calças penduradas nos cabides. Cambaleei até lá e encontrei um cofre! Não sabia da existência de nenhum cofre, mesmo eu, o explorador das casas sem dono! Devia ser porque ele ficava num lugar alto, inalcançável para uma criança e de pouca atratividade, atrás das calças sociais do meu pai. Refleti por um momento e tentei uma combinação: o 6 e depois o 9. O cofre se abriu.

Lembro que fiquei sem fôlego. Eu estava adentrando o recanto mais secreto da minha infância. Tão secreto que eu nem sabia que existia! Mas não tinha joias. Só uma coluna de fitas VHS. Eram filmes pornô.

Não sei se ri naquela hora, mas ri agora escrevendo isso! Tinha títulos americanos, mas os mais toscos, e a maioria deles, eram brasileiros. Com aquela diagramação pobre das capas e aquelas mulheres magrelas, da época em que se ganhava ridiculamente pouco quando se era pobre. E todas peludas. Todas antepassadas da *Brazilian wax*. Talvez essas preferências sexuais sejam genéticas mesmo, pensei.

* * *

Fui até o quintal da casa, levando as armas e uma pilha de fitas pornôs. Cheguei até a piscina, lembrei do inconveniente de a casa à frente estar assombrada. Mas olhei para ela e ela olhou para mim e estava deserta. Tranquilo.

Dispus as fitas pornôs dos anos 1980, na mureta da piscina, lado a lado. Tomei distância, fiz mira com a espingarda. E atirei.

O barulho fez revoar alguns pássaros e a fita se espatifou no ar.

Espiei a casa ao lado, que continuava vazia. Aquela noite estava de boa.

Resolvi testar o revólver. Mirei, apontei para a outra fita e outro tiro a lançou pelos ares. Juro que nunca tinha disparado uma arma na minha vida, mas eu tinha nascido para aquilo. Engatilhei o revólver e tentei uma sequência. Mais cinco tiros acertaram duas fitas de vídeo. O tambor estava vazio, mas restava um vídeo em pé.

Joguei o revólver pro lado e peguei de novo a espingarda. Mirei com ela e mandei a moreninha peluda para terra da putaria sem Aids. Chequei o cano da espingarda e me queimei ao encostar nele. E, então, inexplicavelmente, prendi a respiração. Um medo primitivo, irracional, tomou conta de mim. Eu sabia o que era.

Evitei olhar para a casa ao lado. Em vez disso, olhei ao redor, para a mata cerrada. Eu estava sozinho, o mundo em silêncio. Circundado pela paisagem quase escura, a não ser pelo último resquício de luz da lua atrás das nuvens. Eu precisava olhar para lá, mas olhei para a minha casa. Eu estava no mesmo lugar onde a mulher na piscina me olhara antes. Senti um calafrio ao perceber. *Ela já viu você.*

Finalmente, olhei para a casa vizinha.

Na janela do segundo andar, vi um rosto sombrio de mulher. Me olhando. E desaparecendo!

Em pânico, devo ter dado um passo para trás, porque caí na piscina.

De novo.

Imediatamente comecei a me debater contra as algas que me seguravam debaixo da água turva. Não estavam lá da primeira vez que caí e pareciam me puxar para baixo. Minha espingarda descia vagarosamente, até bater no fundo do azulejo, num toque surdo.

Lutei contra as algas enroladas no meu braço e venci. Emergi e consegui respirar. A água turva em meus olhos ardia e embaçava minha visão, mas pude ver algo. Algo incerto, desaparecendo novamente na janela da casa vizinha. Quando recuperei a clareza da visão, não havia mais nada lá. Exatamente como da vez anterior!

Mergulhei novamente e alcancei a espingarda. Ao emergir com a arma na mão, evitei olhar de novo para aquela janela.

Saltei para fora da piscina, com o peso daquelas coisas grudentas tentando me impedir. Respirava com dificuldade. Peguei o revólver na grama e caminhei de volta para a minha casa.

Antes de entrar, parei e olhei pela última vez para a casa vizinha. Não havia ninguém lá. Eu ofegava, encharcado, coberto de folhas mortas. Sustentei o olhar, desafiando a mulher a aparecer mais uma vez na janela.

Mas a casa vizinha parecia deserta. Uma reedição patética do que já tinha acontecido. Estaria eu em algum motocontínuo, vivendo o mesmo pesadelo idêntico? Um sonho circular, que nunca termina, que já tinha sido de outros e eu estava fadado a reencenar? Como da primeira vez, virei-me para a minha casa e entrei, batendo a porta atrás de mim.

9.
OS PAULISTAS

Sempre pensamos com carinho quando nos lembramos dos nossos antepassados. O último elo vivo da corrente, nossos avós ou bisavós, a ponta da cadeia da vida que conhecemos ainda na infância. Chamamos de coragem a rudez que possam ter tido na juventude. E suas supostas atrocidades colocamos na conta da mentalidade ignorante da época. Mas isso é tudo história, nós nos lembramos é do que vimos: velhinhos e velhinhas carinhosos, arrependidos, que no leito de morte falam com entes queridos já mortos e estendem os braços, procurando alguém para abraçar antes de expirarem. E aí o nada.

Naquela noite, tive mais um daqueles sonhos. Eu não estava nele, mas assisti a tudo como se estivesse. E me lembro de cada detalhe.

Três homens caminham por uma terra pedregosa. As montanhas que emolduram a paisagem são as montanhas de Rio das Almas. A maior delas é aquela onde meu pai tirara a foto da menina. Mas eles estão no vale abaixo. Todos maltrapilhos, metidos em roupas rústicas de couro. O mais alto deles é um homem jovem, com o rosto sulcado e pele áspera, não muito diferente das suas roupas. Tem barba e cabelos empoeirados, mas é loiro e tem olhos de um verde inflamado e profundo. Eram os olhos da minha irmã.

Em dado momento surge um riacho. Eles jogam os fardos no chão e correm até a água, a água cristalina escorrendo de suas mãos em concha. Bebem da água e se saciam, estavam prestes a morrer de sede. O mais jovem fica olhando para o brilho da água corrente, intrigado. Os outros dois percebem, mas ele é mais rápido. Se joga nas águas rasas, e tenta alcançar algo que viu no leito do rio. A turbulência de seu ímpeto turva as águas e ele espera que ela volte a se aquietar. Os outros dois só observam. Ninguém troca uma palavra.

Com a transparência das águas de volta, ele se agacha, com infinita cautela, até submergir no riacho. Os dois esperam.

Ele emerge, inspirando o ar. Com o punho para cima, suas mãos fechadas num punhado de barro úmido. Olha para os companheiros e seu olhar é de loucura. Estende a mão e deixa a argila escorrer, revelando uma pedrinha, que reluz quando lavada.

É ouro.

Os três então começam a gritar, se unem num abraço e choram enquanto gritam. Não gritam nada que possa ser interpretado como palavras. Só gritam, se abraçam, choram e rezam. Acabavam de descobrir algo que, no fundo de suas almas, temiam que jamais descobrissem. Tinham certeza de que nunca descobririam! Mas lá estava.

Naquela noite, com certeza, sonhariam com mulheres! Deixadas, ou nunca tidas, nas cidades de onde saíram.

Acordei do sonho suando, exultante. Como se tivesse sido minha aquela descoberta. Não sei se era real, se tinha sido real um dia, mas sabia o que significava: tinha sonhado com a fundação de Rio das Almas.

* * *

Deitei minha cabeça no travesseiro, no quarto iluminado dos meus pais, sob a luz quente da manhã.

Tem um momento em que a angústia cessa. Toda a ansiedade desaparece e tanto absurdo, todo o peso, todo o medo passam a ser triviais, e é difícil reconhecê-los como tais. Eu me sentia confortável naquele oceano de bizarrices no qual vinha me afundando. Passei a encará-las sem medo, sem vontade de enfrentá-las. Foi assim naquela manhã.

Hoje, pensando, se tivesse de eleger o momento em que parei de me assombrar e comecei a encarar tudo aquilo com naturalidade, seria aquele. Acordando de um sonho ancestral. Deitado na cama dos meus pais.

Houve uma época da minha vida, no fim da adolescência, de muita angústia e desesperança. Não vem ao caso falar sobre ela. Eu tinha dezessete anos.

E o que se seguiu a ela, àqueles anos, foi ainda pior! Tanto que, aos dezenove, eu cheguei a sentir saudade do conforto daquela tristeza dos dezessete!

Tudo passara, e eu refiz minha vida. Até aquele momento, agora aos trinta.

Deitado ali na cama, eu finalmente me via livre! Estava jogado à deriva no meio de um furacão, que começara a girar muito antes até de o meu pai ter nascido. Mas só agora tinha tomado corpo, arrasando cidades. E eu estava no meio dele. Não havia por que resistir.

Havia em mim aquela hombridade, aquela dignidade de estar seguindo o meu destino.

O meu caminho, que estava traçado para mim desde os meus antepassados — ou desde que meu tataravô, o primeiro paulista, que teria sido bandeirante, veio sulcar essa terra em busca de ouro. E agora, gerações depois, nossos destinos se tocavam. Naquele momento, percebi que eu estava exatamente onde sempre souberam que eu estaria.

Tudo estava bem agora. E me senti em paz.

* * *

Mesmo assim, continuava acordado. Eu não sabia o que o futuro tinha para mim.

O que ainda estava por vir.
Essa é uma questão tanto velha quanto nova. Uma questão que costumava ter uma resposta — e que já não tem mais. Voltemos para aquela noite, quando ainda era uma questão.

Eu não conseguia dormir. E então, quase imediatamente, comecei a pensar na menina, na atendente da loja. Fazia tempo que alguém não me comovia assim...

Era bom estar lá, deitado, esperando para ver como seria o dia seguinte. Além da ansiedade, hoje eu sei, muito daquilo era medo também, de acordar e aquele sentimento ter escapado, como tantos outros também não resistiram à prova de uma noite de sono. No dia seguinte, eu iria até a loja, entraria e compraria o rádio relógio. Perguntaria como ela se chamava, seria um nome bonito, e eu diria isso a ela. Perguntaria se ela era de Rio das Almas, e ela diria que era sim. Perguntaria se ela tomaria um café comigo, na hora que saísse do trabalho. Se ela dissesse que sim, a pegaria na saída da loja e sugeriria então uma cerveja. Desde adolescente esta fora a minha ideia de primeiro encontro perfeito: que tenha álcool e acabe em sexo.

Ela me contaria sobre a sua vida, sem tristeza, e eu me apaixonaria por ela. E meus dias se encheriam de uma felicidade doída, ansiosa, mas isso seria se ela aceitasse o café, e depois aceitasse trocar o café por cerveja, e depois ficasse ela também interessada por mim. Tentei considerar a possibilidade de ela não se interessar a ponto de se deitar ao meu lado e eu encararia isso com maturidade, pagaria a conta e a deixaria em casa. Poderia acontecer também. Aliás, era mais provável que acontecesse! A gente nunca sabe se essas meninas do interior estão flertando com a gente da capital — tinha sido um flerte, mais ou menos, certo? — só para não enferrujarem. Mas eu também era um cara especial, ao meu modo. O amor que minhas ex-namoradas sentiram por mim me deixou com essa impressão. Mas é um tipo de mulher que acha isso. As outras sabem que não sou. Deus quisesse que ela fosse do primeiro tipo. Eu logo saberia. Pouco depois, adormeci.

* * *

Maionese. Batata frita. Cerveja. Tocar violão. Essas eram as coisas que eu gostava de verdade. Havia outras, mas essas *nem sempre* eram boas, mas quando eram... Sair com os amigos. Descobrir uma música nova. Mulheres. Ir ao parque. E havia outras ainda que eram *sempre* maravilhosas, mas que eram mais raras de acontecer. Descobrir que a letra da música é ainda mais foda do que parecia. Assistir a um filme bom de verdade. Ler um livro bom pra valer. Ir à praia com os amigos. Me apaixonar. Me apaixonar na mesma hora que a menina se apaixona por mim. Os dias depois de isso acontecer.

* * *

Tive um sonho confuso e fugidio, como os que costumava ter antes de voltar a Rio das Almas. O Henrique estava nele. Sonhei que éramos adolescentes, estávamos numa estação de metrô em São Paulo, indo para algum lugar. Era bom o sonho. Sei porque acordei com uma sensação boa, jovial. Como se tivesse o mundo todo para descobrir. Era o dia em que eu saberia se o negócio com a menina daria certo.

O quarto iluminado pela luz da manhã. Aquela cama, meu Deus, o que era aquela cama! Nem lembrava que existiam camas assim! Ao jogar para o lado o edredom, notei algo no lençol. Uma mancha. Uma mancha de *sangue seco*. Na altura do meu quadril. Sangue escuro. Certamente não era dos meus pais. Os dois eram aficionados por limpeza.

Ao lado da cama havia uma lixeirinha esmaltada com motivos florais. Abri a tampa e lá dentro havia um bolo de papel higiênico, um pouco manchado de sangue. Abri o papel duro, havia uma camisinha enrolada lá dentro. Com certeza não fora meu pai! Fechei a tampa, arrumei o edredom em cima do lençol manchado, e deixei aquilo para trás.

Entrei no banho. Aquela ducha forte, quente, me revigorou. Fiquei lá embaixo por quase uma hora e saí quando as pontas dos dedos já estavam enrugadas. Vesti uma combinação do meu pai de que eu gostava muito, uma camiseta vermelha com um desenho preto de um Mustang — não o carro nem o cavalo, o avião da Segunda Guerra — que me caiu perfeitamente. Pus uma bermuda azul-marinho, muito elegante, e um cinto. Me olhei no espelho. Estava pronto.

Saí da casa otimista, fui até o carro. Não olhei para a casa vizinha, mas não por medo. Eu não queria mais olhar para aquilo. Era uma manhã meio mágica, com aquela leveza de outrora. O sol passava em raios claros pelas copas escuras das árvores. Sob o sol do fim do ano, o balanço lento dos galhos das árvores, a estrada vazia. E eu com o peito aberto, um mundo todo para descobrir.

* * *

Estacionei o carro e andei pela rua do centro de Rio das Almas. Cheguei ao quarteirão onde ficava a loja da menina. Parei um pouco para tomar coragem, prestei atenção no que havia em volta.

Uma loja de carros chamada Carango's e outra de móveis coloniais que cheirava a madeira recém-serrada. Já me explicaram mais de uma vez a diferença entre retrô e vintage, mas nunca consegui aprender. A loja, com certeza, entrava em uma dessas categorias, se chamava Requinte Colonial. Entre a Carango's e a Requinte havia a de eletroeletrônicos onde a menina trabalhava. Com sorte, estaria por lá há essa hora.

A dela chamava-se Eletro-Eletrobrás. Costa e Silva aprovaria. Eu também achava um nome honesto, espirituoso até, na melhor tradição do comércio de nomear seus estabelecimentos com ironia. Não tinha nada lá que fosse nacional. Não sei por quê, me lembrei daquele bar em frente à Uninove da Barra Funda. Bem em frente, acenando do outro lado da avenida. O bar se chama Unidez. E ainda tem karaokê.

Era melhor eu entrar logo na loja antes que ela me visse lá, parado do outro lado da rua, e ficasse bem mais difícil do que ela parecia ser.

Tomei fôlego e entrei na loja confiante, como se estivesse entrando em campo na final do campeonato depois de uma preleção do Rogério Ceni. Deve ter sido bem ridículo de se ver. Mas logo voltei ao normal quando percebi que ela não estava lá. Devia ser seu dia de folga.

Saí do estabelecimento e parei na porta. E então aconteceu.

A menina veio da rua em minha direção. Ela trazia uma sacola plástica com marmitex e passou por mim.

Ela me viu, porque abaixou a cabeça e meio que escondeu a sacola, para que eu não visse o que ela carregava. Isso era porque ela ligava para o que eu pensava dela! E porque somos assim, prisioneiros do nosso destino, me virei para ela. Vi-a entrar na loja e parar no corredor. E, em vez de entrar e ir ao encontro dela, fui embora.

* * *

Os anos são uma longa oportunidade para o arrependimento, mas para os jovens eles passam devagar. Em Rio das Almas, eu não era mais jovem, mas era como se ainda fosse. Tive muito tempo para andar pela cidade e subir até o mirante onde meu pai tinha tirado a foto. Cheguei lá no fim do dia e fiquei olhando a cidade lá embaixo até as luzes se acenderem.

Aquela falha no tempo era uma impressão, é claro, e eu sabia que toda impressão que acalentamos uma hora cobra seu preço. Mas não me importava. Eu estava vivendo aquele momento mágico, no topo daquela serra que fazia fronteira com outro mundo. Diferente do vale da canção sufi, eu não encontraria uma pessoa como eu, vivendo quase a mesma vida, mas tendo outras chances. Só que, como a porta da justiça do Kafka, aquela porta estava lá só para mim. E eu precisava atravessá-la, o quanto antes, porque logo os dias voltariam a passar na sua velocidade habitual.

No dia seguinte, eu voltava à porta da loja. Dessa vez a menina estava lá, atrás do balcão, atendendo um cliente. E dessa vez ela não precisou fingir nada, porque não me viu, e eu pude olhá-la a distância.

Quando o cliente saiu sem nada nas mãos, eu entrei. Ela me viu entrando, mas só olhou para mim quando me aproximei dela. E abriu um sorriso quando a cumprimentei.

— Oi! — eu disse. — Acho que vou levar aquele rádio relógio!

— Qual rádio relógio?

— Aquele que é barato e tem um rádio que não pega!

— Ah! — e ela riu. — Ele pega sim! Eu é que não sei mexer.

Pegou o rádio relógio na prateleira e colocou em cima do balcão. E olhou para mim, ainda sorrindo.

Seu sorriso me desarmou. Eu sorri também, mas desviei os olhos.

Ela também não disse nada, obviamente cabia a mim continuar aquela conversa. Era a hora de emendar uma pergunta esperta ou outro comentário engraçado, aberto, que daria fôlego àquele papo, e tinha que ser de pronto! Era minha chance de mostrar o melhor de mim!

— Ah, legal! — eu disse, após uma pausa.

— É... — disse ela.

— É — concordei.

Ela passou a mão pelo despertador, um sinal claro de que estava disposta a realizar a transação, segundo um livro que li na adolescência, que era muito parecido com o sinal de afeto dela com a coisa que tocava, mas por eliminação descartei essa hipótese, que era até contraditória. O que prova que era uma merda esse livro, tanto que deixei de acreditar nele quando fiz dezoito anos.

— E... Você... — continuei — Você é nova aqui?

Não havia a menor possibilidade de eu saber uma coisa dessas, mas perguntei mesmo assim.

E ela se abalou!

Parecia que eu tinha tocado num ponto muito sensível, ela demorou a responder. Como aquelas meninas em São Paulo, das quais você se aproxima perguntando se elas são de São Paulo e elas se ofendem, te desprezam. Na certa, não são! E ficam ressentidíssimas que o verniz cosmopolita que elas treinaram tanto para aparentar tenha caído tão fácil! Na verdade, não ligamos se elas são da Floresta Amazônica, ninguém repara nisso, seria até melhor que fossem do interior. E perguntar se elas são ou não de São Paulo é só um jeito de puxar conversa. Quase ninguém que está em São Paulo é de São Paulo.

Mas eu tinha perguntado se ela era nova em Rio das Almas, e ela se abalou... Nem queria imaginar de que espécie de buraco ela seria se se importava de descobrirem que não era de Rio das Almas!

— Eu? Não! — E riu. — Sou daqui mesmo, da estrada do Rio Acima. Mas você não é daqui, é?

— Não, sou de São Paulo. Mas vinha muito aqui quando eu era menor.

— Eu te conheço?

— Não, acho que não — eu disse, e era verdade.

— Eu devia conhecer todo mundo aqui, mas não conheço!

— Não sai muito?

— Saio, mas saio mais sozinha.

— Já saiu de Rio das Almas antes? — perguntei, algo que não se pergunta.

— Não.

— Nunca?

— Nunca!

— Nossa! — Me arrependi imediatamente de ter perguntado. Deveria ser constrangedor admitir isso, mas ela respondeu com uma simplicidade tranquila, como se não soubesse que deveria esconder dos outros uma coisa dessas.

— Uma vez tive um convite para ir a São Paulo. Mas acabei não indo. E nunca fui!
— Entendi.
— Mentira, eu fui na verdade!
— Para São Paulo?
— É... Uma vez eu aceitei, peguei o ônibus e fui até a rodoviária de São Paulo.
— No Tietê?
— É...
— E aí?
— Eu entrei na cidade de ônibus. Vi os prédios. Vi o rio sujo. E um monte de carros, até a rodoviária.
— E aí?
— Aí eu voltei!
— Nem desceu, nem saiu da rodoviária?
— É... Peguei o ônibus lá mesmo e voltei!
— Por quê?!
— Não sei... Acho que eu queria só ver se conseguia ir até lá.
— Que louco! Por que isso? Ficou com medo da cidade?
— Não! Eu tinha vontade de um dia ir até São Paulo. Aí eu fui. E voltei...
— Não tem vontade de ir de novo?
— Acho que não. Não tem nada mais para mim lá!
— Já teve?
— Não sei. Tinha um lugar que eu queria muito ir. Mas, quando fui, já não tinha mais, me disseram.
— Onde?
— Nem eu sei direito.
— Não tinha porque fechou?
— É... Quando eu soube que já era, aí eu fui, para saber se eu teria conseguido ir. E eu consegui!
— Meu Deus, que lugar é esse?

— Não era nada de mais também. Se fosse, eu teria ido antes, né? — disse ela, e sorriu.
— É, claro.
E nenhum de nós falou por um instante. Outra coisa que parou de me fascinar assim que eu completei dezoito anos era mulher louca. Só que essa aqui era a mais louca do interior de São Paulo, e ainda assim era encantadora! Teria dado metade da casa para ela ali mesmo, se ela me pedisse. Achei prudente não mencionar o lance da casa.
E começou a embalar o rádio relógio, sem que eu pedisse. Confiança de vendedora. Ela embalou aquela caixinha num papel deprimente de loja de brinquedo barato e não olhou mais para mim. Parecia, enfim, envergonhada.
— Eu sou meio louca mesmo — ela disse, com os olhos no embrulho, enquanto rasgava um durex e fechava a embalagem.
— Já me falaram.
— É um pouco — admiti. — Escuta, tem um lugar que eu gosto de ir aqui em Rio das Almas que acho que você não conhece...
— Duvido — E riu. — Eu ando muito! — E riu de novo, sem olhar para mim.
Então eu pude ver a solidão espreitando aquela menina. Quando ela saía andando por aí, sem muito rumo, sem muita vida social, andando por Rio das Almas, conhecendo seus recantos mais secretos e voltando para casa. Assim como eu. Era isso, eu acho, que tinha me encantado nela. Aquele desejo sincero de ser deixada em paz e ainda assim encontrar algo significativo, por acaso, sem estar procurando. Era o último vestígio da inquietude no sangue dos nossos antepassados, aquele desejo sem vontade, aquele tesouro em que tínhamos o direito de tropeçar, porque tantas gerações já procuraram com ardor e fora em vão! Eu era para ela exatamente o que ela era para mim: uma promessa de felicidade acidental, mais plena que as outras que a gente já conhecera antes.

— Acho que não conhece, não! — continuei. — Só dá para chegar de trilha, de moto!
— Você tem moto?
— Não, meu pai tinha e me mostrou, me levava lá. Mas tenho carro e dá para chegar bem perto, depois é só andar.
— Você tá me convidando? — E riu.
— Tô! Você iria comigo?
— Pode ser. Que dia é hoje?
— Dia vinte e dois.
— Da semana?
— Quarta.
— Ah, ok. Sua família não quer que faça alguma coisa? Por causa do Natal?
— Não, tudo bem — eu disse. — E a sua?
— Tudo bem também!
— Legal! Posso passar aqui para te pegar? Que horas você sai da loja?
— Seis e meia.
— Passo aqui seis e meia, então, tudo bem?
— Tudo bem.
— Até daqui a pouco! — E saí, estava feito!
— Espera! — disse ela. — Seu rádio relógio!
— Ah, desculpa... Brigado!
— Tem que pagar também...
— Tô ligado!

* * *

Subíamos juntos pela estrada, lado a lado no meu carro, quando ficou claro que não chegaríamos a tempo de ver o sol se pôr.

Ela viera sem protestar, entrou no carro assim que saiu da loja, como combinado. E riu quando fiz uma piada sem graça. Estava menos nervosa que eu, como se estivesse esperando por aquilo e soubesse exatamente aonde estávamos indo, no curto tempo entre o momento do convite e o fim do seu expediente. Era uma ótima companheira de viagem, e não era embaraçoso quando ficávamos em silêncio.

Chegamos até o ponto onde a estrada dava a volta e começava a descer. Paramos o carro e continuamos pela trilha da mata. Dez minutos de caminhada íngreme, e chegávamos ao topo da trilha. Estávamos no mirante de Rio das Almas, deserto àquela hora, acessível só para os motoqueiros madrugadores e aos caminhantes de quinze anos atrás.

Lá embaixo, a cidade de Rio das Almas, reluzindo em miniatura. No horizonte onde havia o sol agora havia uma mancha laranja, o que restava do fim do dia. Do outro lado já era noite, onde ficava a maior parte das casas, com suas luzes acesas. A brisa quente que começara a soprar anunciava uma noite tranquila e gostosa, para todos que não fossem muito jovens e não estivessem apaixonados.

Quando me virei em direção ao lado ainda claro, lá estava ela. Exatamente no mesmo lugar onde meu pai havia tirado a foto! Parecia posando para uma, agora de costas, como se tivesse a certeza de sair invisível, caso alguém resolvesse fotografá-la ali! Ela se virou para mim e eu de fato a fotografei. Ela deixou. Precisei checar se a foto tinha saído com ela. Ela esperou.

Lá estava ela, virando-se para mim, emoldurada pela paisagem fotografada pelo meu pai anos — *quantos?* — antes.

— Ficou boa? — perguntou ela.

— A foto? Ficou maravilhosa! — eu disse, sem exagerar. Tinha ficado mesmo.

— Me dá ela depois?

— Dou. Tem que imprimir. Assim que imprimir, dou, sim! — eu disse, sem jeito de perguntar se ela tinha e-mail ou qualquer acesso à internet. Poderia ser que tivesse, mas àquela altura me pareceu que não.

Ela abriu um sorriso e saltitou bobamente de volta até a encosta. Parou antes que se jogasse. Fui atrás para garantir. Ela se apoiou no meu ombro e apontou para uma das construções lá embaixo.

— Olha, a escola é quase do lado da rodoviária! — exclamou.
— Eu sempre disse isso!
— É pertinho mesmo.
— Ali era a casa do meu tio! Tá vendo aquele casão, do lado da igreja?
— O amarelo?
— É! Era a casa do meu tio! Olha como ela é linda!
— É linda mesmo!
— Eu até morei um tempo lá, aí ele vendeu, agora é loja!
— Agora é loja?
— É... Ali onde tem aquelas casinhas era o armazém do seu Fabrício! E ali, ó, eram os estábulos! Bem ali!
— Nossa, não lembro...
— É, eu gosto mesmo daqui — disse ela, emocionada.

Ela tinha tirado a mão do meu ombro, e eu torcia para que ela colocasse de novo. Senti que, se ela o fizesse, talvez eu pudesse beijá-la. Sempre foi o maior mistério para mim esse momento quando se pode beijar as meninas. Tanto que nunca beijo. Chego perto e rezo para que elas me beijem. Sei que é idiota, mas não consigo mesmo. E tem um tipo de menina que tem o mesmo problema, aí eu geralmente encosto o rosto no rosto delas. Se mesmo assim não me beijarem, aí vira uma novela! Consigo, quando estou bêbado, e tinha trazido dois vinhos comigo, mas deixei no carro. Com trinta anos, nunca tinha beijado uma menina por iniciativa minha, sem estar bêbado. Ela olhou para mim. E sorriu.

— Vamos lá, eu te mostro o casão! — disse ela, e me puxou pela mão em direção à trilha, por onde viemos.

Apertei a mão dela e a puxei de volta. Ela parou, na minha frente, muito perto. E ficamos lá, por um momento. Era agora. Não consegui.

E ela fechou os olhos, debruçou-se sobre mim e me beijou. Um longo beijo.

*　*　*

Quinze anos são uma eternidade. Somos absolutamente incapazes de projetar nossas vidas quinze anos à frente, com um mínimo de honestidade. E, quando tentamos, projetamos algo vago, com o maior otimismo do mundo, muito mais baseado em sonhos do que em qualquer outra coisa. Somos otimistas quanto ao futuro, e ainda mais com o passado, como vim a descobrir.

Era noite. A chuva castigava as telhas da velha estação de trem.

Estávamos lá dentro, na estação de trem desativada, que ela me disse ter parado de funcionar havia exatos quinze anos. Foram as últimas férias que passei com os meus pais e o Henrique, e me lembro mesmo de ver a estação funcionando. Com gente trabalhando nela, pelo menos.

Nós dois no escuro. A luz de um poste emoldurava a parede ao lado de nós dois, que estávamos só de calça, sem camisa. Eu descansava abraçado a ela, meu rosto enterrado no seu ombro nu. Ela estava lá, deitada comigo, e olhava para o teto, acariciando meu cabelo.

Devo ter dormido, respirado pesado, porque ela me chacoalhou.

— Não dorme! — disse ela.
— Por quê?
— E se você acordar e eu não estiver mais aqui?
— Eu sei onde você trabalha.
— Não sei até quando vou ficar lá... Eu vendo pouco.
— Por quê?
— Não sei... Não consigo vender! Até a menina que chegou semana passada vende mais que eu!

Beijei a testa dela e acariciei seu seio.

— Não tem problema — eu disse.
— É...
Peguei sua cabecinha preocupada e a beijei muitas vezes. Ela beijou minha mão.
— Meu amigo de que eu te falei também... Veio de São Paulo para cá porque não conseguia se adaptar em emprego nenhum — eu disse.
— Ele era professor lá?
— Era também, mas não conseguia parar em emprego nenhum!
Ela riu.
— Uma vez eu li um livro lindo, sobre um moleque que era vaqueiro, cuidava de boiada, e era como se eu fosse o moleque — eu disse, sem pensar.
— E como ele era?
— Ele era vaqueiro, moleque, lá nos Estados Unidos, nos anos 1950. E, naquela época, isso já era uma profissão em extinção.
— E o que aconteceu com ele?
— O livro acaba com ele velho, ainda vaqueiro, debaixo de um viaduto, na virada de 1999 para o ano 2000.
Ela ficou em silêncio. Pensando agora, ela deve ter ficado chocada ou impressionada com aquilo. Na hora, claro, não percebi.
— O viaduto era no meio da estrada, fora da cidade, e ele tinha chegado lá envolvido numa manta — continuei. — Tinha uma faixa estendida no viaduto, dando Feliz Ano 2000 para quem passasse por lá. Mas ele sobe na encosta debaixo do viaduto, instantes antes da meia-noite. E se surpreende. Encontra um vaqueiro mexicano parado lá também, tão velho quanto ele, com botas tão gastas como as dele.
Ela ouvia a tudo calada, eu podia ouvir sua respiração atenta. Como se eu estivesse contando uma história importante da minha vida, não uma passagem de um livro que me veio à mente.

— Os dois ficam lá, lado a lado, olhando as luzes da cidade no fim da estrada — continuei —, ouvindo os carros que passam e somem lá na frente. O mexicano tem umas bolachas, eles dividem. Conversam sobre alguma coisa, sobre como as coisas eram antes e a gente entende que elas deixaram de ser.

Ela se ajeitou em mim, e eu continuei.

— Aí, estão os dois lá, sozinhos, conversando. Quando começam a estourar os fogos de artifício. Ao longe, iluminando a estrada. Porque já era o outro ano. E eles, lá, assistem aos fogos estourando em cima da cidade.

— Quem te contou isso? — perguntou ela, com a voz embargada. Não olhei para ela, mas percebi que chorava. *Por quê, meu Deus?*

— É um livro, de um autor americano — eu disse, disfarçando que percebera que ela chorava. Eu mesmo não entendia. E não queria constrangê-la.

— Como é que pode? — perguntou, perplexa.

E passou a mão no rosto e se levantou, de supetão, me largando lá deitado.

Correu para pegar seu sutiã e a camisa de vendedora jogados no chão.

— Que que foi?! — perguntei.

— Preciso ir — disse ela, sem virar o rosto para mim.

E fechou o sutiã nas costas.

— Agora? — perguntei.

— É — disse, enquanto vestia a camisa correndo e a ajeitava no corpo.

— Eu te acompanho, tá chovendo ainda.

— Não precisa!

Passou a mão no rosto molhado e correu até onde eu estava deitado. Me deu um beijo e saiu.

Ainda tentei segurá-la pelo braço, mas ela foi mais rápida e saiu pela porta da estação, correndo pela chuva.

— Eu vou te ver! — gritei.

— Tá! Vai, sim! — gritou de volta já do lado de fora, até desaparecer no meio da chuva.

E eu fiquei lá, sem saber direito o que tinha acontecido. E comecei a juntar a garrafa vazia e os copos de plástico.

* * *

Quando cheguei ao quarto do hotel, percebi que gostava mesmo daquela menina.

Lembro exatamente de deitar na cama, deixando meu corpo pesar e sentindo uma dor no peito. Lembro como se fosse hoje!

Uma vez eu tinha lido que *o primeiro amor é sempre o último*. Mas o aperto que senti naquela noite, depois de deixar a estação e ir para o meu quarto, era a prova de que aquilo, de o primeiro amor ser sempre o último, não era verdade.

Eu estava desorientado, sofrendo mesmo. E rezava para que ela aceitasse um convite para sair de novo. E aí eu mostraria o melhor de mim. E ela ficaria muito mais louca por mim do que — eu supunha — tinha estado até aquele momento. E então eu a teria por inteiro, e ela descobriria que me amava, tanto, de um jeito que nem ela conseguiria entender! Esse era o plano! Mas a gente nunca sabe...

Para ajudar no plano, eu tinha um questionário que tinha pego na internet, um estudo de uns psicólogos que supostamente faria a pessoa que faz as perguntas se apaixonar por quem ela estiver entrevistando. Não sei se eu acreditava mesmo na eficácia daquilo, mas acho que tinha suspendido meu juízo e começado a acreditar, porque todas as outras pessoas acreditavam. Se até as empresas confiavam nos psicólogos de Recursos Humanos para contratar as pessoas, alguma verdade devia haver nos questionários deles.

Esse era o plano! No dia seguinte, passaria na loja e prometeria algo para ela aceitar sair comigo. E, quando estivéssemos de novo os dois sozinhos, sacaria o questionário e faria ela me entrevistar. Sabia que isso era ridículo em todos os níveis, mas as pessoas tendem a cooperar com qualquer coisa quando não tem ninguém olhando. Não era um plano ruim.

O engraçado é que o Henrique, meus pais, a casa, a mulher na casa ao lado, tudo agora parecia tão distante, parecia ter acontecido com outra pessoa! Eu estava em paz, e agora dormiria e sonharia com as promessas do dia seguinte! Mas não foi assim.

* * *

Sonho com chuva. A tempestade castiga os telhados dos casebres daquela vila lamacenta. Estou de volta a Rio das Almas, na época da sua fundação. Apesar de rústicos, os telhados são feitos de telha, porque já é uma cidade. Conto mais de vinte casas no centro.

Apesar de o ouro não ter jorrado da terra, foi o suficiente para que os poucos que ficaram sabendo se assentassem por lá. E para que a igreja mandasse um padre e construísse uma capela, sua torre e sua cruz mais altas que os casebres vizinhos. Um cachorro raquítico perambula por lá e toma distância quando os homens chamam o padre, que aparece na porta da capela. Ele olha para os homens reunidos e mantém a dignidade de homem santo. Os homens não ousam se aproximar.

De trás deles aparece uma mulher, seu vestido menos gasto do que as roupas da maioria. Ela caminha até o padre e o encara, a meio palmo de distância. Desliza seus dedos sobre a batina dele e enfia a mão por baixo dela. O padre empalidece. Os homens riem, e o padre a empurra para o chão empoeirado. E corre de volta para a capela. Os homens riem, enquanto a mulher xinga. A cada nova palavra gritada o riso dos homens corre mais solto. Alguns xingam também.

Em seguida, o padre sai da capela sem fechar a porta atrás de si. Traz um farnel e uma trouxa de roupas. Está indo embora.

A mulher ainda grita para que revistem sua trouxa, mas o homem mais forte a segura pelos braços. O padre vai até o pau onde se amarram os cavalos e detém-se lá por um instante. Mas resolve ir embora andando. Nem havia sumido no fim da trilha, a mulher tira a saia e entra triunfante pela porta da capela. Alguns homens a seguem.

* * *

Acordei inquieto. Decepcionado, porque achara que sonharia com a menina. A malignidade da cidade ainda operava em mim e queria que eu a entendesse. Como se ainda tivesse muito a me mostrar, mesmo que eu não quisesse ver.

Tomei um banho para lavar aquele gosto ruim que ficou da noite e desci até a recepção, onde havia uma carta para mim. Era da prefeita.

Querido Ismael,
Queira nos dar a honra da sua companhia. Hoje à noite celebramos a antevéspera de Natal, faremos uma pequena reunião na minha casa, com a presença do padre Fausto e amigos. Você é o nosso convidado de honra, traga quem quiser. Temos novas informações sobre o caso do Henrique. Contamos com a sua presença. Atenciosamente, Manuela Santos.

Era uma convocação. Mas, àquela altura, me sentia totalmente desobrigado a comparecer, dependendo de como corresse meu dia com a menina. Talvez já soubessem dela, aliás.

Fui até a lan house da cidade imprimir meu questionário. Aquele que fazia as pessoas se apaixonarem por você. Com as folhas impressas na mão, resolvi vadiar pela cidade, esperando dar a hora do almoço para aparecer na loja. Encontrei uma adega, ou distribuidora de bebidas, sei lá, e entrei. Parei na porta assim que vi o pai de Rita, a menina morta, aluna amante do Henrique. Mas ele já tinha me visto e resolvi entrar para não despertar suspeitas.

Escolhi uma cerveja das três marcas que ele vendia e abri a carteira diante do balcão.

— Você é amigo do professor Henrique — disse ele, e estava afirmando.

— Sou. Fomos amigos de infância.

— De escola?

— Isso, estudamos juntos em São Paulo. E o senhor é pai da menina — afirmei também. — Sinto muito, senhor, nem sei o que dizer!

— A Rita — disse ele com frieza, mas teve dificuldade em não gaguejar. — A Rita era uma menina muito viva... Muito esperta!

— Eu ouvi dizer... Falaram que era uma menina muito boa, quieta...

— Era, agora falam que ela era quieta...

— Sinto muitíssimo!

— Quando você é um adolescente muito esperto tem que ter cuidado. Especialmente nessas cidadezinhas iguais a Rio das Almas. Esperto demais, mesmo que você não seja de ficar falando muito, geralmente se mete nos lugares que os outros não vão! — desabafou.

— Tem um assassino em Rio das Almas — eu disse. — Podia ter sido qualquer uma!

— Mas, quando eu soube dessa onda, eu sabia que ele ia pegar a Rita!

E começou a chorar. Com a mesma expressão de quem observa a rua pela janela. Só as lágrimas rolavam.

Estendi a mão e toquei o seu ombro, mas ele me encarou com frieza, e eu retirei.

— Vão pegá-lo — garanti.

— Será que vão? — perguntou, com cinismo.

— Vão, sim! Fica com o troco.

Ele se ofendeu e aceitei o troco de volta. Agradeci e disse para que ele tivesse força. Ele assentiu. Me virei para ir embora e ele falou:

— Sabia que ela já tinha botado fogo no telhado da cantina?
— Não sabia.
— Pois é.
— Mas isso é molecagem...
— Quando a diretora me chamou, me disse que tava surpresa. "Bem a Rita?", ela falou. "Logo a Rita, que é tão tranquila?". Disse que ela mesma não acreditava!
— É...
— Mas sabe o que eu acho?
— O quê?
— Que nunca teve essa Rita tranquila!

Assenti, e me esgueirei pela porta. Já na soleira, não aguentei e me virei para ele.

— Companheiro, ela foi vítima de um filho da puta, de um assassino! E nenhuma mulher é tranquila! Não se culpe!
— Também acho! A mãe dela fala que ela era só uma menina, mas eu sei que ela também tá mentindo!
— Mas sua filha foi vítima de um assassino! Não tem nada que o senhor pudesse ter feito!
— É... Mas vou morrer sabendo que, se a Rita não fosse esperta como ela era, isso nunca teria acontecido com ela!

Assenti e me despedi dele, e saí pela porta.

Talvez ele soubesse do caso da Rita com o Henrique. Ou pelo menos desconfiasse fortemente. O que fora aquilo? Talvez eu fosse a única pessoa para quem ele tinha dito aquilo, que o estava matando, porque sabia que eu logo estaria em São Paulo e nunca mais o veria. De qualquer forma, aquela conversa me abalou! Nem conseguia imaginar como ele estava se sentindo, como aquilo seria para ele. Se ele pensava assim, estava certíssimo! Eu nunca mais pisaria em Rio das Almas assim que vendesse a casa, e sua confissão desesperada estava a salvo comigo. E, sim, se ela não fosse tão esperta, como eu sabia que era, provavelmente não teria sido morta. Nada de bom poderia vir de uma menina safa do interior que não tivesse tino comercial ou emigrasse para a cidade grande. Se não tivesse sido morta, provavelmente teria enlouquecido de amor e tido filhos, ou se metido com drogas. E apodrecido ali. O interior não é para os fracos. Nem para os ruins em contabilidade.

Eu pensava nisso quando virei a esquina e me vi diante da Eletro-Eletrobrás. Sou pobre, sempre namorei vendedoras de lojas. Sei que as lojas funcionam na base da "sua vez". Toda vez que um cliente entra, é a vez de alguma das vendedoras atender, e a comissão da compra vai para ela. Por isso, evito entrar em lojas se eu não estou pensando em comprar algo. Porque alguma vendedora vai perder a "sua vez" e deixar de bater sua meta, quem sabe por minha culpa.

Fiquei lá, em frente à Eletro-Eletrobrás, porque não estava lá para comprar. E torci para que alguém antes de mim entrasse, querendo comprar uma TV de LED, e fosse a vez dela, e ela, por causa dessa compra, vendesse pelo menos o mesmo que a menina que tinha acabado de entrar.

Uma outra vendedora saiu para fumar, me viu lá parado e riu. Quando ela voltasse para a loja, contaria que eu estava ali, então resolvi entrar e me dirigir até a menina, que atendia um cliente. Ela me viu, mas fingiu que não, e continuou atendendo o homem. No fim, ele foi embora sem comprar nada e eu me aproximei dela.

— Oi! — eu disse.
— Oi!
— Tô te perseguindo!
— Tô vendo! — ela disse, e riu.
— Escuta, queria te convidar para ir num lugar comigo.
— Ah! Mais um lugar que eu conheço! — disse ela, fazendo troça. — Fala!

— Queria te convidar para ir na casa da prefeita hoje à noite. Vai ter uma festa lá, de antevéspera de Natal, me convidaram e queria que fosse comigo!

— Por quê? — perguntou, surpresa com o convite.

— Porque disseram que eu podia ir com quem quisesse. E eu queria ir com você, se puder escolher. Vai ser legal!

— Não tenho roupa.

— Tem, sim, não é nada formal, uma roupa tipo a de ontem seria ótima! Você já foi à casa da prefeita?

— Não — confessou. — Nunca fui. Mas hoje não dormi direito, tive uns pesadelos, tô cansada! Vou para casa depois.

— Ah, tá bom — eu disse. Eu sabia que poderia ser assim, só não queria admitir essa possibilidade. Na sua esperteza xucra, ela já tinha descoberto que eu era um rato, um cara meio repulsivo. Como muitas antes já haviam descoberto. Não havia nada a fazer.

— Até mais, então — eu disse, e me virei para a porta.

— Você não quer ir lá em casa? — perguntou.

— Quando, hoje?

— É!

— Quero!

— Não vai ficar ruim para você? Faltar na festa da prefeita?

— Vai rolar um desapontamento, ela vai parar de atender as minhas ligações... Mas vai superar! É uma mulher forte! — pisquei, e ela riu.

— Então tá! — confirmou.

* * *

Íamos juntos, cambaleantes, pela estrada do Rio Acima. Parecia que a poeira que o carro levantava subia até o céu e enfeiava o fim do dia, e o sol era um disco laranja no céu, sem atrativos, mas que logo sumiria no horizonte.

Ela ria quando sacolejávamos, e eu pensava que ela não deveria ter ido para lá de carro muitas vezes. No banco de trás, na minha mochila, eu tinha comprado vinho doce, salame e queijos. Não tinha perguntado, mas sabia que ela preferia vinho doce. Como todas as meninas da cidade antes da abertura econômica e de o dinheiro começar a circular por todas as mãos.

Seguindo sua indicação, entrei numa estradinha minúscula, que apareceu de repente junto à estrada principal. Parecia que levava até algum sítio, mas fizemos uma curva e entramos numa estrada ainda pior, com mato crescendo no meio da pista. Seguimos por mais alguns metros e ela me disse que já podia estacionar.

Encostei o carro numa reentrância do mato e parei ali. Dava para ver a estrada principal.

— É aqui perto — ela disse.

Descemos do carro e entramos, literalmente, no meio do mato! Logo apareceu uma trilha, que só se mantinha viva pelo constante vai e vem de poucas pessoas, presumi. Andamos por ela não mais que dois minutos. Até o mato acabar num campo, onde havia um casebre, muito pequeno, e eu sabia: era a casa dela.

Ela se virou para mim e sorriu, e caminhou para a porta, uma tábua com maçaneta. A casinha era toda cercada por plantas, o que dava um charme selvagem àquela construção. Achei que seria legal elogiar a planta na soleira da porta dela. Era a única que estava num vaso.

— Linda planta! — eu disse, apontando para a do vaso.

— Brigada!

— Que planta que é?

— Você não sabe? — pareceu surpresa.

— Essa é uma... — desisti do chute.

— É uma tamba-tajá!

— Ah, não conhecia mesmo!

— Nossa! — E riu. — É aquela planta que as pessoas põem na porta de casa quando se casam, sabe?

— Não sabia.

— Pro amor durar para sempre... Nossa, não sabia?

— Eu sou de São Paulo. Você já foi casada?

— Não.

— Não?

— Não. Entra! Não repara que a casa tá meio suja, eu não tive tempo de limpar!

— Imagina...

A casa da menina parecia saída de um trabalho de Geografia. As paredes eram de barro, trançadas por ripas de madeira — pau a pique, acho —, os cômodos eram escuros e abafados.

Eram três cômodos pequenos. A sala, um quarto e uma porta fechada que devia dar para um banheiro.

Devo ter deixado transparecer algo, porque, quando olhei de volta para a menina, ela estava parada no meio da sala, parecendo surpresa e meio triste.

— É meio simples a casa — disse ela, desapontada. E eu entendi. Era a primeira vez que percebia o quanto sua casa era pobre.

Ela só vira agora, pelos meus olhos. Eu que fizera isso com ela!

Meu aperto foi tanto que me debrucei sobre ela, que me envolveu num abraço fraco e se derramou sobre mim.

E nos beijamos.

Um longo beijo, molhado — ela chorava um pouco.

Assim fomos até o quarto e deitamos na cama dela, ao lado da janela.

E ficamos lá abraçados, e então adormecemos, porque estávamos cansados.

* * *

Na manhã seguinte, acordei e ela não estava na cama. O sol já estava alto, consultei meu relógio e já eram dez e meia. Havia um criado-mudo rosa, descascado, e uma folha amarelada mais velha que a Terra com um recado.

"Já fui! Tem café, mas não acenda o fogão sozinho, desculpe. Adoro você! Elisa"

Elisa era o seu nome. Me surpreendeu que eu nunca tivesse perguntado antes. Será que ela sabia o meu nome?

O mais estranho era que aquela mensagem, a lápis, estava escrita numa letra infantil, de recém-alfabetizada. E, notei, a própria folha amarelada era arrancada de um caderno de caligrafia, com uma pauta menor e outra maior, para as letras maiúsculas. De A a Z no alfabeto das folhas secas, pensei. Não sei por quê, mas gostei ainda mais dela por isso! Meu coração era um balde despejado, como disse Fernando Pessoa, e aquilo parecia ter sido escrito com ela em mente.

Não quis bisbilhotar pela casa dela, invadir sua privacidade. Nem a porta do suposto banheiro abri, mijei a caminho do carro. A volta para a cidade foi tranquila, o caminho era óbvio: sempre para fora do mato. Dei a volta na estradinha vicinal e depois peguei a estrada do Rio Acima, onde havia um mercadinho chamado MercaSol, com um solzinho deprimente desenhado. Dando um soquinho para cima, estilo Pelé. Da época em que a publicidade era tosca, e ali entendi como meu pai fizera tanto dinheiro. Aquilo parecia saído daquelas peças publicitárias xucras e infantiloides que ele fazia e vendia com a maior facilidade, até que um dia parou de vendê-las. Parece que de repente o mundo percebeu como aquilo tudo era cafona, e passou a chamar profissionais para fazer o *layout* das suas lojas. E aí meu pai faliu. E pegou Aids. Mas isso você já sabe.

Porque pensava no meu pai, resolvi fazer o caminho por fora e nem entrar na cidade. Logo estava na estrada que levava à casa dele, à minha casa, que eu não via há tempos. O caminho agora já me era totalmente familiar. As árvores retorcidas, que povoaram meus pesadelos na infância, ainda estavam lá pelo caminho.

As árvores de troncos especialmente retorcidos apareciam cada vez que se tinha um grupo de árvores. A cada grupo de árvores, lá estavam elas, no meio. E havia muitos grupos de árvores no caminho para a minha casa. O número de árvores retorcidas no meio das árvores é finito, de modo que comecei a contá-las.

E ali eu percebi, eu percebi claramente o que me angustiava! Não era só a Elisa ou o que eu sentia pela Elisa. A festa da antevéspera do Natal. Eu tinha faltado à festa! Eu desaparecera por todos aqueles dias na minha perturbação apaixonada e agora faltara à festa em que eu seria o convidado de honra. Aquilo me prejudicaria, entendi, porque agora eu estava exatamente na posição que estava evitando, que eu tinha sido avisado para evitar: eu entrara no radar deles!

Estremeci. Eu deveria fazer algo a respeito. E já era dia 24, véspera de Natal. À meia-noite, seria Natal. E eu estava desaparecido para aquelas pessoas estranhas, e não receberia ligações dos meus pais, pela primeira vez. Nem do Henrique. Eu estava à deriva no mundo, com meu último fiapo de sanidade comprometido pelo desespero que sentia por estar apaixonado de novo, naquela cidade devastada pelas enxurradas e tomada por militares. Eu era tão frágil quanto o Henrique, quanto a Elisa também. Sempre fora. Não era surpresa que tivéssemos nos encontrado.

* * *

Quando cheguei à casa de pedra, notei que algo estava fora de lugar. Alguém havia entrado na casa! Eu sentia, mas não conseguia encontrar nenhuma prova que pudesse me apegar. Mesmo as coisas que pareciam fora de lugar poderiam muito bem já estar daquele jeito. Eu não sabia ao certo, mas sentia que, sim, alguém entrara na casa. Tomara cuidado para não deixar vestígios.

Corri para o quarto dos meus pais, pelo longo corredor, escuro em razão das portas fechadas. E senti uma aflição. Aquele medo infantil, como se alguém estivesse me seguindo, logo atrás. Mais perto. Não olhei e não parei, até chegar à porta do quarto, que abri rapidamente.
Só lá dentro virei-me para o corredor. E fechei a porta para o corredor vazio, como eu sabia, no fundo, que estaria. Abri o armário. O cheiro dos meus pais impregnou o ar, e subi nas gavetas para procurar pelas armas. Estavam lá, pude senti-las debaixo dos fardos de tecido. O cofre também estava fechado. Passei a mão por baixo de uma pilha de camisetas do meu pai, onde eu tinha guardado os papéis do SNI. Os papéis!
Eles tinham sumido!
Tateei as outras pilhas de camisetas, caso estivesse enganado, mas dessa vez não estava. Tinham desaparecido. Alguém entrara na casa e roubara aqueles papéis. Imediatamente me lembrei do militar do rosto infantiloide que torturara Henrique no meu sonho e tomara a prefeitura da cidade.
Ouvi barulho de carro vindo em direção à casa. Ouvi puxarem o freio de mão. Estavam na porta.
Peguei a espingarda do meu avô e corri para a janela, antes que tentassem entrar. Era o delegado, que caminhava em direção à porta da frente. Ele me viu na janela e se deteve.
— Ismael!
— Esqueceu alguma coisa? — perguntei, atrás da janela fechada.
Ele continuou caminhando e abri a janela com violência. O delegado parou novamente.
— Você não foi ontem... — ele disse, como que justificando sua presença ali.
— Não.

— Algum problema, Ismael?
— Entraram na minha casa quando eu não tava.
— Levaram alguma coisa?
— Só uns papéis do SNI que eram do meu vô.
— Do quê?
— Do SNI. Serviço Nacional de Informação. Da ditadura militar.
— Eu sei o que é SNI — ele disse. — Mas, como assim, você tinha papéis do SNI em casa?
— Eram do meu avô.
— E o que tinha neles?
— Não sei. Não tinha lido.

Ele parecia honestamente perplexo. E, quando notou que baixei a guarda, se aproximou ainda mais. Foi quando levantei a espingarda e a coloquei no parapeito da janela. O delegado levantou as mãos, instintivamente. Passado o susto, e por eu não estar apontando a arma para ele, logo as baixou.

— Você sabe o que está fazendo? — protestou.
— Sei.
— Tem certeza de que é isso que você quer?
— É isso — respondi, no mesmo tom de falsa calma em que ele me perguntara.

Ele me olhava nos olhos e deve ter percebido toda a minha perturbação, porque não avançou mais. Mas também não retrocedeu. E eu pude ver a malícia em seus olhos. De um homem que já tinha passado antes por aquela situação e sabia que eu não. Quis me intimidar.

— Se eu quisesse te fazer mal, você acha que teria vindo aqui assim, desarmado?
— Eu sei o que você tá fazendo aqui.
— Sabe?
— Sei.

E me encarou, e eu pousei a mão na espingarda. Ficamos ali por um momento, quando ele deu um passo para trás. Tirei a mão de cima da espingarda.

— Outra menina foi encontrada morta. Hoje de manhã, o crime foi de madrugada.

— Do mesmo jeito?

— Do mesmo jeito. Os olhos arrancados... Sabemos que não foi você, porque chegou à cidade três dias depois dos primeiros crimes. Mas sabemos que está escondendo alguma coisa — e apontou para a espingarda na minha frente, na soleira da janela. — Cuidado!

— E eu sei que entraram aqui e roubaram meus documentos. Não podem entrar aqui sem mandado judicial, mas entraram. Não vou deixar que se repita!

— Não fui eu, e não precisam de mandado nenhum, porque a cidade está em estado de sítio.

— Os militares entraram aqui — eu disse, para testar sua reação. Não houve nenhuma.

— Ismael — suplicou. — Venha, vamos comigo para a casa da prefeita. Vamos esclarecer isso, você vai colocar vocês dois em risco.

— Nós dois? — perguntei, irônico.

— Você e a sua namorada.

— Você não sabe do que está falando, não é? — eu disse.

— Sua irmã, então — ele disse. — Quem quer que esteja aí com você.

— Não tem ninguém aqui comigo.

— Cara, eu *vi* a mulher *atrás* de você quando você abriu a janela! Não sou idiota!

Senti minhas costas retesarem.

— Que mulher? — perguntei.

Mas não olhei para trás. Ele deve ter notado uma perturbação nos meus olhos ou na minha voz, porque deu um passo para trás. Também parecia perturbado.

— Vai se foder! — eu disse.

— Você acaba de fazer a maior cagada que alguém pode fazer numa intervenção militar. Você deveria tentar passar despercebido. Agora já não sei se isso é mais possível...

— Estado de sítio ou não, isso aqui ainda é um estado de direito — insisti.

Senti que tremia novamente, mas não olhei para trás.

— Você precisa entregar o que está escondendo. Ainda não me ameaçou, isso é bom. Entregue o que está escondendo e vá viver sua vida! Você não tá bem, dá para ver. Ainda dá tempo de voltar atrás.

Disse, e entrou no carro. Deu ré e acelerou em direção à saída.

E eu fiquei ali. Um frio, como eu nunca tinha sentido antes. Virei para trás e lá estava a sala. Vazia. Mas ele vira. Uma mulher, atrás de mim. A mesma presença que eu sentia às vezes, que eu tinha sentido na casa ao lado. Mas nunca forte o bastante dentro da *minha* casa.

Não havia nada lá. O delegado era esperto, e sabia que eu poderia ser sugestionado. De certa forma me parecia um golpe brilhante demais da parte dele. Não sabia no que acreditar.

Andei pela casa, pelo longo corredor. Virei para trás algumas vezes, todas as vezes que achava que *pudesse* ter sentido algo. Mas a casa estava vazia. Nem me recuperara quando, de súbito, veio ainda outra onda de ansiedade. E essa eu não podia menosprezar.

Eu tinha acabado de ameaçar o delegado da cidade com uma arma! Quanto tempo ainda tinha antes de eles virem até a mim?

* * *

Há de se ser sério neste mundo!

Eu tinha acabado de ameaçar o delegado da cidade com uma arma. De uma cidade em estado de sítio, dominada pelos militares, segundo o delegado, e ele não parecia estar errado. Eu precisava me defender, sair da posição de maluco armado e preparar minha defesa. Sabia que poderia me esconder atrás do prestígio do meu pai na cidade só até certo ponto. Assim que soubessem da minha explosão na janela de casa, eles se voltariam contra mim.

Decidi procurar novamente os documentos do SNI. Caso eu estivesse enganado e os encontrasse, poderia me desculpar e mostrar que eles existiam de fato. Que eu não estava ficando louco. Ainda que eu soubesse que estava. A primeira precaução dos que são beijados pela loucura deveria ser escondê-la, para que os outros demorem o máximo possível para perceber que você está realmente louco.

Eu sentia também uma vontade enorme de deixar isso para lá e ir me encontrar com a Elisa. Sentia uma inquietação, uma agonia de ir até lá e vê-la, mas sabia que isso não adiantaria em nada. E assim eu fiz, não fui ver a Elisa naquele dia.

Foi igual ao que eu sentira quando terminei com a minha ex-namorada, porque aquilo ali não ia levar a lugar nenhum. Foi como se eu estivesse em casa, me contorcendo de vontade de ligar, mas não ligasse. Há de se fazer o que é certo nesta vida. Mas, no caso da ex-namorada, pelo menos eu tinha a sensação de não estar estragando uma coisa bonita. No meu caso, naquele momento, eu não sentia que era o certo. O mundo me dizia que eu deveria ir, pegá-la e fugir com ela daquele lugar sombrio. O que me impedia de fazer isso era só minha vontade de arrumar as coisas, de não tratar desse assunto como todos que eu já amara tratariam: na porra-louquice. Então, decidi que não iria vê-la. E me contive e não fui. Meu Deus, como era angustiante!

Fui até o quarto e revirei tudo o que podia revirar. Nem sinal daqueles papéis. Foi quando decidi checar o lixinho ao lado da cama dos meus pais. Os papéis não estavam lá, mas lembrei que o lixinho não estava vazio! Havia papéis higiênicos usados, com manchas secas de sangue. Marrom. Sangue menstrual, como borra em absorventes. E a camisinha. Alguém tinha transado na cama dos meus pais havia não muito tempo, passado um tempo na cama e esquecido de tirar o lixo. Não era meu pai. Além de nunca estar certo e guardar as melhores garrafas para um *mais tarde* mágico que nunca chegava, a outra característica do meu pai — e da minha mãe — era nunca esquecer comida perecível na geladeira e lixo nas lixeiras. Quem seria então?

Devo acrescentar que, ao retirar o saco plástico da lixeira para jogá-lo fora, reconheci imediatamente o logo. Era o saco plástico do MercaSol, com aquele solzinho deprimente dando soco no ar. Meu Deus, como era possível eles terem saquinhos próprios? Seria aquela aberração uma rede? E quem mais moraria tão perto da Elisa além da própria Elisa? Resolvi não pensar muito no assunto, porque piraria!

Em vez disso, liguei para a casa da prefeita. Ela mesma atendeu.

— Quem é?

— Oi, prefeita, é o Ismael! — eu disse. Silêncio. Resolvi acrescentar: — Eu espero sinceramente que a senhora não me ache um paranoico, espero que acredite em mim.

— Ficamos te esperando a noite toda... Por que você não veio?

— Desculpa, prefeita, conheci uma menina...

Eu sabia que essa era a única forma de me safar. Implicaria que eu havia enfim encontrado *a mulher*, a mulher que já tinha me visto, que eu estava destinado a encontrar. A mulher que eles estavam procurando. Mas falei da menina com inocência, como se eu não soubesse disso. Para que ela tirasse suas próprias conclusões e pensasse que eu não sabia, na minha ingenuidade, que estava finalmente sendo um instrumento do destino que eles haviam previsto para mim.

— Ah, certo — ela disse, e riu. Estava me tratando com paternalismo. Aquele filho da puta do delegado, com certeza, já tinha ligado para ela. Sobre o incidente na minha varanda. Ela já sabia de tudo.

— Então — continuei. — Tenho uma coisa para te contar.

— Diga.

— Por mais incrível que possa parecer, quando meu pai morreu e vim aqui para a casa de pedra, não vinha aqui desde a adolescência.

— Eu sei.

— Então — prossegui —, mexendo nas coisas do meu pai, encontrei umas coisas que eram do meu avô. Uma espingarda e uns papéis, um negócio bem estranho, que tinham o timbre do SNI, o Serviço Nacional de Informação...

— Do SNI — confirmou.

— O serviço secreto da ditadura militar.

— Eu sei o que o SNI era. Prossiga.

— Então, entraram na minha casa e roubaram esses papéis.

— E o que esses papéis do SNI estavam fazendo no armário do seu pai?

— Não sei, prefeita. Não li os papéis. Tinha deixado para ler depois, fui burro, eu sei, mas agora eles sumiram — eu afirmei. — Alguém pegou.

— Você concorda que essas acusações são um tanto inverossímeis? Difíceis de serem levadas a sério?

— Concordo, prefeita. Mas foi o que aconteceu! E, assim que descobri, o delegado veio até a minha casa, e eu não o deixei entrar. Eu tava perturbado! — justifiquei.

— Ismael, em nome da amizade que eu tive com o seu pai, acredito na sua palavra — ela disse, protocolarmente. — Mas não espere que alguém mais acredite.

— Eu entendo — respondi. E entendi mesmo.

— Você está por sua conta, agora. Se tem alguém que pode te ajudar é o padre Fausto. Sugiro que o procure. E conte da menina para ele. Se o delegado for até os militares, você vai entrar na mira deles, o que no momento está além do alcance da minha autoridade. Vá até o padre Fausto. Não vão encostar em você se estiver sob a proteção dele.

— E por que encostariam? — perguntei, sabendo que era uma pergunta burra.

— E essa menina, Ismael...
— Fala.
— Cuidado com ela — disse a prefeita, como se estivesse me alertando que também se virava contra mim.

Eu tinha entendido o recado. Ali acabava a minha imunidade. E estava aberta a caça à menina, mesmo que eu soubesse que não era ela quem procuravam.

— Bom Natal, Ismael — ela disse.
— Bom Natal, prefeita — respondi, e desligamos.

Foi então que percebi que estava completamente sozinho!

* * *

Passei o dia circulando pela casa, caçando reminiscências das coisas que foram e agora voltavam, só porque eu olhava para elas de novo. Reminiscências não apagadas, pensei, mas sabia que só enquanto eu ainda estivesse por lá. Logo seria noite, o Natal chegaria e passaria, e amanhã seria um dia de lojas fechadas, inclusive a da Elisa. Esperei até a noite cair e esperei mais um pouco, para ter certeza de que não a encontraria.

Já era noite, então. Uma noite clara, tomada por aquela excitação misteriosa que precede as grandes mudanças. Eu não sabia se aquela atmosfera pairava por causa da véspera do Natal ou pela proximidade do Ano-Novo. O que aconteceria agora, naqueles próximos dias?

Resolvi não pensar mais em nada. Nos meus pais, no Henrique ou na menina. Mas alguma coisa persistia. Um sentimento indistinto que insistia em perdurar, mesmo que eu tornasse minha mente vazia de nomes e de rostos. Aquele sentimento me engasgou em cheio! Decidi não me opor a ele.

Sentia a meia-noite de Natal se aproximando. Abri uma garrafa lacrada.

E deixei que a saudade escorresse num rio.

* * *

Meia-noite e cinco. Feliz Natal, desejei a mim e aos meus. Eu estava emotivo e debilitado pela garrafa de uísque irlandês que eu inaugurara e já secara, em homenagem aos meus pais. Eles também odiavam uísque. Eu estava sozinho na sala, com um volume da Enciclopédia Britânica no colo. Percebi que lia sobre a cidade de Fátima, em Portugal. Foi onde Maria, mãe de Jesus, apareceu para três crianças pastoras e revelou três segredos. Havia uma ilustração de Maria, resplandecendo no campo diante das três crianças, ajoelhadas. Aquela ilustração era o meu presépio, minha árvore e minhas luzinhas de Natal. No desenho, os dois meninos com uma auréola na cabeça, pois morreram logo depois da aparição. A menina, até a impressão daquele volume, não tinha morrido e ainda guardava os segredos. Não fui até o verbete dos "Três segredos de Maria", mas presumi que se tratava de algo como uma grande guerra, uma sequência de números da loteria ou a morte dos Mamonas Assassinas. Em vez disso, continuei no verbete de baixo, que tratava da história de Fátima, a mulher que tinha dado o nome àquela cidade no interior de Portugal.

Segundo a enciclopédia, Fátima tinha sido uma princesa moura, capturada pelos cristãos na reconquista de Portugal, que foi dada de presente a um conde de Ourém, da região do rio Tejo. Não há ilustrações de Fátima, de modo que fiquei imaginando aquela adolescente morena, que obcecara o conde a ponto de ele se dar o trabalho de convertê-la ao cristianismo para casar-se com ela, mesmo depois de ter desfrutado por muitas noites da jovem prisioneira. Se foi seu cheiro selvagem, seu gosto amargo ou seu rosto encantador, pairando amedrontado sobre seus mamilos escuros, ofegantes. Era curioso que Nossa Senhora tenha escolhido aparecer na terra de uma concubina para contar aqueles segredos.

Recostado na poltrona, eu me masturbava, ainda com o gosto de uísque na boca, quando tive uma impressão súbita. Devo ter ouvido algo, muito claramente, porque tive certeza: havia alguém do lado de fora.

Fui imediatamente em direção à cozinha, que estava às escuras, e olhei pela janela. Lá estava. A mulher, de longos cabelos pretos, nua. Parada, na escuridão, ao lado da piscina. Olhando para mim.

Corri, fiz o caminho até a porta de casa. Saí por ela e contornei a casa para chegar à piscina. Eu sabia que ela não estaria mais lá quando eu chegasse. Fiz a curva e dei de cara com ela! Ela me esperava, virada na minha direção, a alguns metros de mim. Seus olhos claros me observavam com curiosidade. E apreensão. Como se algo estivesse para acontecer.

Seu corpo nu estava encharcado e gotas escorriam por sua barriga, como se brotassem da pele. Algumas se aglutinavam nos seus pelos pubianos, como orvalho. O ar ao redor estava quente e pesado. Seus pelos estavam arrepiados, os lábios, sulcados, e os mamilos, duros, ainda que ela respirasse o mesmo ar opressivo que eu respirava. Tinha um rosto rígido, resoluto, ainda que olhasse para mim com doçura.

Ficamos um diante do outro, eu não tinha coragem de me mover, apesar da excitação mórbida que sentia. Ela parecia sentir tudo isso, e falou, com uma voz feminina, confiante, e um sotaque meio cantado. *Paulistano*.

— Você veio me ver?

— Quem é você? — perguntei, com simplicidade.

— Essa é a sua piscina, não é?

— É, dos meus pais.

— Desculpe.

— Não tem problema. Você mora naquela casa — eu disse, apontando para casa ao lado. Não era uma pergunta.

— Não é minha casa. Tá frio aqui — ela disse e abraçou seu corpo, esfregando as mãos nela mesma.

Percebi o que ela queria e não disse nada. Era uma armadilha para que eu a trouxesse para dentro da casa de pedra. Ela percebeu minha hesitação. Deu um passo em minha direção.

— Sempre nado aqui. Venho sozinha.

Ela se aproximava quando dei um passo para trás. E ela se deteve. Olhei para ela e vi o rosto de uma mulher. Contorcendo-se por um instante num rosto distorcido.

Maligno.

E, então, uma mulher de novo. Ela percebeu que eu vira e deu um passo para trás.

— Preste atenção quando acordar — ela disse.

Uma ânsia desesperada tomou conta de mim, um medo primitivo, incontrolável. E saí correndo, e passei pela porta e a tranquei atrás de mim. Corri para a cozinha e ainda tive tempo de ver a mulher, nua, subindo em direção à casa ao lado.

Fiquei ainda no escuro, na janela da cozinha, esperando para ver o rosto daquela mulher-monstro aparecer na janela vizinha. Ou o rosto atrás de mim, aquele supostamente visto pelo delegado, refletido no vidro. Mas nada aconteceu. Tive a impressão de que ela estaria na minha casa então, dentro de algum cômodo, e que fosse dar com ela assim que passasse por alguma porta.

Fui direto para o quarto, apaguei a luz e fiquei na cama, esperando ver ou ouvir alguma coisa. Como não ouvi nada, me masturbei, lembrando daquelas ancas macias, preguiçosas, subindo a elevação de terra em direção à casa abandonada. E depois dormi.

* * *

Na manhã seguinte, prestei muita atenção à disposição das coisas no meu quarto. Tudo parecia normal, de modo que fui até o espelho, me despi e procurei por marcas no meu corpo. Nada também.

Enquanto tomava banho, me veio à mente a ideia de explorar a casa vizinha, de descer até o porão secreto, embaixo da pia, e subir até o andar de cima, que era onde a mulher sempre aparecia. A janela daquele quarto, que eu ainda não conhecia.

Mas havia lugares na minha própria casa que eu ainda não havia explorado: o quartinho junto à máquina de lavar da casa de pedra. Havia sido um quartinho de ferramentas, e depois virou uma despensa, e depois um lugar para guardar produtos de limpeza, conforme parávamos de frequentar a casa e não havia mais necessidade de estocar alimentos.

Minha última lembrança é que o quartinho, por toda a minha adolescência, permanecera trancado. Só meu pai tinha a chave. Não sei como minha mãe permitiu que houvesse um lugar na própria casa onde ela não pudesse entrar. Talvez ela também tivesse uma chave. Ou tivesse acesso ao quartinho, toda vez que pedisse para meu pai abri-lo. O negócio é que aquele quartinho, junto com o armário dos meus pais, tinha sido um dos grandes mistérios que assombraram minha juventude.

Decidi não ir até a casa vizinha até que tivesse explorado toda a minha própria casa. Do lado de fora, nos fundos, o quartinho de ferramentas se dispunha à minha frente como um fóssil vivo, exatamente como eu me lembrava dele. Com exceção da porta, que agora parecia menor. Aquela porta misteriosa, cuja chave procurei pelos pertences do meu pai toda vez que ele não estava em casa e nunca encontrei. Agora, aquela porta intransponível à minha frente tomava a dimensão que sempre tivera. Era só uma porta, e eu era um adulto. E o fato de ela continuar fechada queria dizer que eu teria de arrombá-la. Tomei distância e investi contra ela uma, duas vezes. Na terceira ombrada, a porta cedeu!

Era um quartinho minúsculo, sem janelas, cheio de prateleiras vazias, de parede a parede. Um raio de sol entrava pela porta, iluminando partículas de poeira que rodopiavam no ar. O quartinho havia sido esvaziado em algum momento, mas ainda restavam sobre as prateleiras alguns itens inúteis. Sacolinhas de lixo dentro de sacolinhas de lixo num canto. Uma pá e uma enxada em outro. Um pegador de folhas de piscina. Sobre a prateleira superior, uma serra e uma caixa de ferramentas, com martelo, porcas, chaves de fenda e parafusos. Ou seja, nada.

Havia ainda a última prateleira, a mais alta, que eu nem podia alcançar. Puxei uma cadeira da cozinha e subi até ela. Ali, num canto da prateleira junto à parede, havia um par de sapatos. Sapatos de mulher, de couro, feiosos, como os que meninas antigamente usavam para ir à escola.

Poderiam ser da minha mãe, mas não eram. Soube disso quando vi a numeração gasta na sola do sapato: 35. Passei a vida ouvindo minha mãe reclamando que não conseguia encontrar sapatos para mulheres número 32, o que a obrigava a comprar sempre modelos de cor neutra, meio infantis. Poderia ser da minha irmã, se ela tivesse vivido para crescer mais que minha mãe. Quando morreu, era quase do tamanho dela, mas duvido que fosse maior a ponto de calçar 35. Toquei o couro preto daquele sapato e senti uma excitação estranha. De quem quer que fosse, aquilo era um elemento estranho à minha casa. Um câncer. *Filha da puta*, pensei.

Outra impressão forte me ocorreu, uma impressão de calamidade, de urgência, e, ao contrário do que costumava fazer, não esperei que a sensação passasse. Se o delegado voltasse, o delegado que eu ameaçara, ele poderia me fazer mal. Eu não havia oficialmente feito nada de muito errado; se saísse dali agora, poderia fugir. Sair daquela cidade sob jurisdição de militares loucos, voltar para São Paulo, e nada aconteceria. Desde que eu não fosse pego lá. Poderia vender a casa de São Paulo, pegar o dinheiro e nunca mais voltar. Não viriam atrás de mim. E, se fossem, não poderiam fazer nada!

Era Natal, mas eles poderiam estar vindo me pegar. Eu tinha de sair dali!

Fui até o quarto dos meus pais, com aqueles sapatos na mão, e peguei a espingarda e o revólver. Coloquei tudo numa bolsa de tecido grosso, peguei algumas peças de roupa do meu pai. Não tive coragem de colocar os sapatos dentro da bolsa, de modo que fiquei segurando-os o tempo todo enquanto fazia a mala. Fui até a porta da frente e então eu vi!

Ao longe, dois jipes do Exército fizeram a curva além da estrada. E sumiram atrás das copas das árvores. Eles estavam vindo para cá! Chegariam em menos de três minutos! Como eu soubera? Não sei.

Entrei em casa correndo em busca da chave do carro e saí pela porta. Joguei a mala no banco de trás e vi que ainda não tinha largado o par de sapatos. Lancei o par para dentro da piscina. Já podia ouvir o ronco dos jipes se aproximando, quando dei partida no carro e saí pelo caminho de terra lateral, que dava num descampado, e tinha saída para a estrada de onde os jipes estavam chegando.

Contornei a casa ao lado. Não pude deixar de dar uma última olhada nas janelas do segundo andar, onde a mulher monstruosa às vezes aparecia.

Preste atenção quando acordar — ela tinha dito.

Os militares devem ter visto a nuvem de poeira do meu carro se assentando, porque ouvi os freios de mão sendo puxados. Até descobrirem a passagem pelo descampado, eu estaria longe, já na estrada para São Paulo.

Mas não foi o que eu fiz. Depois de dez minutos a 140 km/h naquela estradinha, virei com força para a entrada rumo ao centro de Rio das Almas. Eu não sairia dali daquele jeito. Se queriam me pegar, teriam que me encontrar antes. Agora sei o quão louco tudo isso soa, mas eu não era movido pela prudência. Me sentia mais como aqueles assassinos que visitam a cena do crime no dia seguinte. Eu tinha direito de estar ali, era a minha cidade também. E devo ter achado que fugir sem respostas naquele momento seria me condenar à angústia, ao fracasso. Deitado na cama de algum apartamento em São Paulo, pensando em como as coisas poderiam ter sido se eu tivesse ficado em Rio das Almas. Dali a um mês, tudo teria voltado ao normal. Mas eu estava lá agora, e precisava saber. Diminuí a velocidade ao me aproximar do centro e estacionei meu carro fora da estrada, na ribanceira.

* * *

Na praça central, a igreja lotada.

Em razão dos recentes e brutais assassinatos, somados à tragédia da tempestade, a missa de Natal estava sendo especialmente requisitada. Tanto interesse lotou a igreja a ponto de reunir fiéis esgueirando-se pela porta, tentando ver. Só ali então percebi a estranheza mais sórdida daquilo tudo: não havia imprensa. Nem sinal dela.

Houve cobertura nacional de TVs logo após as chuvas. Mas nada sobre aquelas mortes tão peculiares das meninas. Foi a primeira evidência clara que provava algo de que eu já fora avisado — e mais, sentira — de uma forma abstrata. Rio das Almas era uma cidade isolada. Tudo poderia acontecer ali.

Eu estava me expondo. Sabia que para ficar em Rio das Almas teria de confiar em alguém. E, claro, considerava a possibilidade de essa pessoa me trair.

Me esgueirei até o fundo da igreja, até a porta que levava à sacristia. Tentei entrar, mas estava trancada. Podia ouvir a voz monótona do padre entoando o sermão para os fiéis na igreja, mas resolvi bater à porta da sacristia mesmo assim. Para a minha surpresa, a porta se abriu. Uma jovem de não mais de vinte anos se assustou com a minha presença na soleira da porta.

— O padre pediu que eu esperasse por ele — eu disse.

Ela se atrapalhou, não sabia o que fazer. Depois de um instante de dúvida, murmurou algo e me deixou entrar.

Correu, fechou a porta atrás da sacristia e voltou-se para mim. Puxei uma cadeira junto à mesa de carvalho e me sentei. Ela veio e parou em pé ao meu lado.

— Você é amiga do padre?

— Sou — ela disse, e mais nada.

Decidiu sentar-se também e abriu a Bíblia na minha frente, e fez que lia com grande concentração. Praticamente não desgrudou de mim enquanto eu estive lá e, quando me levantei para ir ao banheiro, ela se levantou também e me escoltou.

A missa já acabara havia algum tempo e ela continuava ali, contribuindo para o incômodo da situação. Como se não estivesse nervoso o bastante, ela me embaraçava com seu silêncio e suas respostas monossilábicas para qualquer assunto que eu tentasse puxar.

Um bom tempo depois, o padre surgiu à porta. Não percebi de imediato sua chegada, mas a jovem olhou para ele como se suplicasse que fizesse algo comigo.

— Ismael — ele disse, meio que me cumprimentando.

— Padre Fausto — respondi.

— Obrigado por recepcionar o Ismael para mim, Cíntia. O Ismael é um amigo meu. Pode ir, mais tarde nos falamos.

Ela obedeceu e saiu pela porta, que se fechou atrás dela. Ficamos a sós.

— Eis o homem! — ele disse, me saudando.

— O senhor já sabe o que aconteceu?

— Sobre você ameaçar o delegado com uma espingarda?

— É...

— Eu soube.

— Mais alguma coisa? — perguntei. — Sobre alguém na casa comigo?

— Não — ele disse. — Por quê? Você levou alguém para a casa com você?

— Não.

— Sei.

— Dois jipes do exército apareceram na porta da minha casa — continuei. — Eu fugi.

— E ainda assim veio para cá!

— Foi — eu disse, e percebi que até mesmo o padre achava minha permanência em Rio das Almas um absurdo.

— Você parece um adolescente que esconde maconha na caixa de som — me repreendeu. — Sabe quantos dissidentes políticos se esconderam em sacristias na ditadura?

— O senhor acha que eu deveria ir embora para São Paulo?

— Tenho certeza! — ele disse e se aproximou de mim, com sua calma paternal. — Mas você não vai, né?

Senti que tremia. Ele com certeza percebera que eu estava à flor da pele, prestes a desabar. Sabia que não aguentaria essa tensão por muito tempo. Nós dois sabíamos.

— Padre...

— Sim.

— Eu vi um monstro!

Silêncio. O ar pesou naquela sala, como se começasse a faltar.

— Qual deles? — perguntou o padre.

— Por quê? Quantos existem?

— Não sei. O que você viu?

— É uma mulher, padre, que eu já tinha visto na casa ao lado. Na janela. Dessa vez ela tava nadando na minha piscina. Veio andando até mim, pelada. E aí eu vi. O rosto dela! — Me arrepiei e senti que o padre também teve medo.

— E o que você sentiu? — perguntou o padre.

— O que você acha?

— Você também a desejou?

— Não sei! — Que porra de pergunta era aquela. — Acho que sim!

— Fobos e Deimos. Medo e desejo. São as luas de Marte. Ainda que a tradução mais acurada para Deimos seja "terror".

— Certo. E...

— O nome dela é Marta — ele disse e eu entendi.

Era a menina que leu os livros que o Henrique tinha lido, que pegara os livros logo depois dele na biblioteca assinara "Marta" e deu o meu endereço!

— Ela já está morta — continuou. — Era uma dissidente política, de um grupo armado comunista, que veio se esconder aqui em Rio das Almas. A casa onde ela apareceu era um aparelho, um esconderijo de revolucionários. Era um endereço para onde podiam fugir se estivessem sendo procurados.

O porão. Por isso eu nunca, nem na infância, tinha visto aquela casa habitada.

— Os militares descobriram a casa. Torturaram e mataram todos. Mas deixaram Marta viver. E passaram a usá-la como isca. E a usar a casa como armadilha para os guerrilheiros que não sabiam que ela tinha caído. Quando começaram a correr boatos de que a casa era um centro de torturas e os revolucionários pararam de chegar, os militares abandonaram a casa e soltaram Marta. Mas ela acabou voltando para a casa e se matou.

— Nossa! E os meus pais compraram a casa ao lado?

— Provavelmente não sabiam. As pessoas não falavam, e também ninguém nunca teve certeza. Mas seus pais devem ter comprado a casa de pedra por um bom preço!

— Soltaram essa Marta e depois ela voltou para casa para se matar?!

— É o que dizem. Ela circulava pouco pela cidade, com os outros comunistas, antes de serem descobertos. Eram todos muito simpáticos, ela em especial era a mais expansiva, e era muito bonita. Mas nunca conversou muito com o pessoal da cidade. Fez amizade com um grupo de jovens, do colegial, frequentou algumas festas deles. Todos saíram de Rio das Almas. Alguns desses jovens depois foram presos em São Paulo, por atividades subversivas. Quando cheguei a Rio das Almas e soube da história, tentei contatá-los, mas o único que encontrei não disse nada de novo.

— E essa Marta que eu vi agora, o que ela quer?
— Não acho que ela queira nada — ele disse, enquanto enchia duas taças de vinho. — Ela enlouqueceu lá dentro. Depois da sua morte, quando é vista, está sempre perambulando pela mata, perto da casa.
— O senhor acredita nisso, então!
— Claro que acredito — ele disse, depois de terminar sua taça e começar a encher mais uma. — Mas não se preocupe! Ela não pode fazer nada além de assombrá-lo! — E riu.
— Você quer dizer que ela não pode encostar na gente, machucar os vivos?
— Nada que seja matéria — assentiu.
— Mas eu a vi nadando na minha piscina! A água escorrendo pelo corpo dela!
— As almas penadas têm mesmo esse poder de interferir nas coisas naturais — admitiu. — Mas não pode tocá-lo! O perigo é o que elas podem te induzir a fazer por elas!
— Você acha que ela pode estar induzindo alguém a fazer isso com as adolescentes? Arrancar os olhos e tudo? Por ciúme?
— Não sei — ele respondeu, e eu acreditei. — Acho que você tá certo na questão do ciúme. Foi o primeiro crime. O ciúme que fez Caim arrebentar a cabeça de Abel com uma pedra. É a mais humana das motivações, a mais primal! Mas não sei se foi ela...
— Quem mais poderia ser? Não me parece um trabalho de alguém... Como nós! De um homem. Até um assassino teria dificuldade de fazer uma coisa dessas, desse jeito.

Ele riu.

— O que foi? — perguntei.
— Você é um bom homem, Ismael — ele disse, e então retomou, com seriedade: — O que está acontecendo aqui só será entendido muito depois que tudo isso tiver passado.
— Você fala dos assassinatos ou dos militares?

— Dos dois! Apesar de achar que eles não necessariamente estão ligados.

— Os militares tão aqui e ninguém faz nada. E não temos comunicação decente com o mundo lá fora. Você não acha que isso aí seja uma experiência de intervenção militar, que eles tão usando a tragédia para testar essas práticas nos dias de hoje?

— É uma possibilidade — ponderou o padre. — Mas, mesmo assim, insisto: não consigo ver uma relação direta entre os militares e esses crimes contra as adolescentes. Nem entre a Marta e os crimes, se me permite divagar...

— Esta terra é má, não é? — perguntei.

O padre me encarou em silêncio e eu não soube interpretá-lo. Estaria chocado? Surpreso? Ou era raiva? Parecia que eu tinha descoberto um segredo guardado a muito custo... Inclusive por ele!

— Ando tendo uns sonhos — continuei. — Que me mostram coisas daqui, pessoas daqui. De antigamente. Algumas pessoas são parecidas com gente que eu conheço daqui! Tinha um homem, ele tinha os olhos da minha irmã!

— Deus tem soprado visões no seu ouvido. Ele quer que você veja.

— Como assim?

O padre finalmente puxou a cadeira para o meu lado e se debruçou em minha direção.

— Às vezes, Deus escolhe alguma alma desgarrada, na loteria da vida, e faz revelações.

— Por quê? O que ele quer que eu faça com isso?

— Nada! Às vezes, Deus só faz isso para testar a nossa fé. Mas às vezes Ele faz para que esses escolhidos sejam o veículo do seu amor junto aos outros homens. E pode ser, Ismael, que você tenha sido um desses tocados pela língua dos anjos — pregou ele.

Eu sabia que, no meu estado mental já frágil, acreditar naquilo, que eu era um escolhido... Seria o fim da derrocada da minha sanidade! Ver uma relação entre tudo, e em tudo enxergar essa relação, como se ela se confirmasse a cada momento, é propriedade tanto dos loucos quanto dos teóricos da conspiração. E dos religiosos. Vem dali, aliás. Eu sabia disso. O mundo era muito louco. Mas pelo menos *nessa* loucura do mundo eu evitaria ser pego. Por mais tentador que fosse. Por mais que eu quisesse, desesperadamente, uma vez na vida ter o bilhete sorteado de alguma loteria.

— Supondo que Deus exista — eu disse.
— Supondo que exista — concordou.
— E essa Marta?
— O que tem ela?
— Faz parte dos planos de Deus também? Tudo o que aconteceu com ela? Faz parte de algum desígnio divino que nós não podemos, nem devemos, tentar interpretar? — perguntei.
Ele riu.
Ele também era mau.
Estremeci.

Abro aqui um parêntese para o meu leitor.

O horror que escorria por aquele lugar não deveria ser contado! A ideia de que alguém possa ler o que de fato acontecia ali e guardar aquelas imagens na memória me enche de repulsa! A possibilidade de existir alguma sobrevida para aqueles eventos grotescos, para aquela cidade imunda, para seu Deus incestuoso, que fode suas filhas e depois as condena para limpar sua própria consciência, cafetinando suas crias com desejo para depois escorraçá-las, é ultrajante! O que aconteceu lá merecia ser esquecido debaixo de sal. Mas preciso contar.

O padre tinha rido da minha provocação e agora me olhava nos olhos. Ele estava desvendando quem eu era! Dizia as coisas e olhava para mim para saber que reação eu tinha. Ele espiara dentro da minha mente e agora também sabia como ela era: estéril e cheia de ordem.

Fiquei pensando, tentando identificar o momento em que eu me entregara.

— Vou ler o livro — disse ele, por fim.

— Que livro? — perguntei, mas eu sabia. — O livro que as pessoas enlouquecem quando leem? O livro que você roubou?

— Ele mesmo. Que começa a descrever a nossa vida conforme nós lemos. Decidi, vou lê-lo.

— Por quê?!

— Acho que porque eu sempre soube que o leria. Desde que soube que o livro estava lá escondido. Desde antes de roubá-lo! Por que eu o roubaria?

— Não sei! — admiti. — Mas você não precisa ler isso!

— É tudo muito louco, eu sei! Muito perturbador. Mas quando eu soube da existência do livro, do que tinha nele... É incrível, mas UMA coisa que me contaram parece que reprogramou totalmente o meu cérebro! Imagino que seja como quando as feministas percebem a opressão masculina. Ou os comunistas, a capitalista. Ou quando os homens baixos percebem que são baixos. Eu passei a ver minha vida sendo escrita por um ser demente. Página após página, uma sucessão das histórias dos religiosos que como eu eram padres. Uma continuação da história daquele padre de Rio das Almas. Esse livro já esteve aqui, e ele o leu, hoje eu sei! É parte inevitável de uma narrativa. Eu passei a ver isso em todo lugar. A me importar com isso. O meu universo, até o jeito que eu ando na rua, mudou. Me preocupo sempre em como estou sendo descrito no livro. E aí veio você, outro personagem na minha vida. E eu sei, você também está no livro. Vou ler sobre você também!

— Você só tá me dizendo isso porque sabe que nunca mais vai me ver — eu disse, um pouco zonzo. — Não é?

— Eu não sei como termina. Para você, digo.

— Você não precisa ler esse livro! — eu suplicava. — Pode dá-lo para mim, e esquecer tudo isso! Eu dou um jeito nele!

— Me diz, Ismael. Por que ainda está aqui?
— Eu te disse!
— Há algo de muito nobre nas pessoas que caminham em direção ao seu destino, quando se aproximam do abismo. Mas você deve considerar, só levar em consideração, a possibilidade de que esse desfecho perverso seja o desfecho dos seus pais. Do seu amigo. Não o seu. Você não precisa repeti-los.
— O que essa mulher, essa Marta, quer de mim?
— A Marta não quer nada de você — ele disse. — É outra mulher que vai te procurar. Outro monstro. Ela já te viu. E, se ficar aqui por tempo o bastante, vai vê-la também.
— Meu pai morreu dizendo para ela, quem quer que seja, ir encontrá-lo no Tietê... "Quando quiser", ele disse. Onde fica isso?
— O rio Tietê? — perguntou o padre.
— Não sei! Só pode ser, não?!
— Não faço ideia. Mas seu pai já morreu e, o que quer que significasse o que ele disse antes de morrer — e devia significar muito —, não importa mais. Não é nem da sua conta, se você tiver respeito à memória dele.
— E a minha mãe?
— Foi morta pelo seu pai, pela doença do seu pai. Não é da sua conta também.
— E o Henrique? Ninguém achou o Henrique ainda!
— E o seu sonho, em que ele é torturado? Alguma dúvida?
— Foram os militares, e eu vi o rosto do militar que fez isso com ele. Antes do sonho, nunca tinha visto o cara, depois o vi na prefeitura, o mesmo cara! Uma fisionomia de imbecil, de criança má!
— Bem lembrado! — disse o padre. — Você agora apontou a arma para o delegado, está sendo procurado numa cidade em estado de sítio, sob intervenção militar! Já perdeu todos os amigos que tinha, até a prefeita evitou falar de você quando perguntei a ela!

— Imagino.

— Você é um homem bom, Ismael — ele disse, com uma inflexão sincera que eu não ouvia há tempos. Há muitos anos não ouvia alguém falar comigo com tanta verdade. Quase acreditei. Ele acreditava que eu era mesmo um homem bom, apesar de tudo. — Vá embora! — suplicou.

Aquilo mexeu comigo. Palavras verdadeiras. Eu tinha um amigo, então. Era ele. Me sensibilizei com o seu apelo. Ele estava coberto de razão! Se eu ficasse, talvez alguns minutos mais, dentro daquele pesadelo, arriscaria ser pego. Acenei com a cabeça, concordando com tudo.

Ele se debruçou contra mim e me abraçou. E eu entendi. Se eu ficasse na cidade... isso seria um suicídio! Um sacrifício no altar da lealdade aos meus entes queridos. Ao Henrique. E aos meus pais. De quem eu não gostava, mas não julgava que pudesse ter feito diferente no lugar deles, sendo eu quem era. Filho deles. Ficar seria um tributo honroso de uma vida sem sentido até então — a minha — a um passado que eu detestava, mas que fazia parte de mim. Mas que não traria nenhum benefício a eles.

Desvencilhei-me do padre, disposto a pegar minhas coisas, ou não pegar nada. Deixar tudo para trás!

Até que veio à minha mente o pior pensamento.

A pior coisa que podia me ocorrer.

A ideia mais insana, travestida de vontade irresistível:

Eu quero que saibam que estive aqui.

* * *

Ele estava me olhando. Eu não tinha dito nada, mas ele já sabia me ler completamente.

Nos encaramos por um instante, eu e o padre Fausto, naquela sacristia quente de repente.

— Preciso ir — eu disse.

E fui até a porta. Abri. Ele me acompanhou, para fechá-la. Olhava fixamente para mim, mas pude notar que estava envolto em seus próprios pensamentos.

Antes de passar pela porta, me virei para uma última pergunta.

— Quem era ela? — perguntei. Eu falava da jovem na sacristia, no momento que chegara. Ele entendeu.

— É outra que teria problemas se soubessem que esteve aqui — respondeu.

— ... E que causaria problemas também para o senhor — provoquei.

— Também para mim — admitiu. — Assim como no seu caso.

Assenti e atravessei a porta. Ele veio fechá-la. E ainda disse:

— Assim como Jesus, nós sempre temos de estar dispostos a nos sacrificar. A perder tudo. Sem medo. Só é bom padre quem entende isso! — concluiu, e me olhou nos olhos, mais uma vez. — Boa sorte, Ismael. E fechou a porta. Foi a minha catequese.

10.
ALGUÉM SONHOU QUE A CIDADE IA AFUNDAR

O vento gélido fez farfalhar as sacolas de supermercado, que soaram como uma coruja. Rasga-mortalha, era o nome do barulho. A tempestade cinza se avistava além dos montes verdes na paisagem, e se aproximava.

Eu havia dirigido mais de trinta quilômetros desde o MercaSol, cruzado pela primeira vez os limites de Rio das Almas desde que chegara. Estava em São João do Rosário, porque não queria arriscar ser visto no mercadinho, perto do único pedaço de Rio das Almas em que eu tinha certeza de que não me encontrariam.

Tinha feito uma compra grande: pães, manteiga, tomates, cebolas, queijos, salame, linguiças defumadas. E muitas garrafas de vinho. Tudo o que não precisasse de geladeira. Porque ela não tinha geladeira.

Fechei o porta-malas e olhei para o céu, as nuvens cada vez mais escuras. Entrei no carro, fiz a volta e parti na direção em que tinha vindo. De volta a Rio das Almas.

Cheguei à entrada da estradinha que levava à casa da Elisa. Não prestei atenção se alguém me vira entrar ali, para não enlouquecer. Deixei o carro escondido no mesmo mato onde tinha deixado da outra vez que estive lá. Deixei algumas garrafas de vinho no porta-malas e caminhei até a casa da menina.

O casebre tinha um aspecto de loucura, mas quem passasse por lá teria a impressão de que alguém o habitava. As luzes estavam apagadas e o escuro do dia nublado em instantes seria substituído pela escuridão de uma noite sem lua. Ela não estava em casa. Resolvi entrar.

Sem a presença radiante dela, era possível ter uma visão mais clara do que era aquela casa. Muito pobre, de uma miséria rural que tornava assustadoramente deprimente o reboco de pau a pique, ainda mais a parte coberta pela fuligem do forno a lenha. Mas era a casa dela, e meu coração se apertou.

Não testei a porta fechada, que devia ser o banheiro. Não estava lá como intruso, eu achava, e não queria ver nada que ela mesma não tivesse me mostrado.

Fui até o quarto, abri a janela e uma corrente de ar desanuviou o ambiente. Deitei na cama, exatamente onde havia estado. E senti meu coração batendo forte, em antecipação adolescente. Eu já confundia medo com ansiedade, fome com tristeza. Olhei para o lado e vi o caderninho de caligrafia fodido dela, amarelado. Não ousei esticar a mão e pegá-lo. Eu estava lá esperando por ela, e foi só isso o que fiz. Esperei.

* * *

Está escuro. Estamos na entrada de uma caverna. Lá fora chove. Eu não estou lá, mas vejo o que acontece no sonho. Uma menina, de uns dezesseis, dezessete anos, presa pelo calcanhar por uma corrente longa, pregada à rocha da parede.

A menina veste farrapos de um vestido, está imóvel. Deitada no chão. Acordada, mas sem medo. Entediada. Como se estivesse acostumada à situação.

Lá de dentro da caverna, onde não podemos ver, vem um barulho de estaca batendo nas rochas. Metal contra pedra. O som monótono, ritmado, vem das profundezas da caverna, de onde emana uma luz fraca, tremeluzente, do que deve ser fogo.

A menina se ajeita naquele chão duro e posso ver seu rosto infantil. Tem os olhos de uma fotografia macabra que eu via na casa da minha avó, um pouco mais nova que a mulher da foto, minha bisavó, em preto e branco pintada. Não deve ser ela. Deve ser a mãe dela!

A menina está grávida. A saliência é pequena, mas posso perceber por ser muito magra. Ela espera por nada, mas não há desespero na sua espera. Nem resignação. Não há nada. Só a menina e o barulho de bate-estaca, um atrás do outro, num ritmo de metrônomo.

O barulho para. Depois de um momento, de dentro da caverna, vem um homem. Aparecendo quando chega na parte iluminada, onde jaz a menina. Um fiapo de homem, com os olhos fundos e as calças amarradas na sua cintura muito magra. Vem com uma picareta deitada no ombro e algumas ferramentas menores penduradas no cinto. A menina se vira para ele.

— Tô com fome — ela diz, não sem ternura. É sua prisioneira, mas àquela altura deve ser também sua mulher.

O homem assente e vai até um canto da caverna, onde se debruça sobre uma panela que balança em cima de uma lenha meio carbonizada. Acende o fogo e tosse. Não para de tossir, e cospe um chorume negro, doente, um ranho viscoso de muitos anos respirando fuligem.

A menina agora parece assustada, mas não há ternura. É mais o medo de que ele morra e a deixe ali, acorrentada, para apodrecer. A menina reza e o homem a olha com desprezo, e passa a mexer a gororoba de feijão que começava a ferver. Serve dois pratos de ferro e leva o menor até a menina, que se senta para comer. Ele lhe estende uma colher, e ela não agradece.

O homem termina sua refeição e fica observando a menina comer. Parece gostar dela. Procura por uma foto que traz no bolso e a estende para a menina. Ela olha com interesse e para de comer.

É a foto de uma menina também, da idade dela, bem-vestida. Tem um chapéu com plumas, que não combina com seu rosto moreno nem com seus cabelos lisos e muito negros. É muito bonita, mas a foto está gasta, amarelada.

— Isso é o que eu queria te mostrar — ele diz. — Falei que um dia mostrava, era isso.

Ela assente com a cabeça, incomodada, e volta a comer.

— Bonita, né? — pergunta ele. — É a minha noiva. Tá me esperando em Santos.

— Há quanto tempo você veio para cá? — pergunta a menina.

— Nem sei mais — diz o homem, e fica sombrio.

Leva a foto para outro canto onde ficam algumas sacolas e a coloca numa caixa de madeira, com infinito cuidado. Guarda a caixinha na sacola. Tosse mais uma vez e não para de tossir. E ainda está tossindo quando ela adormece.

Quando acorda, a menina olha para o lado e logo se dá conta da situação. O homem jaz imóvel, sem respirar. Está morto.

O desespero toma conta da moça, até seus braços tremem e lágrimas rolam descontroladamente fazendo traçados no seu rosto sujo, como um rímel ao contrário. Passado o choque paralisante, ela começa a gritar:

— Socorro! Socorro! Acuda! Socorro!

Um homem aparece na porta da caverna. É um velho alto, de chapéu de abas longas e botas também longas e um bigode branco espesso. Ela espera pelo pior.

O velho vê o corpo do homem que a mantinha cativa estendido no chão e vai primeiro até ele. Reconhece-o ao virá-lo.

O velho cava a sepultura do homem do lado de fora da caverna. A menina, já sem as correntes, assiste calada, por medo ou timidez. O corpo do homem magro jaz ao lado do monte de terra que vai se formando a cada estocada da pá na escavação.

— O Patrício era um homem digno — diz o velho, sem olhar para ela e sem parar de cavar. — A escravidão foi abolida no ano passado, mas ele nem ficou sabendo. Ficou aqui, enfiado nessa mina frígida, sei lá há quanto tempo. O vô dele, um bêbado louco, fez um mapa antes de morrer.

A menina ouve tudo, encolhida ao lado do corpo. O velho se vira para ela.

— Você sabe rezar?

Ela não responde. Ele continua cavando.

Quando termina de cavar a cova, empurra o corpo para dentro com o pé, e volta a enchê-la de terra. Ela se estica para olhar para o homem sendo coberto pela terra, já que o próprio velho não olha.

— Se soubesse que a escravidão tinha sido abolida, teria te libertado — diz o velho, e nunca mais diz nada.

Ela vê algo rolando, uma pedrinha, brilhando dourada entre um punhado de terra e o outro. Amarela, como o sol. Que rapidamente a terra cobre, aí também não vê mais nada. Para de olhar quando cai terra no olho aberto do homem que a tinha cativa. E chora.

O velho termina de aterrar a cova, vira-se para onde tinha vindo e vai embora.

A menina também sai andando, na direção oposta. Há uma estrada, mas ela prefere seguir por uma trilha, que margeia a estrada por alguns metros e depois entra para a mata desconhecida.

Mais à frente, a trilha reencontra a estrada, e ela ouve vozes e passos e risos de uma mulher. Dá alguns passos para fora da trilha e se encolhe no mato. E observa.

Treme quando quem vinha também entra na trilha, no sentido contrário. Passam por ela. E continuam. Quando ela levanta a cabeça para ver quem tinha passado, vê um homem de costas largas e cabelo bem-cortado e uma mulher. De pele morena como a dela, e pernas mais grossas, num vestido leve, acima do joelho. A mulher vai um pouco atrás e se detém. E olha para trás. Os olhos dela e os da mulher se encontram.

É a Elisa.

Elisa sorri para ela, como se fossem cúmplices de algo errado. E Elisa leva o dedo à boca e faz sinal a ela, pedindo silêncio. Tudo isso não dura mais de alguns poucos segundos. Depois, Elisa vira-se e continua seguindo o homem, que vai na frente e nada viu.

* * *

Quando acordei, estava deitado na cama de Elisa, no quarto escuro, prateado pela lua através da janela.

Elisa estava lá, em pé, me observando da porta. Estremeci.

— O que você tá fazendo aqui? — perguntou, também com um estremecimento na voz. Era medo.

— Desculpa — eu disse. — Desculpa, eu não tinha para onde ir! Tô sendo perseguido!

— Você tá pelado? — perguntou, e eu notei que estava coberto.

— Não! — Sentei na cama, e o lençol deslizou. Tinha dormido de jeans, sem camisa. — Claro que não! Mil desculpas. — E levantei da cama.

Vesti a camiseta que estava no chão.

— Eu realmente não tinha para onde ir, apontei uma arma pro delegado, os militares tão atrás de mim agora!

Ela me olhava, sem expressão.

— Não queria pegar a estrada agora. Desculpa! — E calcei os sapatos.

— Tava tentando dormir comigo? — perguntou.

— Não!

— Eu sou mais macia que qualquer coisa que você conheça...

A silhueta dela à porta, mesmo no escuro, dava a impressão de ser de uma maciez lúbrica, pesada. Infinitamente graciosa, uma promessa de prazeres ainda não sentidos, sem nome.

Selvagem.

Meio sobrenatural!

Ela parecia que derreteria se apertada com força. E liberaria calor e suor, e te envolveria com mais força ainda. E soava como a Elisa do sonho soaria, se tivesse falado alguma coisa.

Então, ela caminhou como a Elisa do sonho, numa cadência muito própria. Logo Elisa se debruçava sobre mim, e estremeci.

Os cabelos ondulados pendiam e emolduravam seu rosto adorável. O mesmo rosto que eu acabara de ver no meu sonho! Os mesmos cabelos. A mesma expressão. Os mesmos olhos escuros, de rio à noite, revolto, depois que quebra a cachoeira. Tive medo. Ela percebeu.

— Tava sonhando? — perguntou, com doçura.

— Sonhei com você.

Ela sorriu. Era um sorriso lindo.

— E o que estávamos fazendo?

Tinha malícia na sua voz. Mas percebeu que eu estava inquieto e passou a mão nos meus cabelos.

— Às vezes, os sonhos não têm nada a ver — ela disse.

Senti minha barriga faltar! Essa afirmação só poderia dizer uma coisa: que ela sabia que eu tinha visões nos meus sonhos. Que ela sabia, pela minha expressão, que meu sonho tinha revelado algo sobre ela e queria me demover de pensar que o sonho tivesse significado alguma coisa. Mas como ela poderia saber, meu Deus? Como ela poderia saber disso?

— Como assim? — desconversei.

— Eu tenho muitos sonhos loucos — ela disse, enquanto acariciava meu cabelo. — Achava que cada sonho que eu tinha significava alguma coisa. Achei isso por anos! Mas depois eu percebi que, se eu quisesse olhar de perto, e comparar com o que realmente acontecia, os meus sonhos não me mostravam nada de novo do mundo. Que eram sonhos mesmo, só isso! — me confortou. — Se bem que também tive um sonho com você ontem — disse, e sorriu.

Ela sabia! Sabia que meu sonho era real.

Ela se deitou sobre mim, deixou-se pesar sobre o meu corpo. Senti seu peso me excitar, os seios dela apertados, indo e vindo com a minha respiração.

Senti sua respiração, seu hálito quente, perto do meu rosto.
— Seu amigo esteve aqui — ela disse.
Era o Henrique, eu sabia!
— Já ouvi muito falar de você — continuou.
Nem mesmo a contundência dessa revelação de que Henrique tinha estado ali, deitado com aquela mulher, conseguiu me comover.
Tentei beijá-la, mas ela me forçou para baixo.
Segurava meus ombros, me imobilizando, e se esfregava toda em mim. Me olhando nos olhos, a um palmo de distância.
— Você não se importa de verdade com ele, né? — eu disse, reagindo.
Ela, nada.
— Além dessa, qual a maior mentira que você já se contou? — ela me perguntou.
— Não sei.
— Me conta!
— A maior mentira que eu já me contei? — perguntei.
— É...
— Para mim mesmo?
— Isso...
— Acho que é que eu acho que a minha vida vai melhorar.
— Um dia... — completou, compreensiva.
— É, um dia — assenti.
— Só que você não acha que sua vida vá mesmo melhorar.
— Não sei... Gosto de pensar que acredito que vá sim. Ai!
Ela mordera meu peito.
— Uma hora...
— Uma hora... — ela repetiu.
Ela agora me apertava com mais força contra a cama. Deitada sobre mim, trançando suas pernas nas minhas. Eu gemia.
— Sabe o que eu descobri quando tinha catorze anos? — perguntou.
— Hum?

— Que eu consigo que os homens me digam qualquer coisa. — E começou a serpentear sobre mim. — O que eu quiser. Quando sentem meu cheiro. Que eu consigo que me contem qualquer coisa quando sentem que estão prestes a meter em mim. E geralmente o que dizem é verdade. Sabe por quê?
— Hum?
— Porque nunca acharam que iam estar nessa situação. — Não prepararam uma mentira padrão, um plano B...
— É a verdade — balbuciei. — Você perguntou...
— Eu sei! — E os homens falam mesmo. A primeira coisa que vem à cabeça. E é sempre a mais honesta!
Eu já não silenciava meus gemidos.
— ... Não podem deixar a bola cair...
— Shhhh! — eu fiz, e me desvencilhei dos seus braços, e a tomei com força.
E a beijei.
Longamente.
E lhe arranquei o vestido, e ouvi-o rasgar, a única peça do seu vestuário.
E contemplei seus seios pendendo sobre mim sob a luz prateada da janela. Seus mamilos ásperos.
— Você é tão linda!
— Sabe quando é horrível ser uma mulher bonita? — Ela não parava de ir e vir em cima de mim, mesmo que eu estivesse apertando seus braços, com toda a minha força. — Sabe quando é horrível? Quando você é uma dissidente política. E pegam você...
E então ela me beijou. Não resisti. Soltei seus braços. Ela relaxou, deixou pesar seu corpo sobre o meu, naturalmente. Seu beijo era doce, lento, molhado. Quente e suave. Eu sentia sua carne macia sobre mim, seu coração batendo rápido. Ela também estava nervosa!
Já fui beijado muitas vezes, sabia como eram os beijos das mulheres quando te aceitam na cama delas. Poucas vezes são

tão entregues como o dela. Menos ainda apaixonados. Não sabemos se as mulheres estão apaixonadas ou não por nós até a hora do beijo. Quase nunca estão. Ela estava. Eu sabia pelo medo batendo no coração e pela ternura sincera do seu beijo. Um beijo que parecia dizer: *sou sua.*

Sempre fui.

Faça comigo o que quiser.

Ali ou em algum momento próximo parei de pensar, e o que lembro são algumas sensações. Alguma dor delicada dos sentidos. Uma ou outra imagem, turva pela escuridão do quarto. Mas eu me lembro delas.

* * *

Na noite seguinte, ainda estávamos ali. Como dias perdidos nos anos bissextos, ela respirava profundamente ao meu lado. Dormia pesado. E eu me sentia envolvido por aquele cheiro. Me sentia tranquilo. Depois do pico da excitação, pairava uma impressão que não sei explicar. Algo morno, gostoso, que me remetia a algo confortável. Que eu nunca antes tinha encontrado. Uma memória perdida, mas muito querida. Esquecida. De tudo aquilo que desembarcou na estação primeira do Brasil, na Bahia. E que depois irradiou nossa identidade para os portos do sul. O candomblé e o samba para o segundo porto, o do Rio. A burocracia eficiente, inflexível, para o de Santos. E dali, mais tarde, os assassinos sonhadores e os jesuítas, para o interior. Nós éramos fruto dessa terceira linhagem.

"Eu queria ser espelho para iluminar a sua cama", cantavam no primeiro porto.

Não havia nada mais distante do espírito dessa baianidade apaixonada que a nossa terra.

Ficamos com as procissões religiosas, para chorarmos indiretamente pelos nossos próprios mortos. Foi assim com os nossos antepassados, e ainda era assim com a gente. Sabíamos disso.

Quando puxávamos o lençol no escuro, com nossos corpos ainda suados, sabíamos que partilhávamos desse universo comum e não tínhamos que dizer nada.

Corria em nós o sangue assustado da mesma terra, reconhecíamos o cheiro comum e precisávamos nos aquecer. Não estou falando em amor. Era mais antigo que isso.

* * *

Acordei na cama sozinho, ela não estava.

Ao lado do lençol amassado havia um criado-mudo com o caderno de caligrafia, fechado, mas com uma ondulação, como se tivesse algo dentro, no meio dele. Abri o caderno, e um toco de lápis marcava duas páginas em branco. Ela tinha desistido de escrever algo para mim, ou porque também se dera conta da sua caligrafia infantil, ou porque teve medo de não saber a grafia de alguma palavra. O negócio é que ela tinha pegado o caderno, desistido de deixar uma mensagem e, depois, ido embora. Devia ter ido para a loja. Alguém tinha que trabalhar.

Vi uma mancha do lado de onde ela estava no lençol, um borrão incolor. Passei a mão e senti sua textura áspera. Me debrucei sobre ela, senti seu cheiro, e coloquei o lençol na boca. Adormeci de novo.

Logo acordei com o barulho dos pássaros, o céu estava nublado, mas ainda era de manhã. Fiquei olhando para aquele teto de telhas, sem forro, mas sem goteiras. Decidi finalmente deixar o casebre depois de dois dias e sair para continuar minha investigação pessoal. Ainda que não importasse mais tanto, havia algo que me perturbava e finalmente tomara forma nos meus pensamentos: o par de sapatos que encontrei escondido no quartinho de ferramentas da casa dos meus pais. Que eu jogara na piscina. Devia servir na menina.

Aquela portinha ao lado da sala realmente era o banheiro. Menos rústico do que eu supunha. Apesar de a casa não dispor de energia elétrica, um intrincado sistema de bombas d'água e reservatórios suspensos abasteciam a privada, de louça, e a mangueira de borracha dura que servia de chuveiro. Mas os reservatórios estavam vazios, ela devia ter usado antes de sair.

A porta estava aberta. Ou ela nunca trancava ou só tinha uma chave. Do lado de fora da casa, atrás da parede do banheiro, ficava uma bomba d'água manual, ligada a um poço artesiano, que ela chamava de "bié". Bombeei a água, até sentir que havia o bastante para um banho. Voltei ao banheiro e girei o registro. Uma água fria caiu pela mangueira e acordei. Fiquei lá até o reservatório secar, tirei o excesso de sabão com uma toalha velhíssima, mas sem cheiro de guardada.

Saí do casebre revigorado. O dia estava nublado, mas bem claro. Eu me sentia surpreendentemente bem naquele lugar. Resolvi ir e terminar logo o que tinha de fazer.

Cheguei até o carro, dei partida e só então pensei o óbvio: ainda não desistiram de me procurar! E as chances de eles me encontrarem se eu circulasse de carro pela cidade não eram nada desprezíveis. E, se me pegassem... Era uma cidade sob intervenção militar.

Decidi ir mesmo assim. Ao entrar na estrada, notei que o MercaSol, o mercadinho do outro lado da estrada, estava vazio.

Dirigi sem olhar para nenhum dos motoristas que cruzavam com meu carro na estrada, em nenhum momento olhei pelo retrovisor. Não queria que alguém notasse meu rosto.

Na entrada da cidade, fiz a volta e entrei direto na estrada que levava à casa de pedra. Um carro entrou atrás de mim. Eu não poderia saber há quanto tempo ele estava me seguindo, já que não tinha tirado os olhos da estrada. Mas agora eu o acompanhava pelo retrovisor. Quando chegava perto da entrada da casa de pedra, notei que o carro ainda vinha junto! Não havia nenhuma casa além da minha, e a única possibilidade é que ele estivesse indo para a fazenda vizinha, onde a estrada acabava. Fiz a curva ascendente e cheguei ao portão da minha casa. E então desliguei o carro. Fiquei ouvindo, atento para o barulho do carro se afastando. Mas não ouvi nada!

Um trecho da continuação da estrada, à frente, aparecia através das copas das árvores. Depois que saí da estrada, o outro carro levaria ao menos uns trinta segundos naquela velocidade para passar por lá. Mas não passou. Pensei que ele pudesse ter acelerado. Mas o carro teria levantado poeira ao passar, e pelo menos alguma poeira eu veria sobre a estrada. Mas não havia poeira.

Ele poderia então ter voltado, ou parado logo que virei na entrada da casa de pedra. Essa era a pior das hipóteses. Eu não voltaria lá para verificar, ele que viesse até a minha casa. Eu estava armado.

Mesmo que ele tivesse voltado para chamar reforço ou, ainda, se tivesse descido do carro e me seguido até a casa, eu entraria lá, tiraria o pegador de folhas secas no quarto de ferramentas, resgataria os sapatos do fundo da piscina, voltaria para o carro e sairia dali!

Estacionei o carro na frente da casa de pedra. Saí com a espingarda engatilhada na mão e o revólver na cintura. Andei até a porta, sempre olhando para trás.

A porta estava fechada, e quando testei o trinco vi que não estava trancada. Não me lembro se a tranquei ao sair correndo da casa pela última vez, quando vieram os jipes. Abri a porta e a casa parecia intocada. Bem diferente da casa do Henrique. Tudo estava no lugar. Não parecia ter sido invadida ou revirada. Se tivesse sido, pelo menos tinham tido o cuidado de fazer parecer que não havia sido inspecionada. Mas havia o quarto dos meus pais, o guarda-roupas. De certa forma, eu tinha memorizado a disposição das roupas penduradas nos cabides. De modo que eu saberia se tivessem sido mexidas.

Atravessei a sala, deixando para trás a janela de onde o delegado me vira ameaçá-lo. Vi, de relance, pela janela da cozinha, a casa ao lado, onde avistara antes a mulher. Não me demorei olhando e entrei a passos rápidos no corredor que levava ao quarto. Sempre olhando para trás. Devo ter corrido até o quarto dos meus pais. Eu não queria ficar naquela casa mais de cinco minutos, nem dar tempo de ser alcançado.

Cheguei diante da porta do quarto dos meus pais e abri. O quarto claro, imaculado, parecia nunca ter sido visitado. As portas dos armários estavam fechadas. A cama arrumada. E então eu vi.

Era ela!

Marta, em pé, me observava pela janela.

Era ela ali!

Do lado de fora. Olhava para mim, sem expressão.

Foi apenas um segundo, mas lá estava ela, parada.

Num impulso, saí do quarto e tranquei a porta. Ainda pensei em voltar, abrir novamente a porta e ver se ela ainda estava lá. Não sei o que teria sido pior.

Saí correndo, gelado, tremendo, com a espingarda a tiracolo. Ainda pensei em fazer a curva rapidamente pela cozinha e abrir a porta do quartinho de ferramentas e, com o pegador de folhas secas, ir até a piscina. Mas ela estaria lá — será? — na parte de trás da minha casa. De modo que corri para a porta da frente e saí rápido, com a arma apontada para frente. Eu atiraria no que quer que aparecesse lá, a Marta ou algum militar. Mas não havia ninguém.

Entrei no carro depressa, manobrei e saí em alta velocidade por onde tinha vindo. Pelo retrovisor, só pude ver aquela casa maldita vazia, muito bela, desaparecendo atrás das árvores. Achei que nunca mais a veria. Mas estava enganado.

* * *

Eu era um criminoso, um fugitivo numa terra hostil. Uma hora me pegariam.

Enquanto dirigia em direção à cidade, todo o meu ser me dizia que desse meia-volta. Eu sentia cada motorista virar a cabeça na minha direção ao passar por mim na estrada. Algum deles, com certeza, pegaria o celular e ligaria para o delegado assim que desaparecesse do meu retrovisor. Eu tinha que ser rápido.

Entrei na cidade mais uma vez e, por mais que evitasse passar pela rua principal... não havia muitas ruas na cidade.

Cheguei à biblioteca, mas estacionei duas quadras à frente, numa ruazinha de terra, e voltei andando. A decisão de levar o revólver escondido no cinto, debaixo da camisa, foi óbvia. Já passara o tempo dos ultimatos, e meu próximo encontro com a lei acabaria fatalmente num tiroteio. Eu estaria preparado.

Passei pelo portão e subi a rampa que dava acesso à biblioteca. Ela ainda estava aberta.

A bibliotecária me fez um aceno amistoso quando entrei. Não parecia saber que o delegado e os militares me procuravam.

— Achou o seu amigo? — perguntou, com interesse.

— Não. Ninguém achou o professor ainda!

— Que história estranha! — ela disse, e riu. — Mas ela combina com o professor.

— Você acha? — disfarcei.

— Orra! — E riu novamente. — Se me perguntassem quem da cidade eu acho que poderia usar a enxurrada para sumir e nunca mais voltar, seria ele!

— Sério?!

— Quer dizer, sei lá, mas acho que seria ele. — E falou baixinho: — Um professor que pega *Lolita* do Nabokov, umas cinco vezes, sei lá, é meio estranho mesmo!

— Acho que ele nunca pegou o traquejo de viver numa cidade pequena.

— Mas eu gosto dele! — disse a bibliotecária. — Gosto mesmo, é um cara sensacional! Muito doce, muito educado, um show de homem! Mas, se eu tivesse que adivinhar quem da cidade cairia fora sem avisar ninguém...

— E a Marta? — perguntei.

— O que tem ela?
— Ela apareceu aqui de novo?
— Não, nunca mais vi! Ela vinha por causa dele, né, é bem comum isso. Não me parecia muito amiga dos livros.
— Acho que eu a vi, na rua, outro dia — testei.
— Sem o professor?
— Sem ele — assenti.
— Eu nunca a vi sem ele por perto! Parecia ter pelo menos vinte anos. — E riu, novamente. — Bom para ele, né?
— É, melhor. — E ri também.
Era gostoso falar do Henrique. Acho que, em qualquer lugar que eu me metesse a falar com alguém que tinha conhecido o Henrique, a sensação seria a mesma! Todo mundo tinha algum absurdo para comentar dele. E todo mundo falava com carinho.
— Mas como sabe que era ela? — perguntou.
— Então, não sei! — confessei. — Mas ela era uma menina morena, não? De cabelo preto, longo, de pele clara e muito bonita...
— Não muito clara, não — me corrigiu. — De pele morena, como a sua.
— De olhos verdes...
— Pretos! — me corrigiu, e percebeu que quem eu vira era outra mulher.
— De seios pequenos e quadris largos e pernas grossas... — conferi.
— Aí eu não sei, nunca olhei direito.
— Parabéns, você passou no teste de lésbica! — eu disse.
Ela riu.
— Mas entendo a sua confusão, eu tinha dito que ela era uma morena. Nunca dá para saber direito quando dizem que alguém é moreno — ela disse.
— Você tem certeza de que o nome dela é Marta? — perguntei.
— Você tem certeza de que o meu nome é Vera?
— Nunca soube que o seu nome era Vera!

— Pois é! E o seu?
— Ismael.
— Prazer!
— O prazer é meu! Só uma coisa, Vera. Essa Marta que vinha aqui com ele, ela era alta ou baixa?
— Normal.
— Ajuda!
— Desculpa — ela disse, rindo. — Mas ela tinha uma cara de criança. Não sei se de criança, mas uma cara frágil. Doce.
— Não tinha um rosto forte, então. Nem era faladora...
— Não. Era quieta.

Era o que eu queria saber. A mulher que ia à biblioteca com o Henrique e assinava como Marta não era a mesma que aparecera para mim na casa ao lado. Aquela mulher que ela descrevera, de cabelos pretos, da pele morena, como a minha, olhos pretos, rosto frágil, tímido e de estatura média, era a Elisa.

* * *

Era uma casa estreita, branca, com um quintal na frente e um portãozinho de grades espremido entre duas casas maiores, mas igualmente simples. A terceira casa da rua de uma parte afastada do centro. Exatamente onde a mulher da biblioteca me disse que ela estaria. Era a casa do delegado.

Quero que saibam que eu estou aqui.

Não bati, o portãozinho estava aberto. E então, diante da porta da casa, tive pudor. Bati três vezes. Sem perguntar quem era, ele a abriu.

— Se eu te dissesse que sabia que era você, seria muita loucura? — perguntou o delegado, que de fato não parecia surpreso em me ver diante da sua porta, encurralando-o dentro da própria casa.

— Acho que não — eu disse. — Você sabia que eu não tinha ido embora.

— Você veio armado — balbuciou, não era uma pergunta.

— Vim — eu disse.

— Você é tão louco quanto sempre achei que fosse! — disse ele, sem medo. — E se eu soube de tudo isso até agora...

— Acho que sou, sim — confirmei.

— Minha dúvida não é sobre sua capacidade de atirar num homem, apesar de nunca ter feito isso antes — disse ele, alcançando sua arma escondida atrás da calça. — Minha dúvida é quanto à sua velocidade.

— Meu amigo foi pego por vocês, delegado. E foi torturado até a morte — eu disse, também alcançando meu revólver atrás da calça. — Vim armado para me defender.

Ficamos os dois lá, um de frente para o outro, com as mãos atrás das costas, prontos para sacar.

— Quer entrar? — perguntou o delegado, sem tirar a mão das costas.

— Aceito.

Entramos. Ele, voluntariamente, tirou a mão da arma quando se virou. Eu pude vê-la, pendendo sob seu cinto e camisa. Tirei a mão da minha também.

Ele se sentou no sofá. Era uma sala pequena, mal iluminada, de móveis simples. Só o essencial. Uma casa triste de homem de meia-idade, solteiro.

A sala da casa tinha um mapa-múndi estranho, com o Japão no centro do mundo, a Europa e a África à esquerda e a América à direita.

— É para me lembrar de que tudo é uma questão de perspectiva — disse ele, notando meu interesse. — Tudo depende da narrativa que se escolhe contar!

Era um intelectual, esse delegado! Rio das Almas era cheia deles. Tentando quebrar o gelo, me fazer relaxar.

— E qual é a narrativa aqui? — perguntei.

O imitei e sentei no sofá à sua frente.

— Não se preocupe, Ismael — ele disse. — Nós temos muitas coisas para nos preocupar além de você. Considere-se perdoado.

— As meninas dos olhos arrancados?

— Elas, e quem fez isso com elas.

— Já descobriram alguma coisa?

— Só o que dizem por aí.

— E o que é que dizem por aí?

— É uma loucura.

— Tudo isso é uma loucura — eu disse.

— Alguns moradores começaram a ver nos assassinatos indícios dos mitos sertanejos.

— Que mitos são esses?

— Essas lendas, que eram muito presentes na vida dos antigos. Parecem fazer sentido de novo, para eles.

— Que tipo de lendas?

— Existem muitas, você já ouviu falar delas quando era criança, nas aulas de folclore. Da versão infantilizada delas, que é o que chega para nós, dos livros do Monteiro Lobato. Mas são mais antigas. Foram narradas pelo padre Antônio Vieira, mas desde os primeiros jesuítas já se falava delas. São da cultura paulista.

— Tipo mula sem cabeça? — perguntei, e não pude deixar de rir.

— Exatamente — ele disse, e me encarou.

— Ok.

— No cenário de caos em que se encontra a cidade, a existência desses mitos passa a explicar os assassinatos das meninas dos olhos arrancados, mesmo contrariando as próprias crenças racionais das pessoas. É uma espécie de histeria coletiva.

— E o senhor acha que alguém pode estar se aproveitando dessa crendice para cometer esses assassinatos?

— Já achei que fosse isso — disse ele, com seriedade.

— Mas não acha mais?

— Não.

— Quem o senhor acha, então, que tá cometendo esses crimes? — perguntei, escolhendo as palavras com cuidado. Não pelas palavras, mas pelo que imaginava que viria depois.

— É uma mulher — ele disse, e me encarou para estudar a minha reação.

Estremeci.

— Ela se chama Marta — eu disse, concluindo por ele. — Foi torturada por vocês, assim como o Henrique. Se matou depois. Na casa da morte, onde os militantes de esquerda se escondiam, que depois virou uma isca da ditadura para capturar militantes. Era a casa ao lado da casa de pedra, a casa dos meus pais. Ela apareceu para mim!

Estremeci novamente assim que terminei de contar.

— Não é a Marta — ele disse.

— Como assim?!

— A Marta é um fantasma. Ela já apareceu para mim também. E para muitos que já rondaram por aquelas bandas à noite. Nós podemos ir agora onde ela está enterrada e mijar no seu túmulo que nada vai acontecer!

Senti uma espécie de tontura, um calor súbito.

— Nada pode acontecer! — continuou, divertindo-se com a minha confusão. — Essa Marta é na morte como era em vida. Ela era uma mulher muito íntegra, encantadora e de bom caráter. Dizem que era daquelas personalidades admiráveis. Ela não tem uma agenda secreta. Não quer assombrá-lo, só aparece porque você está onde os restos dela estão! E ela é um fantasma, Ismael, não pode tocá-lo.

— Então — Senti minha temperatura subir, como se a febre súbita embotasse os meus sentidos. — Quem é a mulher então?

— É um monstro! — disse ele, afinal. — Uma metamorfa, uma mulher que muda de forma. Perceba que só estou te contando isso porque te julgo louco — e riu —, mas é o que ela é, uma metamorfa!

— Que loucura — eu disse, incrédulo, tentando aparentar estar bem.

— "Esses seres que mudam de forma podem convencê-lo de que está perdendo o juízo" — começou ele era uma citação.

— "Cogitar seriamente a sua existência é um convite a um mergulho no abismo da loucura, que espreita dentro de cada um de nós."

Comecei a suar.

— "Esses são seres do mundo antigo, mas a persistência deles na cultura se dá por uma função psicológica. Para nos lembrar de que, de fato, nada é o que parece ser."

— O senhor tá me fazendo mal — confessei, no auge do meu mal-estar repentino e inexplicável.

— "Nada na vida resiste a um grande ponto de interrogação."[1]

— O senhor tem água?

— Claro, vou buscar — disse ele, e saiu da sala.

Torci para que parasse com as citações de quinta. Mas não podia me furtar de imaginar o que causara em mim essa reação febril, tão intensa, cuja causa eu desconhecia completamente. Por mais que eu tentasse, não conseguia entendê-la. Ele voltou, com um grande copo d'água. Era a primeira vez na vida que me traziam água suficiente quando eu declarava estar com sede. Bebi tudo num gole e me recostei no sofá. Aquela tontura repentina tinha que passar.

— Nossa! — eu suspirei, já deitado.

— É assim que eu vejo — disse o delegado. — Mas não descarto a possibilidade de eu estar um pouco excitado, desequilibrado talvez, por tudo isso que vem acontecendo.

— Não, de forma alguma, delegado! É exatamente assim que vejo também! — eu disse, e me surpreendi com minhas próprias palavras.

Ele sorriu e se recostou no seu sofá, acendendo um cigarro.

---

[1] Frase de Emil Cioran, filósofo romeno radicado na França.

— Não acha que deveríamos levar isso pro padre Fausto? — perguntei, no limite das minhas forças.

No mesmo instante, seu semblante satisfeito tornou-se sombrio.

A febre ardia em mim.

— O padre Fausto tá morto! — ele disse.

— Morto?!

— Você não soube, não é? O padre Fausto foi encontrado hoje na soleira da porta da igreja, enforcado pelo seu cinto.

E era verdade! Eu sentia! Não me lembro de mais nada, porque foi ali que eu apaguei.

* * *

Acordei numa cela de concreto, com uma privada aberta ao lado da cama. O sol entrava entrecortado pelas grades da cela, se alongava desproporcionalmente pelo chão, como um sonho de Escher.

Estava na cadeia, mas a porta da cela parecia descuidadamente entreaberta. Dei um pulo da cama, corri até ela, e era isso mesmo. Estava aberta.

Saí pelo corredor. Atrás de mim havia duas celas, trancadas, mas não me interessei pelo que tinha nelas. Seis passos depois e eu cheguei à porta de grades da saída, que ninguém guardava. Passei por ela e subi a escada, que dava para um lugar movimentado, a delegacia. Ouvi vozes. Pessoas trabalhavam lá em cima. Os militares, lembrei. Preocupei-me em me mover rápida e silenciosamente.

Ao chegar ao topo da escada, pude ver os corredores antigos da delegacia. Ouvi vozes, um homem e uma mulher conversavam animadamente numa das salas diante de mim. Fui para o outro lado, eu subiria mais um lance de escadas e sairia pela janela. O último andar estava silencioso, só o zunido de uma das lâmpadas fluorescentes em cima de mim. Uma das que deviam piscar durante as sessões de tortura, pensei.

No fundo do corredor, havia uma porta fechada. Não estava trancada. Era o gabinete do delegado. O casaco dele estava pendurado na cadeira. Nem sinal dos militares.

Em cima da mesa dele também havia papéis, que na pressa não examinei, e uma pilha pequena de livros curtos e cadernos, que somados não chegavam à espessura de um livro grosso. No topo da pilha, estava ele. O livro proibido. O que o padre leria, e então teria lido, e depois se matado. O primeiro na pilha de leitura do delegado. Que certamente não fazia ideia da raridade do livro. Peguei os quatro livretos e enfiei na calça. Abri a gaveta do gabinete e lá estava a minha arma.

Fui até a janela, que dava para uma rua aos fundos da delegacia. Eu estava sem minha carteira e sem minha chave do carro. Mas deixava minha cópia dentro do estepe. Era a única pessoa que fazia isso, além do meu pai. Nunca trancava o porta-malas. O fato de todas as pessoas do mundo trancarem me dava uma vantagem. Nunca testariam se ele fora ou não fechado. Não havia ninguém na rua, nem passos no corredor, de modo que tive tempo para me dependurar no parapeito da janela e gingar meu corpo antes de pular, sem que aparecesse pela janela do andar de baixo enquanto caía. Foram três metros de queda, quase sem fazer barulho quando caí com os pés na rua.

Eu estava livre! O que quer que tenham planejado ao me colocarem naquela cela aberta, eu frustrara seus planos. Meu coração batia forte, e eu corria como um menino pelas ruas vazias.

* * *

Meu coração começara a bater forte de manhã quando acordei naquela cela e parecia que nunca mais ia parar.

Ao entrar na estrada a 140 km/h, com a janela aberta, senti um aperto. Como se eu estivesse deixando para trás algo muito precioso, há muito esperado, cujo nome eu não sabia. Meus olhos marejaram, eu não conseguia entender o que era aquele sentimento. Ainda não consigo.

Acelerei numa velocidade suicida, deixando pouco a pouco aquela cidade para trás, mas na direção inversa. O livro proibido e os outros livros ao meu lado, no banco do passageiro. Passei por outro retorno, que me levaria para São Paulo, mas não era para onde eu ia. Eu dirigia para a casa de Elisa.

* * *

Todas as precauções foram tomadas para certificar-me de que não estava sendo seguido. Meu celular havia sido tomado também, mas isso não me preocupava. Não usava o celular desde que chegara à cidade, por isso não havia como rastrear nenhuma ligação.

O MercaSol estava fechado, e ninguém me viu virando na entradinha que dava para a casa dela. Se ela não estivesse lá, eu a esperaria.

Elisa me esperava na porta, com um sorriso. Não sei dizer por quê, se sabia que eu viria ou se fora sorte mesmo. A verdade é que eu me sentia tão feliz quanto ela parecia estar. Parecia, porque a gente nunca sabe, só espera que sim. Ela se levantou de uma lata enferrujada de tinta onde sentava e veio em minha direção. E eu na dela, e a abracei e ela me abraçou, como se tivéssemos prometido que um dia assim faríamos. E tivéssemos esperado muitos anos para que as coisas se assentassem e enfim pudéssemos fazê-lo.

Aqui, peço ao leitor que me permita dividir outra bobagem: aquela visão da Elisa, levantando da lata de tinta velha e vindo a mim, com aquele sorriso, abrindo os braços. Acho que é a coisa mais terna que tenho na memória. Se me perguntarem, quero dizer.

Se eu pudesse chamar de amor alguma coisa grande, terna e incontrolável, a mais persistente que eu já sentira na vida, seria aquilo ali.

* * *

Era noite. Acordei de um sono leve, o quarto escuro, a janela aberta com a noite clara lá fora, ainda que a lua não estivesse à vista. O cheiro de sexo meio rançoso.

Ouvi um violão, um dedilhado, alguém tocando lá fora. Não sabia que ela tocava. Mas sabia que era ela.

Cacei minha cueca no escuro, finalmente a encontrei no chão, enrolada em si mesma. Saí de cueca, a noite estava quente, e achei a lua, brilhando baixa do outro lado da casa. Dei a volta em direção ao som do violão.

Ao me ver, Elisa estava ela mesma de calcinha, sentada sobre o mesmo latão de tinta de quando me esperava na porta. Com as pernas entortadas daquele jeito que os violonistas clássicos ficam, com um violão nas coxas grossas, e a panturrilha e o calcanhar grossos, e os pés compridos para dentro. Ela sorriu porque eu acordara, sabia que eu me impressionaria por estar lá com aquele violão, naquela posição, e acertou. Ela começou a dedilhar uma introdução. Pensei que já tinha ouvido aquela música.

— Não há, oh gente, oh não, luar, como esse do sertão...

Claro que já! Era "Luar do sertão"!

Uma música de 1914, que se espalhou pelo rádio, no mesmo ano, por todo o Brasil. Era de um cara chamado Catulo da Paixão Cearense, que ficou famoso na época fazendo músicas sobre o luar e sobre estar apaixonado e virou nome de praça em quase todas as cidades serranas.

Como eu sabia disso? Tive uma namorada que era fissurada nesse negócio de cancioneiros populares. E depois tive outra, que morava perto de uma dessas praças de que falei. E, convenhamos, não dá para esquecer um nome desses.

— Ó que saudade do luar da minha terra...

Engraçado ela cantando isso, já que nunca tinha visto o luar de outro lugar. Mas acho que é assim mesmo.

Ela devia ter saudade do tempo que sonhava com esse mundo possível. Ao qual ela olharia em retrospecto, muitos anos depois de ter partido dali, e lembraria.

— Esse luar cá da cidade tão escuro, não tem aquela saudade, do luar lá do sertão...

Me peguei eu mesmo sentindo saudade do luar escuro. E das minhas próprias saudades: "silêncio na cidade não se escuta".

Eu e o Henrique, anos atrás: "os bêbados do centro da cidade".[2]

— Não há, oh gente, oh não, luar, como esse do sertão. Não devia haver mesmo!

* * *

Tinha algo especial ali e, se estivéssemos debaixo d'água, tudo aquilo teria passado mais devagar. No dia seguinte fizemos como os adolescentes que sabem que não podem mais passar de ano: fomos dar uma volta na cidade!

Quero que saibam que eu estive aqui.

A mágica era que a Elisa parecia querer também. Ambos sabíamos dos riscos de pegar o carro e nos enfiarmos pela cidade à luz do dia, mas nenhum dos dois quis trazer o assunto à tona. Ela sugeriu e eu aceitei na hora, como se fosse a coisa mais inocente do mundo.

Fomos em silêncio, apreciando a estrada, cada um absorto em suas próprias lembranças. Evitei a entrada para a rua principal e, ainda assim, não tocamos no assunto do medo. Não precisava. Subimos a encosta da entrada da cidade, que não tinha sido muito atingida e por onde os carros ainda passavam normalmente.

Toda cidade tem a sua seleção de lugares especiais. São aqueles lugares meio secretos, pelos quais muitos já passaram,

---

[2] Versos presentes na música "Cálice", de Chico Buarque.

mas só alguns sabem para que eles foram feitos. São os lugares para onde levamos as mulheres que queremos beijar.

Eu tinha os meus no meu bairro, Santana, na Zona Norte de São Paulo.

O Parque da Juventude, que era a antiga penitenciária do Carandiru, onde ocorreu o massacre dos presos e o governo resolveu transformar num parque, com biblioteca e escolas técnicas. A praça atrás da igreja. O Jardim São Bento, um bairro escondido de mansões. Mais especificamente um terreno murado no Jardim São Bento, em frente ao castelinho da TFP (Tradição, Família e Propriedade), onde dá para sentar em cima do muro e assistir aos aviões do aeroporto Campo de Marte, indo e vindo. E o Mirante de Santana. Um morro no alto do bairro, onde fazem as medições meteorológicas da cidade de São Paulo. Toda vez que davam a temperatura no rádio, falavam: "Agora, vinte e oito graus no Mirante de Santana". Ainda falam, mas tiraram a parte do Mirante. É mais um desses lugares secretos, onde dá para ficar com alguém e contemplar a cidade, até o relógio do Itaú na avenida Paulista.

Deus é testemunha de quantas mulheres eu já levei a esses lugares. E, em todos eles, sempre tem outros casais se agarrando. De modo que considero que fazemos parte de um clube, mesmo sem nos conhecermos, de pessoas que descobriram a utilidade dessas áreas ignoradas.

Digo isso porque logo percebi que a Elisa também fazia parte do clube, da sucursal Rio das Almas. Ela também tinha os seus lugares na cidade, onde levava os seus interesses românticos. E eu estava tendo a honra de participar do seu tour.

* * *

Muito já foi dito sobre a morte do Ayrton Senna. Ele era de Santana, meu bairro. Mas a melhor coisa que eu li foi que a morte do Senna acabou com as manhãs de domingo. É verdade!

Mas nem sempre foi, pelo menos por um tempo ainda depois da morte dele. Antes de conhecer a Elisa. Eu tive uma namorada sensacional, em São Paulo, em Santana mesmo — ela morava lá —, que eu no fim não consegui manter. Lógico! Mas lá no carro com a Elisa, entre um lugar secreto e outro, lembrei do tempo com essa menina agora desaparecida. A redenção do domingo, depois da morte do nosso herói de Santana. E os domingos eram plenos novamente.

Fui tirado do meu devaneio quando a Elisa perguntou:

— Você tá excitado?

— Não — respondi, e não estava mesmo. Mas fiquei, um segundo depois de ela me perguntar.

— Se eu te mostrar uma coisa, promete que não vai me tocar? — perguntou Elisa.

Fiz que sim. Ela puxou a alça da blusa — vestia uma blusinha regata e um short largo — e me mostrou o peito, o lado do peito, até a aréola. E então o mamilo, escuro, cor de terra. Duro e pequeno. Ela olhava para mim, mas me voltei para a estrada à nossa frente. Continuei dirigindo. Ela pareceu decepcionada.

— Vira aqui — disse ela, indicando uma entrada que subia.

— Aqui à direita? — perguntei.

— Isso.

Ela remexeu na sacola de lona e tirou de lá um vinho, de tampa de rosca. Não era um dos que eu tinha comprado. Não compro vinho com tampa de rosca. Abriu e me ofereceu.

— Quer?

— Não. Vai beber a essa hora? — perguntei, me concentrando na estrada.

— Eu gosto de beber à tarde — disse ela, e tomou um gole. — Não tenho nada para fazer hoje.

— Me dá um gole, então — pedi e ela me deu.

— Eu gosto de beber à tarde — repetiu.

— Tô vendo! Eu também... E o Henrique também.

— Sério? — perguntou ela, como que surpresa.

— Você é alcoólatra também?
— Não, que horror! Por que, você é?
— Não. Mas o Henrique é...
— Eu gosto de passear de carro também.
— Ah, sim, mulheres geralmente gostam — eu disse, e ela me ignorou.

Ainda bem que me ignorou! Consigo ficar ainda mais idiota quando estou sentindo alguma coisa. Julgando pela minha reação naquele carro, devia estar apaixonado.

— Eu gosto de moto, mas não sei guiar — desconversei.
— Dá para abrir o vidro?
— Claro! Abre aí!

Ela abriu o vidro e se inclinou para fora. Sentindo o vento, esvoaçante. Vi pelo retrovisor. Voltou a se recostar no banco de passageiros.

— O ventinho é o melhor! — ela disse.
— É... Por isso que eu gosto de moto!
— E por que você não tem moto? É mais barato que carro.
— Meus pais não me deixavam andar de moto. É perigoso. Na época que tirei a carta eu bebia muito. Até entendo.
— Mas eles tinham moto?
— Meu pai tinha. Tinha um capacete ótimo também. Era um fanfarrão. Meus pais deixavam a moto aqui em Rio das Almas. Tinham uma casa aqui, é lá que eu tô. Vim vender a casa.
— Eles morreram, né?
— Morreram. Há alguns anos — menti.
— É, percebi.
— Os seus pais também morreram, não? — perguntei.
— Como você sabe?
— Não sei. O jeito como você descobriu que os meus tinham morrido.
— Mas você não sabe se os meus morreram mesmo ou não — ela disse, me provocando. — Ou se só o meu pai morreu, ou se só a minha mãe.
— É, não sei mesmo. Só tive essa impressão.

Ela se calou por um momento. Não senti tristeza nela, mas devia estar pensando em algo. Algum pensamento que não lhe vinha à mente havia muito tempo.

— Mas alguém já morreu, não? — perguntei.

— Bom, vamos dizer que sou parecida com você em algumas coisas — riu. — Pode ser isso, ou pode ser que eu também goste de moto. — Virou-se e piscou para mim. — Quem vai saber?

— Quem vai saber — concordei. — Mas pode ser também que você tente manter seu "verdadeiro eu" intacto escondendo bobagens. Tipo as putas, que dão nome falso e não beijam na boca.

Ela não respondeu. Me arrependi profundamente de ter dito aquilo, mas não consegui pedir desculpas. Ia parecer que aquilo tinha sido o que de fato fora — uma ofensa. Se ninguém dissesse nada a respeito, era capaz que aquelas palavras sumissem como fumaça de cigarro, e estaria tudo bem.

Fiz bem em não me desculpar, porque instantes depois ela apontou para o fim da estrada, alegre de novo.

— É aqui!

Era uma casinha branca, no meio da mata, na beira da estrada. Uma guarita abandonada. Saltou do carro e eu a segui, ela se abraçou para se aquecer.

— Tá com frio? — perguntei. Mas não estava frio nem ventava.

— Não — ela disse, e evitou a entrada da casa. Em vez disso deu a volta nela, em direção a um terreno com vista para a cidade. Lá embaixo, Rio das Almas cozinhava ao sol. Ela sentou na beira do mirante, que dava para o abismo. Eu bati a mão na terra e sentei ao lado dela. Ficamos contemplando a cidade parada lá embaixo.

— Eu olho para essa cidade e não sei nada sobre ela — eu disse.

— É... Eu sei tudo! — ela respondeu, melancólica. — Todos os lugares têm alguma coisa.
— Sério?
Ela fez que sim. Apontei um bloco de prédios lá embaixo.
— Ali, por exemplo.
— Também tem. Teve — se corrigiu.
— O quê? — perguntei.
— Não vou contar!
— Por quê? Acha que eu teria ciúme?
— Não. É que eu não vivo de passado.
— Não é para viver. Só tô pedindo para me contar! — insisti.
— Você ia ficar com ciúme!
— Ah, tá bom — eu ri. *Ia mesmo, mas não tinha problema*, pensei. *Eu já não conseguia viver sem os segredos que ela me contava enquanto eu a olhava de costas e a imaginava nua*. Era outro pensamento, meio perturbador.

De repente, quis dizer aquilo para ela, naquele momento. Não sei se estava me preparando para fazer aquela declaração, quando eu disse:
— Sabe quando você deixa uma coisa importante para depois... E aí já era?
— Não — ela disse, com sinceridade. — Deve ser comum em São Paulo.
— É bem comum em São Paulo — concordei.
— É que eu já tô aqui há muito tempo. Nem eu me lembro direito das coisas que já aconteceram. Se eu começasse a contar coisas, nem sei se estaria inventando — ela disse, mostrando que não tinha entendido o que eu queria dizer. Deixei para lá.
— Tudo bem. E por que você não vai embora então?
— Não é assim. Se fosse, todo mundo iria para capital. E não ia sobrar ninguém para ficar no interior, se sentindo pior.
— Você não é pior porque vive no interior — eu disse.
Ela riu de novo.
— Você não acha isso de verdade... Ninguém acha!

— Você é uma das meninas mais legais que já conheci!
— Ah, tá — disse, cínica.
— Juro! É mesmo! Eu tava para te dizer isso agora!
— O quê?
— Se eu não tivesse vindo para Rio das Almas, eu não saberia de você — eu disse, e me assustei com a minha sinceridade.

Depois de anos cultivando um cinismo necessário para passar incólume por essa vida, aquelas palavras eram verdadeiras. Até saíram com uma inflexão cínica, por hábito, mas era totalmente verdade. A Elisa, ali comigo, era como a encarnação de um sonho que eu já tinha desistido de alcançar.

— Mas você me encontrou — ela disse, e segurou a minha mão.

Ela olhava para a frente quando apertou a minha mão. Ela estava olhando para o mundo lá embaixo, tinha um sorriso sonhador no rosto. Me inclinei sobre os ombros dela, que se virou e me olhou nos olhos.

— O quê?
— Nada — eu disse, dando os ombros. E rimos.

E a beijei.

Primeiro desajeitadamente, depois como se sorvesse a própria felicidade. Tanto que até hoje, quando penso na felicidade, é nisso que eu penso.

* * *

Estávamos dentro da casinha branca. A guarita abandonada.

Elisa se deitou na minha frente e abriu as pernas para mim.

Tirei os olhos de lá e, por um instante, olhei para o seu rosto. Ela hesitou. Diante de mim, fechou as pernas e cobriu o meio com a mão. E virou o rosto para o lado, preocupada em tirar a blusa de baixo que ela usava e estendê-la, para não amassar. E então eu percebi: *ela não era o que parecia ser*.

Nem tampouco era rara. Ela era um tipo de fêmea que exala desejo e confusão. Fragilidade e insegurança. Que desafia cada homem a fazer o pior possível e lhe dá a excitação máxima: a certeza de que sairá impune depois de destroçá-la, seu corpo e sua alma.

A fêmea sem guarda, que te saciará até os limites do desconhecido. Uma raça antiga!

Agora ela olhava para mim, assustada. Tinha percebido que eu tinha percebido! E virou-se ali e, agora, cobria também os seios com o outro braço.

— Tem certeza de que é isso que você quer? — perguntou.

— É — eu disse, sem convicção.

— Vem aqui — disse, e puxou o lençol, cobrindo o corpo. — Eu faço o que você quiser.

Ela estava desvendando como eu era. Dizia as coisas e olhava para mim para saber que reação eu teria. Elisa também espiara dentro da minha mente, estéril e cheia de ordem. *E tudo bem*, parecia dizer.

Senti um negócio no nariz. E um negócio no peito. Senti algo terno aumentando junto com a minha excitação. Uma paixão pulsante e incontrolável por aquela menina. Às vias da submissão. Eu estava aberto, era uma ferida. Fiquei pensando em que momento eu me entregaria.

* * *

Que aquela terra era má eu já havia percebido, mas esquecera completamente naqueles dias após a fuga da prisão. E, se conto sobre meus dias com Elisa, é para explicar o porquê de eu ter ficado paralisado e não ter feito nada naqueles dias tão cruciais. Eu teria o resto da vida para me arrepender disso.

Estávamos de volta a casa dela. Havia um carro vermelho parado na entrada do mato, mas o ignoramos. A casa não era muito melhor que aquela guarita abandonada no topo da cidade.

Entrei e me estiquei na cama. Elisa tomava banho, naquele banheiro safado dela, e resolvi bisbilhotar no armário caindo aos pedaços onde ela guardava suas roupas. Uma sucessão de camisetas e blusinhas, duas calças jeans e duas do uniforme do trabalho. E vestidos. Não eram chiques, nem mesmo de bom gosto, mas tinham sido exaustivamente usados. Era o tipo de vestido que as meninas do interior põem para ir à praça. Qual foi minha surpresa quando abri a gaveta dos sapatos. Havia seis pares de sapatos de salto alto, de saltos enormes, vulgares até. Mas ela era imune a esse tipo de vulgaridade. Nunca a tinha visto com aqueles saltos, de modo que julguei que eles pertenciam a outro tempo. A uma outra Elisa.

A porta do banheiro se abriu e eu corri de volta para a cama. Ela veio com um pijama gasto também, de um algodão fino de tão porcaria. Outro short e outra camiseta regata, como os que ela vestira na nossa expedição, só que mais gastos. Recostou-se ao pé da cama e se espreguiçou para que eu visse suas formas. Eu a abracei, e ela me afastou. Abracei-a de novo e ela escorregou para o outro canto da cama. Percebi que tinha um olhar perdido, para a chuva que tinha acabado de começar a cair lá fora. Voltei a tentar abraçá-la, carinhosamente dessa vez, e ela permitiu. Sem tirar os olhos da chuva emoldurada pela janela.

— Você já fez alguma coisa muito ruim? — ela perguntou.

Todos os meus amigos estão mortos, pensei.

Não era o que ela tinha me perguntado, mas foi o que me veio à mente. Ali eu já começava a perder o prumo dos meus pensamentos.

— Se eu já fiz alguma coisa muito errada? — repeti.

— Uhum — assentiu.

— Várias, deixa eu ver... Já abandonei uma namorada que pensava que eu a amava. Eu enchi o coração dela e a fiz acreditar que ela era tudo para mim — eu disse, sem paixão.

Mas senti um aperto no peito.

Elisa não disse nada. Continuou olhando para a chuva, como se não estivesse ouvindo. Mas estava.

— Ela pensava que eu a amava — continuei. — E eu a amava! Mas depois de um tempo, comecei a me irritar com tudo o que ela fazia.

Silêncio. Chuva batendo no telhado. Na mata.

— Eu era tudo para ela — concluí.

— Ela se matou?

— Não, não se matou. Mas depois daquilo se transformou numa mulher triste e vulgar.

— Você acabou com ela, é isso?

— Não acabei. Mas ela era uma menina maravilhosa, e eu tirei isso dela.

— Você roubou a melhor parte dela — ela disse. Não era uma pergunta.

— O que ela tinha de melhor — concordei — Dizer para aquela menina doce que eu não amava mais ela foi a coisa mais cruel que eu já fiz nessa vida — eu disse, e senti meus olhos, idiotamente, marejarem.

— Entendi — Elisa disse. Parecia decepcionada.

— E você?

— O quê?

— Já fez alguma coisa muito ruim?

Ela deu de ombros, displicente. Uma expressão de beicinho, artificial, como se tentasse lembrar.

— Eu, não — e encerrou o assunto.

Típica Elisa! Uma filha da puta contumaz! Só que ela não deveria ter feito isso, me fez compará-la. A Elisa era lixo perto do que eu perdi. Mas não diria isso a ela.

Deixei passar e continuamos abraçados, assistindo à chuva em silêncio.

* * *

Quando acordei ainda era dia, não chovia, nem havia mais nuvens. O sol já tinha se escondido atrás das montanhas e logo seria noite. Elisa não estava no quarto, também não a ouvia pela casa, mas não procurei por ela.

Voltei imediatamente minha atenção para os livros que havia roubado da mesa do delegado. Os livros do padre Fausto, empilhados no criado-mudo. Assim que separei um livro do outro, um papel caiu do meio dele. Era um *post-it* sem cola, escrito:

— *Confrontar a P. sobre a M.* — *ela SABE!!!*
— *Seguir I. até a casa da M.*

Tinha visto um bloquinho de *post-its* na mesa do delegado, de modo que as anotações eram dele. Assim que bati o olho na nota percebi do que se tratava: P. era mulher; "ela sabe" se referia à P., claramente. M não era de Elisa, mas o delegado provavelmente cometera o mesmo erro que eu. Tomara Elisa por Marta! A própria descrição da bibliotecária, da menina que acompanhava o Henrique à biblioteca, batia com a Elisa, não com o fantasma da Marta.

A Elisa devia ter se *apresentado* como Marta em alguma outra ocasião. E quanto ao I. eu tinha certeza. Nenhum nome começa com I, além de Igor e Isaac e Ismael. E ninguém se chama assim! Eu sabia, tinha passado minha vida escolar inteira sendo o único aluno entre o H e o J. Esse I. era eu!

O filho da puta estava me seguindo!

Senti raiva e depois pânico, meu coração a palpitar. Sentia o terror da adolescência, de estar vivendo as coisas pela primeira vez e não fazer ideia do que daria certo nessa situação. Era uma sensação antiga, já há muito esquecida!

— Ismael!

Ouvi Elisa me chamando.

Saí da casa, não sem antes colocar o revólver no cinto. O céu era de um azul-escuro, dos instantes antes de a noite cair por completo, mas a terra ainda estava clara. Elisa não estava lá, de modo que resolvi dar a volta na casa. Do ponto de onde se via a estrada, havia um carro vermelho parado. Senti uma pressão forte envolvendo meu braço. Tomei um susto, mas era Elisa. Ela parecia ainda mais assustada que eu. Com uma expressão enlouquecida e o peito arfante. Aquilo era medo. E eu entendi.

Não tinha sido ela quem me chamara.

— Eu ouvi isso também! — ela sussurrou, em pânico.

Peguei-a pelo braço e a levei até a porta. E nos trancamos lá dentro.

* * *

— Você não tem tatuagem? — ela me perguntou, como se não estivéssemos nus e como se ela já não conhecesse toda a extensão do meu corpo.

— Não. Você também não.

— Não gosto, acho vulgar — ela disse. — Por que você não tem?

— Meus pais morreram de Aids. Meu pai pegou e passou para minha mãe. Não gosto de nada que fique no corpo — eu disse, e me surpreendi com a resposta. Era verdade.

Ela não disse nada. Me abraçou mais forte, só. Mas depois voltou a me tocar. Ela não tirava a mão de mim, de modo que fiquei excitado. Transamos de novo, sobre o lençol ainda molhado de suor.

Depois fiquei num estado semiletárgico, e ela se levantou para fazer algo na cozinha. Sei que uma pessoa normal teria feito alguma coisa, qualquer outra além de se trancar em casa e esperar que o que quer que tenha me chamado não voltasse a aparecer. Ou ido até a estrada, para ver o que aquele carro vermelho estava fazendo parado naquele ermo. Ou pelo menos checado se o carro continuava lá. Eu mesmo teria feito isso.

E o fato de eu ter tomado aquela atitude revelava o quanto eu estava diferente, o quanto já não era mais eu mesmo naqueles dias.

Resolvi voltar minha atenção para o que estava no fundo da minha mente, me incomodando desde que eu voltara para a casa da Elisa: os livros do padre Fausto.

Um deles era O livro, o que enlouquecia aqueles que o liam. Aquele que o padre estava lendo quando se matou. Decidi abri-lo na primeira página, só para checar se era aquele mesmo. Era!

Fechei o livro e me deparei com outro, de capa de couro, muito fino e desgastado. Parecia um caderno, e era, um caderno pautado, escrito à mão. Eu já tinha visto esse caderno, era o que o padre Fausto abrira na minha frente para me mostrar o desenho da menina. Comecei a lê-lo, e qual foi a minha surpresa ao perceber que se tratava de um diário. O diário de Jorge, o antigo padre!

Lá ele discorria sobre a vida na paróquia, cheio de nomes e fatos sem contextualização, como deve ser um diário escrito para não ser lido por mais ninguém. Também tecia observações teológicas sobre a Bíblia, escrevia sermões e anotava impressões sobre estudos eclesiásticos, mas também sobre os mais variados assuntos, como psicologia e botânica.

Já no meio do diário, encontrei uma leve perturbação na sua caligrafia. Como se tivesse ficado mais caprichada, refletindo maior controle sobre alguma perturbação da alma. Naquele ponto o diário ficava mais íntimo. Ele não mais se referia a nomes, como se quisesse esconder algo dos próprios olhos. Os textos ficavam cifrados e — supus — apaixonados. Algo acontecera ao padre, mas não havia nenhuma indicação do que pudesse ter acontecido.

Vou reproduzir uma entrada datada de 23 de agosto de 1889. Três meses depois do texto anterior, de longe um intervalo muito maior entre um texto e outro do que se observava no começo do diário. Um ano depois da abolição da escravatura, não pude deixar de perceber. Exatamente a data referida no meu sonho, da menina prisioneira e do mineiro que morria. O sonho em que aparecia a Elisa!

Reproduzo o texto na íntegra (sim, ainda tenho o diário), na parte em que noto pela primeira vez a mudança na grafia e no estilo:

Rio das Almas, 23 de agosto de 1890.

Sabe a espera, excitante e angustiante, diante da expectativa de grandes dias? A espera de um feriado, que todo ano vinha, mas que para este não havia ainda se decidido a que aventuras se lançaria? Percebi que há muito nós sonhávamos um com o outro. E não era como se o sonho tivesse encarnado, assumido a sua forma agora que nos encontramos. Não. Era mais uma lembrança, que eu tinha esquecido e foi despertada exatamente como era quando eu te vi. Que já estava lá, antes mesmo de os nossos olhares se cruzarem.

Li aquilo com o peito apertado, aquecido de pena, porque sabia o resto da história! O mesmo sentimento de quando encontramos palavras escritas no começo do amor. Um papelzinho que escorrega de um livro, já anos depois de tudo aquilo ter sido enterrado.

Passei as páginas do diário até as páginas em branco, não escritas. Estava incompleto.

Na última página, havia um poema escrito na mesma caligrafia nervosa de todo o diário a partir de 23 de agosto. Mas este não tinha data:

Sol
Sol ardente, tarde vazia
Estão em Rio das Almas
A brisa quente, o dia inteiro
Hoje eu quero sair na rua

Andar sob o sol de dezembro
e os carros lentos [um congestionamento de carroças e carros de boi no centro da cidade. Ou seriam carros mesmo, o que confirmaria o avanço da minha esquizofrenia e jogaria por terra tudo o que eu tinha percebido até aqui]?
e no meio
a certeza de um dia bom

Luz do Oriente
Reflete o dia que ficou
Luz do Oriente
Reflete o dia que ficou

Parecia uma canção! E continuava.

O amor
É sono é deserto
E eu espero
Ponho a minha vida ali
São trinta anos e recomeço
Até ficarmos velhos e loucos

Burrice é achar que estamos perto
Que vai dar certo
Se não dá certo para ninguém

Luz do Oriente
Reflete o dia que ficou
Luz do Oriente
Reflete o dia que ficou

Eu gostava mais dessa última fase do padre poeta. Me tocava muito mais! Desejei que ele tivesse escrito mais coisas. E que, um dia, eu pudesse encontrá-las, quem sabe.

O engraçado é que quando li não tentei estabelecer nenhuma conexão com o que vinha acontecendo. Tomei aquilo por um poema, uma expressão de uma alma irmã num momento de inspiração. E só. Tal era a enormidade da minha negação.

* * *

Sobre o outro caderno, do qual eu até então não tinha conhecimento, não quero citá-lo literalmente aqui. Trata-se também de um diário, também de um padre, como pude inferir, mas datado de vinte anos depois do padre apaixonado. Foi escrito entre os anos de 1909 e 1912, com grandes intervalos, o que me leva a crer que ficava escondido, num lugar de difícil acesso, para que nunca fosse encontrado. Só digo que o nome do padre era José Maria, e que ele havia sido padre da paróquia de Rio das Almas durante a redação daquele diário bizarro. E que sua natureza má encontrou nessa terra todas as condições propícias para que sua loucura pudesse florescer.

O "diário", se é que posso chamá-lo assim, foi escrito em poemas, versos decassílabos, que narravam ideias ou eventos que se seguiram à implantação de um cristianismo rústico, bem afeito ao espírito do começo do século XX no Brasil, tempo das Guerras de Canudos e do Contestado. Era um texto bem mais erótico do que se poderia esperar de qualquer coisa escrita por um não romântico no começo do século, mesmo por um ateu. E era doentio. Narrava a implementação de um culto *Marianista* em Rio das Almas, com cantos e procedimentos ritualísticos sórdidos. O padre tinha uma obsessão pela Virgem Maria, e os poemas datados me levam a crer que se tratava dos eventos que se seguiram, após as supostas visões que ele tinha e passava como ordens para os seus congregados. Tudo leva a crer que toda a comunidade cristã de Rio das Almas tenha se envolvido diretamente naqueles trabalhos dementes.

O ponto alto — e mais angustiante — do diário tem relação com uma estranha festa, no dia 6 de janeiro, Dia de Reis. Segundo o texto — depois chequei e confirmei —, nessa data são desarmados os presépios, para que os reis magos, de fato, cheguem. Onze dias depois do que os católicos menos fervorosos acreditam, mas bem conhecido pelos religiosos praticantes. Nessa data, pela tradição ibérica, as crianças deixam seus sapatos com capim na janela para alimentar os camelos dos reis. Padre José Maria, que chegou depois da morte do padre poético, incrementou a tradição, invocando — segundo ele — um antigo ritual. Baseado na sua interpretação do cânone sagrado, fez com que o bolo de reis (outra tradição católica) fosse comido apenas por três jovens virgens. Fica claro no texto que elas são estrangeiras, de fora da cidade, mas nada é explicado sobre como são cooptadas. Se se trata de órfãs, *formosas em idade púbere*, como descreve o texto — e essa é a única descrição literal que vou me permitir —, ou filhas de gente muito pobre, de outros estados, nenhuma palavra.

Diz apenas que elas ficavam enclausuradas por sete semanas, se alimentando de mel e peixes, e que nenhum homem poderia tocá-las. No Dia de Reis eram tiradas da clausura, banhadas, depiladas e perfumadas com incenso, para a realização da missa. Depois da missa, pelo que eu entendi, havia uma festa, na qual era dado às três virgens o bolo de reis. Aquela que encontrasse a fava era nomeada a noiva de Jesus. As outras duas eram abençoadas pela Virgem Maria e libertadas para se casarem com o homem que escolhessem na cidade. A escolhida, a que encontrasse a fava no bolo, tinha um destino mais mórbido.

Era escoltada, sorridente, pelos homens penitentes e encapuzados, para ser coroada atrás do monte da cidade. *Atrás*, não no topo. Ela acenava para as mulheres e as mulheres acenavam para ela. Ao chegar ao local, a virgem era tomada pelos penitentes, um após o outro. Seu sangue era limpo do corpo deles e esfregado na terra, para fertilizá-la. Ainda consciente, era banhada por eles e amordaçada. E então vinham as mulheres, para também serem purgadas de seus pecados. Elas a untavam de óleo sagrado e ateavam fogo ao corpo da jovem, a tempo de lhe tirarem a mordaça antes que as chamas cobrissem seu rosto. Sua alma ascendia ao céu e suas cinzas eram espalhadas pela terra.

Eu sabia que não encontraria relatos dessa história em qualquer outro lugar. Mas, se é que houve algo, o que mais atesta a veracidade da história é a última página escrita — assim como o do outro padre, esse diário também estava incompleto —, na qual o padre José Maria reclama de um grupo de mulheres que, em vez de se acostumarem com a expiação, foram sopradas pelo demônio e lhe faziam ameaças, mesmo de morte, *uma morte horrível, sopra o demônio por meio delas*.

A história já é perturbadora o bastante para que seja narrada por mim. Pelos versos do padre louco, ela adquire uma dimensão de horror inconfessável, o que me fez queimar o diário para que aquelas palavras nunca sejam conhecidas e não ecoem por nenhuma outra mente além da minha. E, de fato, ecoam. Não há um dia em que eu não me lembre delas.

✳ ✳ ✳

Fui surpreendido por Elisa enquanto queimava o diário. Ela se aproximou e tapei os olhos dela, para que não lesse nem uma frase enquanto o fogo revelava as páginas de baixo.

Contei a história para ela mais ou menos como contei aqui. Ela ouviu em silêncio e, no fim, limitou-se a dizer que aquele padre fora mesmo morto de maneira horrível, pela Dona Manuela e um grupo de mulheres.

— A prefeita? — perguntei.
— A vó dela — disse. — Claro — completou.
Nos deitamos e, mais uma vez, Elisa me fez esquecer.

Mas algum resquício daquelas imagens perturbadoras se acumulou na minha mente, que divagou por lugares indissociáveis em relação à história, mas não menos sombrios. Parece que aquela experiência, aquela leitura, girou uma chave na minha mente e eu passei não só a ver o que acontecia de outra maneira como também a reinterpretar fatos antigos com essa nova perspectiva!

Tudo isso veio a partir do sonho que tive naquela noite.

* * *

Antes dos celulares e da internet, a pior coisa para um adúltero era falar dormindo. E meu pai falava dormindo. A primeira crise do casamento dos meus pais surgiu desse jeito, meu pai chamando o nome da outra, rindo. E quando acordou foi confrontado pela minha mãe e se enrolou para explicar.

Eles quase se separaram nessa época, meu pai foi até para fora de casa, para um hotel no bairro. E, quando me explicaram o porquê da mudança, eu sabia que era mentira.

A segunda crise do casamento deles foi quando descobriram que o meu pai tinha Aids e que tinha passado para a minha mãe. Mas dessa vez, por algum motivo, eles não tentaram se separar.

Fazia dias que eu já não sonhava. Mas, naquela noite, os sonhos vieram, cristalinos, com toda a força.

Eu estava vestido de branco numa mesquita, cercado por todos os meus mortos. Meu pai, minha mãe, o Henrique. Sabia que, se eu procurasse, encontraria minha irmã mais velha, ainda criança, eu hoje muito mais velho do que ela jamais viria a ser. Mas não procurei.

Um homem também de branco, como todos nós, se aproxima de mim e logo o reconheço.

É o padre Fausto.

Ele parece preocupado — desesperado, na verdade — e, quando se inclina para me dizer algo, um coro retumba. Uma canção poderosa, cantada pela voz de dezenas de homens, ressoa pela mesquita numa parede de som. Logo percebo que os homens que cantam não são os de branco ao meu lado. Ocupando todo o lado da mesquita, atrás de mim, uma fila de homens vestidos de preto, da cabeça aos pés, com os rostos cobertos e botas militares. E então compreendo o que eles cantam, em uníssono. Não é um hino árabe, religioso. É "Afraid to shoot strangers", em inglês. Do Iron Maiden. Apesar de toda a bizarrice, era a versão mais bonita que já ouvi.

Mal acabam de cantar e o padre Fausto faz menção de se aproximar novamente quando todos, as centenas de homens na mesquita, se debruçam sobre seus joelhos, ao mesmo tempo em que um sino anunciou a hora. Por dois ou três segundos ainda ficamos eu e o padre em pé, duas torres sobre a multidão ajoelhada. É então que o padre me puxa para baixo também e se ajoelha ao meu lado. Enquanto ouve a oração, agora em árabe, com a testa no chão, ouço o padre sussurrando em português. Muito baixinho, mas certo de que eu entenderia:

— Cai fora daqui — ele diz.

— Como? Para onde?

Estamos então ao lado da porta da mesquita. Há um carro antigo, um Opala, que é meu, estacionado do outro lado da rua.

— Entra no carro e vai! — o padre grita.

* * *

Acordei suando e com o coração galopante. Ao meu lado, Elisa dormia.

Dormia, profundamente. Um sono de cem anos. Um sono intranquilo. E, na inquietude do seu sono, Elisa passou a balbuciar palavras. Não ao léu, palavras que carregavam um nexo próprio. Enumeradas.

— Santos... Jaú... Itu... Franca...

Vá para o Tietê. Quando quiser... Quando quiser!

— Tietê — murmurou ela, e depois o silêncio.

Eram as últimas palavras do meu pai!

Não era o rio, não era a cidade no interior, não eram sequer as avenidas marginais que cortam a cidade e separam o centro dos bairros!

Era um mapa mental, memorizado por repetição, que descrevia um caminho que começava na avenida Paulista, a mais famosa de São Paulo, e enumerava as ruas paralelas a ela, no sentido bairro, até desembocar na alameda Tietê!

Senti um arrepio percorrer meu corpo, mais sufocante que qualquer outro! A conta fechava e a conclusão era clara. Meu pai tinha ensinado o caminho para ela!

Eu tremia. O ar me vinha pesado e eu pensava que não sabia o que era mais perturbador: aquelas terem sido as últimas palavras do meu pai delirante ou ele tê-la feito repetir, diante dele, a ordem das ruas. Tantas vezes a ponto de ficar impresso na sua memória mais desguarnecida. Era chocante... Era nojento. Era doentio!

Minha próxima memória é já do quarto, com a lamparina acesa, Elisa sentada na cama e eu confrontando-a com um caderno de capa preta aberto, dobrado, como uma revista. Chacoalhado por mim a um palmo do seu rosto.

— Quem é essa?! — gritei, salivando de ódio.

Ela me olhava desperta, confusa. Com a frieza dos torturados diante dos torturadores.

— É você?!

Vi sua expressão mudar. Seu semblante murchou com a surpresa e seus olhos encheram de água. Como se o que eu esfregasse na sua cara fosse uma lembrança terna, mas já esquecida, que voltava.

Nem eu lembrava o que eu esfregava na sua cara; virei o caderno para mim e vi que era a ilustração do padre. Uma menina, muito jovem e frágil, de cabelos esvoaçantes sobre o rosto, escondendo e mostrando parte dos seus olhos. Como se ele não quisesse revelar quem era, mas estava feito. A parte do rosto descoberta parecia muito com a Elisa.

Ela se recuperou do choque antes de mim. Quando voltei o olhar para ela, encontrei sua expressão mais dura do que jamais vira. Dura e triste. Eu não a conhecia, afinal.

— Quem é você? — perguntei.

— Vou te mostrar — ela disse, sem paixão. Levantou-se da cama e calçou suas sandálias. — Vem comigo.

* * *

Quando ela pediu que eu fizesse a curva, não tive dúvidas: estávamos indo para a casa de pedra. A casa dos meus pais. Minha, agora. Mas era como se não fosse. O ar estava pesado, como um dia quente nublado, entre chuvas. Eu olhava para o caminho enquanto dirigia, ia percebendo coisas que nunca notara que estavam lá. Como se eu estivesse vendo através dos olhos dela, não da Elisa de agora, mas a Elisa quando fez esse caminho pela primeira vez. Quando teria sido isso?

Ela pediu que eu virasse na entrada que dava para a casa de pedra. Subimos e estacionamos no mesmo lugar que eu tinha estacionado na primeira vez que voltei à casa, adulto. Há alguns dias, pensei.

Ela desceu do carro, e eu a segui. Mas não foi em direção à minha casa. Foi para a piscina. E de lá não parou e continuou andando. Para a casa ao lado. A casa da Marta.

Passou pela porta da frente arrebentada, eu atrás. Caminhou pela sala abandonada. Passou pela escada, tremeu um pouco. Passei atrás dela, e então eu vi.

Na beira da escada estava Marta.

Nua, apreensiva. Não olhei diretamente para ela, mas pude vê-la em pé ao passar pela entrada da escada. Vi até que ela tinha uma cicatriz rasgando do peito à barriga. Elisa a tinha visto também, eu notei, mas ninguém disse nada para manter a sombra da dúvida.

Elisa continuou, sem parar, até a cozinha. Abriu o armário debaixo da pia e retirou o botijão de cima da portinhola que dava para o porão. Nenhum de nós olhou para trás. Ficou claro para mim por que Elisa parou de olhar para trás para checar se eu a estava seguindo. Ela evitou olhar, simplesmente abriu a portinhola e começou a descer. Fui atrás dela antes que sumisse de vista, e também desci as escadas. Não sem medo, deixei a portinhola aberta atrás de mim.

Lá embaixo, vi quando Elisa acendeu uma vela e depois outra e mais outra. Desci até ela, o colchão velho iluminado junto à parede, as garrafas de vinho que ela fez girar para o canto com os pés. Em nenhum momento olhamos para a entrada da portinhola, mesmo que nenhuma sombra se projetasse dela.

Lá, iluminada pela luz das velas, Elisa tocou meu peito. Senti meu coração acelerado, batendo nos ossos da sua mão. Ela então se aproximou de mim e, sem fechar os olhos, me beijou. Fechei meus olhos quando ela fechou os dela. Seu coração galopante junto ao meu, seu cheiro de medo exalando forte e se misturando com o cheiro mais forte ainda que vinha dela, quando tirou sua calcinha encharcada, com a minha assistência.

Ela tremia, mais de medo que de desejo, e deitamos de lado para a entrada do porão, sem nunca olharmos para lá. Ela terminou de tirar minha roupa e começou a me sugar. Me senti efervescendo enquanto ela me sorvia e espalhava saliva para realçar meu gosto. Eu olhava para a parede, as sombras projetadas na parede, a dela agachada sobre a minha, indo e vindo, sem compromisso com o ritmo das velas.

* * *

Acordei sozinho, no escuro, com o rosto mergulhado naquela espuma cheirando a umidade. Levantei a cabeça e estava escuro, um escuro impenetrável. A ausência até do cheiro das velas indicava que elas já haviam se apagado havia muito tempo. Olhei sem querer para a entrada, ao topo da escada. O único fiapo de luz que se via vinha de lá, da entrada da portinha. Uma luz tênue demais, azulada, fantasmagórica. Não conseguia enxergar minha mão quando a coloquei diante do rosto. Mas sabia onde estava. E sentia uma presença.

A angústia me sufocava. Encontrei a escada, logo abaixo da luz fantasmagórica. Comecei a subir os degraus. Minhas pernas vacilantes, a cada passo achava que ia cair. Subia, como que tomado de esperança, só que era uma esperança má. Uma expectativa sem nome. Cheguei ao topo, engatinhei para fora do alçapão e me virei para a entrada da cozinha — sem luz, mas clara pelo brilho da noite que entrava pelas frestas.

Atravessei a cozinha trôpego, passaria pela escada que dava ao andar de cima da casa. Ao passar pela escada, me virei e lá estava ela.

Marta.

Nua, com os braços cruzados cobrindo os seios. E olhando para mim. Um olhar suplicante, horrendo. Os olhos dela eram a expressão do desespero!

— *Tira isso de dentro de mim!* — choramingou.

Não parei, de modo que passei por ela em direção à porta. Minhas pernas bamboleavam e decidi correr, para não cair. Passei pela porta destruída e continuei correndo, a presença dela no meu encalço. Contornei a piscina, depois a casa de pedra e cheguei à entrada da minha casa. Subi a escada da varanda e caí diante da porta. Não olhei para o lado enquanto tentava enfiar a chave no trinco. Eu tremia, não conseguia. Por fim, por sorte, a chave entrou e virei o trinco, abrindo a porta. Me levantei e corri para dentro, pelo corredor. Não acendi nenhuma luz, conhecia a geografia do lugar. Cheguei ao quarto dos meus pais pingando e me deixei cair na cama deles. Marta não estava na janela, do lado de fora, mas às vezes eu duvidava disso.

Os olhos de Marta. Ela, a única do grupo revolucionário que fora deixada viver, para servir aos militares como escrava. Eventualmente conseguiu fugir, mas enlouqueceu. Ou enlouqueceu e foi abandonada. Tanto faz. Ela, que achava que uma barata havia entrado dentro dela e subido até o seu cérebro, tiritando insuportavelmente, dia e noite. Ela, que, quando os militares já haviam abandonado a casa, voltou até lá e se matou. Ela, que era vista desde então, com maior ou menor frequência, sempre errando pela região ou assistindo aos passantes noturnos pela janela. Ou no pé da escada, ouvindo o sexo dos outros, enquanto a barata fazia a festa na sua cabeça. Uma tortura eterna e sem remédio, por lutar pelos outros. Não há justiça neste mundo.

Minha respiração voltou ao normal antes do meu coração, que batia forte, e continuou batendo até que desfaleci.

* * *

Era noite ainda. Acordei com um barulho baixo, ritmado, de cascos batendo na terra. Um trote constante, que vinha de longe e se aproximava. Decidi levantar e olhar quando ele se aproximou do meu terreno.

Fui até a janela e vi. Um cavalo pardo, sem montaria.

Algo escuro e viscoso pingava da sua boca, deixando uma trilha na grama por onde passava. Demorei para entender o brilho dançante em suas ventas, mas tive certeza: era *fogo*. Fogo saía de suas narinas, as labaredas dançavam para cima a cada respiração do animal. Bruxuleavam e diminuíam, e eram às vezes lança-chamas, às vezes tochas, e iluminavam o entorno de amarelo-incêndio quando ele expirava. E vinha na minha direção.

Notei que não podia me ver, cegado tanto pelo brilho do fogo diante dos seus olhos quanto pelo seu próprio reflexo na janela. Era para si mesmo que olhava, mas, de novo, eu estava na sua direção.

Corri para fora, desarmado, para surpreendê-lo e enxotá-lo. Ao chegar ao lado de fora, desci a escada da varanda e me esgueirei para o lado da casa, onde as sombras do fogo bruxuleavam, esparramadas pela grama. Pouco antes de fazer a curva na casa para o lado em que ele estava, a luz do fogo cessou. Completamente.

O barulho da sua respiração também. Fiz a volta e vi não um cavalo. Uma mulher caída na grama se levantava, da sua posição fetal, nua. Encharcada de suor, ela tremia, os pelos eriçados, a pele macia escorrendo gotas selvagens. Cheirando a enxofre. Reconheci as costas, as curvas dos quadris e o sulco da coluna, antes mesmo de ela se virar para mim. E quando virou, ela tinha um ferro, um freio de cavalo preso à sua boca. Era Elisa.

Foi apenas um instante e ela cobriu o freio com as mãos. Para que eu não o visse. Tentando removê-lo da sua boca, com uma expressão indizível, que eu mesmo não sabia se era de vergonha ou desespero. Corri até ela e agarrei-a quando ela tentou afastar o rosto. Segurei no freio preso à sua boca, ele deslizou para a minha mão sem nenhum esforço, revelando sua boca sulcada, manchada de sangue. Como uma louca que passasse batom. Ela olhou para mim e se levantou, vacilante. Corri para ampará-la. Impedi sua queda. Seus cabelos úmidos, encharcando meus braços e meu peito, e o cheiro forte de um molhado que eu conhecia bem.

Nos olhamos ofegantes, cada um num tempo, e nos beijamos. Aquele sangue não era dela! Eu já sabia como era o gosto do sangue dela. Nos encaixamos, eu vestido, e a deixei com as costas no chão, minha mão nela.

No fim continuamos calados, imóveis, os dois acordados. Depois de muito tempo eu falei, pela primeira vez. Algo que não consigo entender por quê. Algo sem sentido, até para mim, até hoje, que me parece insondável, o que quer que minha mente confusa estivesse pensando. Pode soar literal, mas disso eu tenho certeza, não era. Algo que passou pela minha mente e fez sentido naquela hora, para depois desaparecer.

— Não ponha fogo nos escombros — foi o que eu disse.

Depois de algum tempo em silêncio, ela respondeu. Como se estranhamente tivesse entendido.

— Não vou só por fogo nos escombros — disse. — Vou dançar sobre as cinzas e me pintar com elas!

Era uma promessa, o que quer que aquilo significasse.

* * *

Acordamos na cama, com grama grudada em nossos corpos. Elisa tinha acordado antes de mim.

— Tive um sonho — ela disse.

— O que foi?

— Sonhei que a gente tava em São Paulo, perto da avenida Paulista, num apartamento chique, tipo de novela. Mas você era mais novo, tinha uns cinco anos a menos, não era o futuro — explicou.

— E aí?

— Você tava brigando comigo. Não brigando, brigando... Falando calmo, mas sabe quando a gente tá com raiva e diz as coisas calmo?

— Sei. O que eu disse?

— Você disse que sentia falta de quando eu era uma adolescente engraçada e dizia só bobagens.

— E você?

— Eu disse que também sentia. Mas que não teria conseguido o que consegui se tivesse continuado daquele jeito — disse ela. — E você perguntou: "Que jeito?". E eu disse: "Uma mulher com uma casa... Uma carreira, um carro... Um futuro e uma posição na vida!" — continuou. — "Não faz como se isso não importasse, porque isso importa, sim. Muito! E eu não teria conseguido se tivesse continuado como eu era..."

Ouvi toda a história. Não sabia o que dizer.
— E aí?
— E aí eu acordei!
Eu acariciava suas costas. Também fiquei pensando nesse mundo possível do sonho de Elisa. Um dos muitos possíveis, fosse a vida outra.

Ela se virou para mim, me olhando nos olhos.
— Você me ama?
— Amo — eu disse.

Era uma resposta padrão, mas soou verdade. Era verdade, então.
— Me beija? — ela pediu.
E nos beijamos. Era verdade.

11.
A VERDADE

Passamos pelo centro da cidade porque não nos importávamos. Alguém, alguma menina, bela, devia ter sido assassinada na noite anterior. Havia uma comoção na frente da igreja, uma mãe ainda jovem gritava pela filha e era amparada pelos familiares. Dava para imaginar como a menina morreu.

Era loucura passar por lá, assim. Ainda mais loucura quando Elisa começou a pegar em mim e me apertar, enquanto passávamos. Lutei para manter o controle do carro.

Seguimos até a casa da Elisa. Pelo retrovisor, não havia ninguém atrás de nós.

Chegamos, saímos do carro e entramos na casa dela. Era natural fazer aquilo, e a sensação de chegar era boa, como havia sido boa a viagem até lá, lado a lado, em silêncio.

A porta abrindo soprou uma folha de papel sulfite no chão, passada por baixo da porta. Elisa se apressou em pegá-la, mas fui mais rápido.

His place. There's something for you there. Hurry.

"A casa dele. Tem algo para você lá. Corra."

Quem quer que tivesse escrito aquilo, imaginava que eu falasse inglês (não falo, mas entendi a mensagem) e ela não. Elisa percebeu que era uma mensagem escrita para ser entendida por mim, não por ela. Mesmo assim, falei:

— Tem alguma coisa na casa do Henrique.

Então percebi que ela tinha empalidecido. Estava apavorada, porque tinha se preocupado com o que realmente era preocupante.

— Seguiram a gente. Descobriram onde eu moro! — ela disse, desafinada.

Me apavorei também. Estariam ali fora, cercando a casa nesse instante?

— Quem escreveu isso? — ela perguntou.

— Não sei — respondi. Mas eu sabia, sim. Tinha sido o delegado.

— Sabe, sim — ela disse, me confrontando.

— Não sei mesmo!

Ela se resignou e saiu da casa. Eu saí logo atrás, para surpreendê-los, caso estivessem ali para nos pegar. Dei a volta na casa, não havia ninguém. Só a Elisa, agachada num canto, mexendo numas ervas plantadas num balde de tinta.

A mensagem era clara para mim. Eu deveria ir até a casa do Henrique, o mais rápido possível, para encontrar o delegado ou ter coordenadas para encontrá-lo. Mas, como eu já disse, o tempo ali naquela casa, naquela cidade, passava mais devagar, de modo que não levantei imediatamente e corri para o carro. Fiquei ali, tentando encontrar sentido, não naquela situação, mas na minha vida. Não era um bom momento, não sei por que começou.

Pensei no meu pai e no Henrique, quando ele levou a gente para assistir a um jogo do Santos contra o Corinthians, em São Paulo mesmo. E ficamos no tobogã do Pacaembu. Era uma memória de algo que tinha de fato acontecido, mas parecia mais ser uma coisa imaginada. Um mundo possível. E quando saiu o gol eu não vi, mas pulei. A expectativa do jogo. Senti um aperto e pensei numa ex-namorada minha, aquela com quem terminei, onde ela estaria agora. Coisas do tipo.

Fui tirado dos meus pensamentos por um dedilhado de violão, vindo do lado de fora. Era Elisa de novo. Ela errou os primeiros acordes, mas depois acertou e tocou até o fim. Sua voz doce, mais aguda do que quando ela falava. E o que ela cantava era uma canção desconhecida para mim, que contava uma história, e era linda. A história e ela tocando e cantando, a voz dela.

> *tamba-tajá*
> *Me faz feliz*
> *Que meu amor me queira bem*
>
> *Que seu amor seja só meu, de mais ninguém*
> *Que seja meu, todinho meu, de mais ninguém*
>
> *[...]*
>
> *tamba-tajá*
> *tamba-tajá*
> *tamba-tajá*
> *Me faz feliz...*
> *Que mais ninguém possa beijar o que beijei*
> *Que mais ninguém escute aquilo que escutei*
> *Nem possa olhar dentro dos olhos que olhei...*
> *tamba-tajá...*

Toquei seu ombro e ela virou para mim, mas não procurava por aprovação. Estivera ela também perdida em seus próprios pensamentos e eu a interrompia. Mas sorriu, feliz por eu estar lá, ouvindo-a cantar aquela música, de um índio e uma índia, que ela aprendera sabe-se lá Deus como, sabe-se lá quando.

* * *

Cheguei na frente da casa do Henrique, segui um pouco adiante e estacionei na rua ao lado. Deveria bastar. Elisa ficara em casa. Sabia que, o que quer que estivesse ali, era para mim.

A porta estava aberta, a casa toda estava vazia. Como se estivesse para alugar. Nenhum móvel ou papel, e o chão limpo e encerado. Não havia nada nem atrás do espelho do banheiro. Quando fechei o espelho vi a porta do quarto dele, sempre cheio de CDs e livros, lembrei. Era assim na adolescência, continuou sendo em todas as casas dele que visitei desde então. Fui até o quarto, sabendo que estaria deserto.

Abri a janela, queria que soubessem que eu estivera ali. O sol recortou os tacos encerados, e ali mesmo no chão, no canto, os únicos objetos da casa: três folhas de sulfite em branco. E um ferro de passar roupa velho. Eu sabia o que fazer.

Liguei o ferro na tomada, testei e esperei até que ele chiasse sob meu dedo, lambuzado de saliva. Comecei a passar as folhas em branco e, exatamente como eu esperava, palavras invisíveis passaram a surgir. Não conhecia aquele lado infantil do delegado, e o mais incrível ainda era que ele acertou que eu saberia o que fazer: o velho truque de escrever com um cotonete embebido em limão espremido. Invisível, até entrar em contato com um ferro quente. Temi que a mensagem também estivesse na língua do P.

Caro Ismael,

Tenho absoluta certeza de que saberá como ler esta carta, porque nós temos essa estranha conexão, desde o princípio. Sinto que não pude te dizer pessoalmente essas palavras que você agora lê. Estou saindo de Rio das Almas. Descobri que, de fato, seu amigo professor foi pego pelos militares, como suspeitávamos. E soube que eu seria o próximo. Como também sei que você nunca saiu de Rio das Almas — te segui até o casebre da mulher. Gostaria de recomendar que saísse, imediatamente, após ler esta carta.

Infelizmente, julgo te conhecer, e sei que a carta terá o efeito contrário. De qualquer forma, penso que as pessoas, como os países, se governam por comparação. Sei que vê toda essa situação bizarra como a aventura que lhe foi negada na sua vida pregressa. Por isso, julgo que não abandonará sua busca por respostas, mesmo sabendo dos riscos que corre. A vida é sua. Só posso ajudá-lo, então. Estas são as respostas que consegui averiguar. Você não é obrigado a acreditar em nada, mas imagino que já tenha visto e experimentado coisas que, pelo menos, te façam me dar o benefício da dúvida. Mais que isso: sinto que acreditará. Só é pior do que você imagina.

A menina, essa mulher com quem se envolveu. Que te acolheu e te escondeu na casa dela, desde o começo. Ela não é humana. Isso mesmo. Trata-se de uma espécie de alma encarnada, de um ser amaldiçoado, metamorfo, que os populares de antigamente conheciam como mula sem cabeça. Por tudo que pude investigar, ela é de fato uma metamorfa. Uma mulher que se transforma em mula, com as ventas em chamas, todas as quintas-feiras. Ela é a única da sua espécie, e, toda vez que falam da mula sem cabeça, é dela que falam. Seu nome é Elisa, mas há registros de que ela vem se apresentando como Cristina, Bianca e Marta, além do seu nome verdadeiro, que ela revela para aqueles em quem confia. Espero que não seja o seu caso.

Parece que ela recebeu essa maldição ao se apaixonar e ter relações com um padre da paróquia de Rio de Almas. Apurei, e houve mesmo esse padre. Seu nome era Jorge, e era dele o diário que você roubou do meu gabinete. Havia uma ilustração com o rosto da menina. Você já deve ter percebido.

Ignoro como essa maldição aconteceu, assim como ignoro muitos eventos que ocorreram em Rio das Almas desde então. Há ainda relatos de outros eventos bizarros que aconteceram na cidade, desde que os primeiros bandeirantes encontraram aqui o primeiro veio de ouro. Tentar refletir profundamente sobre isso comprometeria a sanidade do mais razoável dos homens, por isso recomendo que não o faça. A única explicação que concebi é que essa terra é maligna. Tem algo de sobrenatural, algo mal ocorrendo aqui, desde o princípio. Esses acontecimentos sombrios são raros e espaçados, mas nunca deixaram de ocorrer. Vez por outra eles voltam. Talvez tenha sido a chuva que tenha revolvido algo, mas, de novo, essa terra é má. Não tente avançar mais do que isso.

O dado é que, desde a chuva, sete meninas em idade púbere foram encontradas com os olhos arrancados, seus cérebros "chupados" pela cavidade ocular. O perfil das vítimas bate com as outras mortes que foram registradas, de tempos em tempos, desde o fim do século passado. Nos anos 1920, 1930, 1950, 1970 e agora. Sempre depois de grandes tempestades. Todas meninas, de catorze a vinte e três anos, consideradas muito bonitas. Ainda que não seja possível descartar a possibilidade de uma seita (como já houve em Rio das Almas) ou mesmo um serial killer que inspire copiadores ao longo do tempo, a descrição desse ser, dessa entidade da mula sem cabeça, diz que ela mata exatamente da mesma maneira: retirando os olhos e o cérebro através dos globos oculares das vítimas. Apesar de a Elisa ser a única de que se tem registro neste século, encontrei referências ao mito do mesmo ser, uma mulher que se envolve com um santo padre e é amaldiçoada a se transformar numa mula em chamas, desde o século XIII, na península Ibérica.

Todas as histórias são idênticas. Uma vez amaldiçoada, ela se transforma uma vez por semana e vaga por sete freguesias. Sua maldição só é anulada quando um homem retira o freio de ferro da sua boca, instantes depois de ela se transformar novamente em mulher. Toda a vez que ela volta à forma humana, aparece nua, pingando de suor e exalando um forte cheiro de enxofre. Por isso o desespero dela em encontrar um protetor, que possa livrá-la da maldição. Quando isso acontece, ela volta a ser uma mulher "normal", que nunca envelhece. E continua assim enquanto o homem que retirou o freio da sua boca estiver vivo — ou caso esse mesmo homem coloque novamente o freio nela. Quando então a maldição recomeça.

A mula não consegue viver por muito tempo longe da terra onde foi amaldiçoada. Por isso, a própria maldição traz também um mecanismo de autopreservação: toda vez que seu freio é retirado e a maldição cessa, a mula é totalmente esquecida por toda a população. Como se nunca tivesse existido. Mesmo registros de voz ou fotografias da mulher desaparecem, de modo que ela consegue seguir circulando pelos mesmos lugares, na frente das mesmas pessoas que a conheciam, mas que passam a tratá-la como uma perfeita desconhecida.

Colhi essas informações junto a pessoas da cidade. Todas elas, pelo menos as mais velhas, sabem da existência da mula, ainda que não consigam reconhecê-la quando olham para ela. Também não faço ideia da relação entre os militares e a ocorrência da mula, mas alguma conexão me parece óbvia, seja qual for. Seria muita coincidência se não houvesse. De novo, não tente descobrir. Fuja da cidade, assim que possível.

Eu sei, Ismael, o quão insano é tudo isso. Gostaria de poder escrever de forma hipotética, com o cuidado de tratar tamanha bizarrice como suposição, mas estou em fuga. Se julgar que estou delirando, saiba que então desfruta ainda mais da minha admiração. No fundo, rezo para que esteja. Só tenho certeza de que são reais os militares e as mortes das meninas. Mas, se já estiver envolvido e acreditar nas minhas palavras já perturbadas, peço-lhe que fuja. Como eu. Mas, antes disso, mate a mula! Ela pode ser morta, já foi morta antes, enforcada com as mãos nuas. À maneira das adúlteras. E não tema estar cometendo a essa altura nenhum crime maior que livrar o mundo dessa praga odiosa: a mula amaldiçoada, como o animal, é estéril.

Vou agora, Ismael, para longe, onde não possa mais ser encontrado. Se quiser ainda vingar seu amigo, deixe-me repartir algo mais que consegui apurar. O capitão, o sádico imbeciloide com cara de criança, está sempre armado e cercado por seus homens. Não bebe álcool, mas come, bebe e dorme na delegacia, que eles fizeram de quartel. É paranoico e extremamente perigoso. Sua única indulgência é frequentar um bordel em Correia, uma cidade a quarenta e dois quilômetros ao sul de Rio das Almas. É o único bordel da cidade, você saberá reconhecê-lo pela luz vermelha nos andares de cima. Todas as terças e sextas-feiras, ele e o sargento saem por volta das onze da noite e só voltam na manhã seguinte. Eles alugam um quarto no andar de cima. Não vão fardados, mas serão os únicos homens de óculos escuros e ridículas perucas de cabelos longos. Ele costuma escolher uma morena de cabelos compridos, pretos e olhos verdes.

Saiba, Ismael, que eu também tenho me feitos muitas perguntas a respeito de todas essas coisas. Se há mesmo essa maldição, então deve haver um Deus que a tenha proferido. Um Deus que insufla o desejo em mulheres e depois as pune, com horrendo rigor, por sadismo. Um Deus que, se fosse homem, eu mesmo mataria. E que parece ser o único Deus que há. Também perco o sono pensando nessas coisas. A bondade então pode ser fruto dos homens, algum hábito ancestral que passamos a cultivar por sobrevivência e, então, tomou uma proporção maior. E tomamos a bondade por Deus, como tudo que nos é maior e incompreensível. Mas é capaz que venha de nós mesmos, a bondade; de alguns de nós, pelo menos.

Espero ainda ouvir falar de você. De mim, essas são as últimas palavras que vai ouvir. Mas saiba que o estimo, temo por sua vida, e torço para que dê cabo na sua aventura pessoal. Só tome cuidado, Ismael. Um dia, contarei de você para alguém.

Despeço-me então com o fim de um poema! Isso mesmo, um poema! Uma das minhas paixões de juventude. Porque sou um homem ridículo, e porque estou bêbado, e porque estou indo embora. Este em especial vem me ocorrendo bastante ultimamente. Peço que me perdoe, mas quem fala sobre fantasmas não pode se dar ao luxo de almejar alguma credibilidade. Chama-se Prometheus, *do Goethe, no qual Prometeu "dá uma banana" a Zeus. E ele termina assim:*

> *Talvez acreditaste*
> *Que eu havia de odiar a vida*
> *E fugir para o deserto*
> *Só porque nem todos os meus sonhos floresceram?*
>
> *Mas aqui estou eu!*
> *Formo homens à minha imagem*
> *Uma raça que se assemelhe a mim*
> *Que sofra e que chore*

*Que goze e que se alegre
E não te respeite
Como eu!*

Adeus, Ismael.

Marco, ex-delegado.

Senti meu peito quase transbordando ao terminar a carta. Eu não lembrava que seu nome era Marco.

* * *

Pensei tanto naquela carta que quando me dei conta já era noite alta. Lembrei que eu havia dirigido até a casa de pedra, depois até o mirante, cruzei o centro da cidade, passei pela loja e depois voltei por onde tinha vindo, na estrada de terra, onde a procissão de adolescentes descobrira o corpo de uma das meninas. Agora eu estava em cima do muro da escola, quando percebi que fumava o último cigarro do maço — em algum momento eu havia comprado cigarros. Assim que joguei fora o último e assisti à brasa se apagar junto ao muro, percebi que era novamente um fumante.

Segui para a casa de Elisa. A ideia de matá-la era absurda! "À maneira das adúlteras." Meu Deus! "Que tal apedrejá-la", pensei, sarcástico. Saudade de São Paulo. Mas tudo aquilo me perturbara, profundamente, de uma maneira que só agora percebo. Aquela carta verbalizava não só as coisas horríveis que eu vinha negando, mas também as coisas sobre as quais eu ainda não havia pensado. *Minha aventura*. Será que eu já podia admitir que estava insatisfeito com o rumo que minha vida tinha tomado ou seria muito cedo ainda?

Ao sair da estrada, os faróis do carro iluminaram por um instante o casebre ao fundo, escondido na mata. Foi o bastante para notar que estava apagado, mas vi de relance Elisa na janela, seus olhos brilhando contra a luz.

Caminhei pela trilha, tomada por vaga-lumes que piscavam na escuridão, como num Natal tardio. A casa também estava emoldurada pelos vaga-lumes da mata, e senti algo de sagrado, como se fosse entrar na própria manjedoura. Imediatamente, um outro sentimento se sobrepôs. A casa ali, escura. A besta lá dentro. Pela primeira vez, senti medo dos horrores que me esperavam.

Entrei e encontrei Elisa sentada na cama, no escuro.

— Eu sei quem você é — eu disse.

— Não sabe, não — ela respondeu, e deixou o quarto.

Deitei na cama quente onde ela estivera e olhei para a estrada. Um caminhão passou a distância. Elisa então voltou, com dois copos de requeijão cheios de vinho. Me estendeu um e hesitei. Não podia ver direito por causa do escuro. Mas conseguia distinguir sua fisionomia, mais séria do que eu jamais havia visto. O vinho poderia estar envenenado, mas tomei mesmo assim.

Elisa sentou ao meu lado, na cama, e ficamos os dois olhando pela janela. Os vaga-lumes, às vezes um carro na estrada.

— Faz tanto tempo que eu tô por aqui que já até me esqueci de quem eu era — ela disse, finalmente. Senti um arrepio. Era a assassina, a besta falando. Não respondi, porque não era necessário. — Minha lembrança mais antiga com data é de 1910. Uma amiga de infância minha que já era mulher, com filhos grandes, me escreveu uma carta antes de morrer. Recebi no enterro. As pessoas não estranhavam que eu tinha continuado com vinte anos porque tinham me esquecido. Mas eu me lembrava delas.

— Ela sabia quem você era? — perguntei.

— Sabia. Era minha amiga.

O copo de Elisa estava vazio, e ela saiu e voltou com a garrafa. Encheu o meu também.

— E a carta? O que ela dizia?

— Ela disse — e riu — que a minha mania de não aceitar o que as pessoas mais inteligentes pregavam e de insistir nas coisas do meu jeito me deixaram "sozinha contra o futuro". Era um conselho legal, só um pouco atrasado.

E eu nada disse. Ela já tinha matado seu segundo copo, e encheu mais um.

— Mas no fim da carta, em vez de assinar, ela escreveu que me amava e, embaixo, escreveu bem grande: "Não mude".

Mais silêncio. Ela respirava pesado.

— Mudei pouco mesmo desde então — continuou. — E a carta eu perdi, numa enchente. — Notei que ela chorava. Não a abracei nem nada, mas deveria.

— Não é culpa sua — eu disse, por fim.

Ela só soluçava bem baixinho, e deixei que chorasse suas dores insondáveis.

— Nós não temos escolha — eu disse — a não ser repetir o que sempre estivemos fadados a fazer. Quanto mais cedo a gente começa a identificar as coisas que vão fazer da gente quem a gente vai ser... Melhor!

Eu dizia mais para mim que para ela. Ao contrário dela, quanto a ser quem eu era, eu já tinha me rendido havia tempos.

Afaguei-lhe os cabelos e ela deitou no meu ombro. Era impressionante, mesmo depois de cem anos...

Então ela esticou o pescoço procurando meus lábios. Nos beijamos, sua boca encharcada pelo choro. Aumentou a pressão sobre mim e eu sentia-a ardente, palpitante de calor sensual. Logo eu também estava intoxicado e estávamos novamente um em cima do outro.

Num momento ela parou, ainda ofegante.

— Amor nenhum aguenta esse tipo de coisa — ela disse.

— Aguenta, sim.

— Não aguenta, não — sentenciou.

E continuou, epilética, até pesar imóvel sobre mim. Tinha dormido.

Eu não conseguiria dormir — me perguntava se dormiria algum dia como antes — e, de tudo aquilo que deixei dormir no fundo da minha mente, uma questão martelava, sem descanso.

Era noite de sexta-feira.

* * *

Cheguei já de madrugada ao bordel de Correia. De fato foi fácil, era a única casa que continuava acesa noite adentro. Além da luz vermelha, procurei por algum veículo militar nas imediações, foi ainda mais fácil. Lá estava o jipe, em frente à casa. Aparentemente, ao sair de Rio das Almas, o paranoico criação deixava de lado suas precauções.

Entrei pela portinha da frente. O lugar era maior do que parecia e bem decorado. Fino, até. Parecia a sala de alguma ex-cafetina que se casara com um homem rico. Lá dentro, uma mulher no sofá e duas perto da entrada se insinuavam para mim, com taças nas mãos. Era noite de Ano-Novo. As duas vieram ao meu encontro. A mais bonita me cumprimentou, afetuosamente.

— Oi, tudo bem? Catarina — ela disse, se apresentando.

— Ismael.

— Quer conhecer a casa?

— Na verdade, vou ficar pouco.

— Você não sabe — ela disse, e sorriu.

— Tô procurando uma menina morena, de olho meio verde e cabelo grande, preto.

— Sei.

— Como ela chama? — perguntei.

— Como ela te disse?

— Não disse. Ela tá aqui?

— Não sei — disse a mulher. — Quer dar uma olhada?

— Quero, sim.

— Então fica à vontade — ela disse, me indicando o caminho.

Entrei pela casa e andei pelos cômodos. Tinha o revólver engatilhado, escondido debaixo da camisa. A casa estava bem vazia, as mulheres lançavam olhares furtivos para mim e viravam-se rindo quando eu as encarava.

Uma menina morena de olhos verdes e cabelos escuros se aproximou de mim. Ela vestia um vestido solto e trazia uma flor no coque do cabelo, um caderninho na mão e uma caneta atrás da orelha.

— Oi — ela disse, com doçura.

— Oi.

— Posso pôr uma música para você?

— Brigado, tô de saída. Não era ela, eu sabia.

— De que música você gosta? — insistiu.

— Pode ser rock?

— Pode. Qual?

— Você escolhe — eu disse, quando encontrei a escada para o andar superior.

Ela se virou para sair e eu a detive, pelo braço.

— Rock, tá? Pop rock não é rock — eu disse.

— Tá bom — ela riu.

Eu tinha fãs para impressionar, o delegado Marco, por exemplo. Voltei em direção à escada, cumprimentei uma mulher gorda e comecei a subir. "Chão de giz", do Zé Ramalho, começou a tocar, mais alto que a música anterior. Na hora nem percebi como era irônico.

Meu coração palpitava loucamente. Quase dei um pulo quando a menina me chamou, ofegante, na beira da escada, para ver o que eu tinha achado. Fiz um sinal de positivo.

— Isso não é rock — eu disse —, mas belo trabalho!

— Gostou? — perguntou a menina se inclinando no corrimão da escada, sem subir.

— Se vocês estivessem em São Paulo, estariam ricas! — eu disse, e ela sorriu, satisfeita.

Continuei a escada, que era mais longa do que parecia, e fazia uma curva. Cheguei ao segundo andar, meu coração descompassado com a batida da música. Logo à frente, à meia luz, havia um cômodo vazio. Entrei e passei por um bar, também vazio, um mastro para *pole dance* e duas mulheres sentadas, que pararam de conversar e olharam para mim assim que entrei no salão. À frente, um longo corredor estreito, todo vermelho, iluminado de vermelho. Entrei no corredor, sentindo o revólver debaixo da camisa. O corredor era comprido e cheio de portas brancas dos dois lados. Todas trancadas. Ao fim, havia uma porta maior, dupla. A suíte!

Caminhei até lá, olhei para trás e ninguém me seguira. A visão daquele túnel vermelho era insana e me deu vertigem. Senti minha pressão cair um pouco, mas continuei. Ao chegar ao pé da porta, encostei a orelha na madeira e tentei ouvir algo. Nenhum barulho, a princípio — minha música não ajudava —, mas então pensei ouvir um burburinho, um murmúrio que poderia ser de uma TV ligada.

Quase testei a porta, mas quando me voltei para trás dei de cara com uma loira, da minha idade, com um cigarro na boca. Bonita e vulgar. Ela me media e senti meu corpo enrijecer.

Pegou, então, na minha mão, como se fosse lê-la.

— Você não é daqui — disse.

Fui caminhando para fora do corredor, para não ser ouvido pelos ocupantes do quarto. Mas a loira me seguiu, sem largar a minha mão.

— Não, sou de São Paulo — eu disse, desconversando. Temi que ela me perguntasse sobre o que estava fazendo junto à porta, mas ela não perguntou. Me perscrutava com os olhos duros, castanhos.

— Sério? Eu também! — ela disse, e sorriu.

— É mesmo? De São Paulo, capital? — perguntei.

— Nasci lá, mas vim para cá criança!
— De que bairro você é? — continuei.
— Ah, eu não lembro. Faz muito tempo! Posso ler sua mão?
— Pode. — Dei de ombros. — Vai dizer quem eu sou?
— Você sabe quem é. Vou ler seu destino.
— Tá bom — assenti.

Ela acariciava a palma da minha mão, enquanto estudava as linhas.

— Você vai me ajudar em alguma coisa que eu não sei? — perguntei, porque demorava.
— Talvez — ela disse. — Você sabe como beijar meninas em baladas?
— Sei. É fácil. Ainda mais aqui!
— Engano seu! É quase impossível!

E leu minha mão, com os olhos e os dedos. Ao fundo do corredor, a porta dupla.

— Na verdade, eu tô procurando uma mina — eu disse, puxando assunto, sem precisar.
— Morena, olhos verdes... Lábios marrons, cor de terra.
— Não é negra.
— Não, nem índia — ela disse. — É branca, mas morena, de cabelos negros. Ela tá aqui hoje?

Não respondi. Começava a acreditar nela.

Ela tirou o cigarro da boca, as cinzas vergando para baixo. Puxou ainda mais a minha mão e colocou o cigarro apontado para a minha palma.

— Você confia em mim? — perguntou, olhando nos meus olhos.

A mulher loira abriu minha mão em concha, como um cinzeiro. Apontou o cigarro aceso para a minha palma, como que para apagá-lo. E olhou de novo para mim, buscando consentimento.

— Confio.

Aproximou mais o cigarro fumegante da minha mão. Tencionei o braço, esperando pela dor. Mas ela só bateu as cinzas na palma da minha mão.

Continuei olhando para ela, sem medo. Ela soltou minha mão e deu um trago na guimba.

— A mulher que você procura não existe — disse, soltando a fumaça.

— Brigado — respondi, e dei as costas.

Ela ainda fez menção de dizer algo, vendo que eu escapava do seu encanto, mas desistiu.

Nesse momento, a porta dupla se abriu.

Apalpei minha arma. Quem saiu foi uma garota morena, de roupão, e fechou a porta atrás de si.

A loira que falava comigo tinha ido embora, e fiquei olhando para a menina que saiu da porta cruzando o corredor. Ela viu que eu a olhava, sorriu e virou o rosto. "Estou acompanhada", seus olhos verdes deram a entender.

Fiquei lá, parado na ponta do corredor vermelho. Olhando para a porta fechada ao fundo. Voltei a mim quando a menina esbarrou no meu ombro, pedindo licença com um sorriso. Levava uma garrafa de espumante para o quarto.

Esperei que ela se virasse para ver que eu não estava mais olhando. E, quando ela desistiu de mim, a segui. Corri furtivamente pelo corredor atrás dela. Quando ela abriu a porta dupla e olhou para trás, cheguei, empurrei-a para dentro e entrei atrás, como um carro desgovernado!

O capitão bebê estava recostado na cama, pelado, de peruca loira. Abriu a boca pateticamente quando viu minha arma apontada para ele. Sua expressão, seu medo, seus olhos infantiloides arregalados. Ele gania de medo. Tive nojo, mas não disparei.

Fechei a porta do quarto e a tranquei, com a prostituta de robe dentro, caída ao lado da porta com as mãos cobrindo a boca.

— Não! — gritei quando ele tentou se inclinar procurando a calça. E ele parou. — Nem... Sonhe!..

Ele continuava me fitando, com aquela expressão de horror. Imbeciloide. Meu peito arfava, subia e descia, como se não pudesse conter o que estava dentro.

— Quem é você? — ele perguntou, tentando aparentar segurança, mas desafinou no final.

Como se ele não soubesse! Eu sabia que ele sabia, mas joguei o jogo.

— Você conhece o professor Henrique, capitão?

Ele fez uma cara de perplexidade. Exagerada. Atuava muito mal!

— Não sei do que você tá falando, cara!
— Não mente, retardado! — bradei, salivando.
— Eu não sei — choramingou.
— Tira essa peruca! — ordenei.
— Eu não sei de nada...
— Tira... Essa... Merda! — gritei.
— Não...

Não esperei que terminasse. Subi na cama num pulo e chutei a cara dele.

Ele caiu sobre os travesseiros, cobrindo o rosto. Arranquei sua peruca — a menina abafou um gritinho — e o chutei novamente.

Ele chorava. Só era perigoso porque não tinha medo de atirar nos outros. Ele ali, cobrindo o rosto debiloide. Eu poderia matá-lo com as mãos. Pensei nisso.

Eu o agarrei, prendendo seus braços.

— Olha para mim! — gritei, cuspindo sobre ele.

Ele olhou. Aqueles olhos azuis, por entre suas mãos, esperando a morte.

— O professor Henrique — eu disse, e o esmurrei.

Comecei a esmurrá-lo com a arma na mão. A cada soco perdia a coragem de atirar. Mas precisava, eu sabia!

Ouvi a porta sendo arrombada. Atrás de mim, só pude ver o sargento entrando e disparando, o barulho do tiro, ensurdecedor, ecoando. Me joguei para o lado da cama, e o bebezão para o outro.

O sargento disparou novamente, e vi a brita da parede poeirenta, ao meu lado. Atirei de volta, e o sargento se jogou para o lado do bebezão, que num pulo desaparecia pela janela, nu.

Ouvi outro tiro e o senti me fisgar, por baixo da cama. Outro estrondo e outra fisgada, e eu saí correndo pela porta, antes de ver mais um tiro explodir no batente, na altura do meu ombro.

As mulheres todas gritavam enquanto eu corria, cômodo após cômodo, até descer as escadas e sair para a noite fresca. Estava sangrando.

A lanterna vermelha do jipe dos militares desaparecia na curva, cantando pneus. Entrei no meu carro e saí a toda também, na mesma direção do jipe. Olhei ainda de relance para a casa, o bordel, iluminado da mesma maneira de antes, mas com a porta aberta e ninguém encostado nela.

Ouvi uma sirene vindo da outra rua. O capitão tinha deixado o sargento para trás, seria pego. Meu braço latejava, sangue escorrendo pela manga quando engatei a marcha. Acelerei o máximo que pude, mas não consegui alcançar o jipe.

* * *

Elisa chorou quando me viu e eu desmaiei em seus braços.

Ela cuidou de mim na cama, trocou os curativos, me deu remédios. Os dois tiros acertaram meu braço direito, um rasgou minha pele e outro raspou no meu osso, estraçalhando o tríceps. Felizmente, as duas balas passaram pelo meu corpo, perdi muito sangue, mas não fui para o hospital.

Eu tinha falhado, e agora veríamos o pior. Insisti que fugíssemos imediatamente para São Paulo, mas ela disse que, se tomássemos a estrada, seríamos pegos. Os militares passavam um pente fino pela cidade. Era questão de dias.

Vivi suspenso em um terror constante. A cada carro que passava, meus nervos atrofiavam, eu suava, em expectativa. Meu coração palpitava, mesmo quando eu sabia que não poderia ser eles. Eu já não tinha controle sobre mim.

Com o passar dos dias, meu corpo começou a responder à aproximação apenas dos veículos mais pesados. Não sei bem quanto isso durou, se cinco ou sete dias, Elisa ao meu lado, às vezes.

✳ ✳ ✳

Ao fim, quando os vapores da febre passaram, eu estava na cama, meu braço enfaixado.

Elisa me trouxe um café. Pedi vinho, e ela não se opôs.

— Sua febre passou — disse.

Quando voltou com o vinho, pedi um cigarro, e ela não fez perguntas, só disse que me traria um amanhã, quando o MercaSol abrisse.

— Você tá de férias? — perguntei.

— Não. Não vou à loja faz tempo, deveria ter voltado, mas não voltei.

Fiquei em silêncio, meio chocado.

— Melhor assim — ela disse, e afagou meu cabelo. — Eu não conseguia vender nada.

— Tudo bem — eu disse.

Ela ficou pensativa, devia estar pensando na loja, e na menina que mal chegara e já vendia mais que ela.

— Aquela música que você tocou outro dia — lembrei.

— Qual música?

— Aquela bonita, do índio.

— Ah! — lembrou. — Aquela é antiga, nossa, tão antiga! Eu já era quem eu era.

— Que música é?

— Chama Tamba-Tajá, foi bem tocada por aqui na época. Tem outras do mesmo cara, mas são idiotas — disse. — *Foi o boto sinhá / foi o boto sinhá / Tajapanema se pôs a chorar / quem tem filha moça é bom vigia-ar* — cantou e riu. Ela é famosa. Menos que a lenda, mas é! — disse e me olhou. — Mas você nunca ouviu, né?

— Não. Tem uma lenda também?

— Nossa, você nunca ouviu mesmo. — Riu. — Eu tenho a planta na porta de casa!

— Que planta?

— Sabe aquela planta que tem uma folhona embaixo e uma folhinha em cima, como se tivesse montada nela? É a tamba-tajá!

— Vou olhar.

— Você até falou que ela era bonita!

— Ah, tá, lembrei! — menti. — E tem uma lenda?

— Tem! Tinha um índio muito forte de uma tribo macuxi que se casou com uma índia muito bonita, a Tamba-Tajá, e eles se amavam muito. Um dia, a índia ficou doente e ficou paralisada, para sempre, da cintura para baixo. Eles sofreram muito, mas aí ele fez uma tipoia e a amarrou nas costas. E passou a carregar a mulher para onde ele ia. Pelo mato. Até para a guerra. E os dois andavam sempre juntos, ela sempre amarrada nas costas dele. Um dia, ele percebeu que ela ficou mais pesada e não respondeu quando ele chamou. Tava morta! Aí ele cavou uma cova para ela e se enterrou junto, porque não queria continuar vivendo sem ela. Dali nasceu uma planta, que é a que eu tenho aqui em casa. E as pessoas colocam essa planta na porta, que dá uma folhona com uma folhinha atrás, para que não falte amor na casa delas.

— Nossa, que história triste! Mas ela combina com você — eu disse, e ela sorriu, sem alegria. — Onde você aprendeu?

— Ah, faz tempo, eu era menina ainda — respondeu, olhando pela janela. — Todo mundo conhecia! Hoje, ainda, muita gente conhece. Mas não sei por que todo mundo só sabe o começo e o fim, parece que todo mundo esqueceu o meio!

— E o que tem no meio?

— É a melhor parte, mas parece que todo mundo esqueceu!

— E como é?

Elisa pediu licença e voltou com outra garrafa de vinho e dois copos limpos. Era o que ela fazia toda vez que ia contar alguma coisa importante. Encheu os copos e me estendeu um deles. Fez um brinde no ar e eu retribuí. Ela deu um golão e tomei um também.

— Então — continuou. — O meio. Nós que somos brancos acreditamos que os índios não tinham dinheiro. Que eram mais puros. Pode ser, mas o negócio é que os macuxis tinham dinheiro, sim! Eles usavam as penas de um pássaro grandão, vermelho. Eles usavam as penas para dar de presente para as mulheres se enfeitarem. Tinha no Brasil todo! Mas caçaram tanto esse pássaro que ele ficou quase extinto! Aí os mais velhos ficaram bravos com os índios, como se fosse errado querer se enfeitar!

— É verdade — eu disse.

— O negócio é que o pássaro ficou raro, e começaram a usar as penas desse pássaro como se fosse dinheiro. Usavam para trocar tudo, para comprar coisas mesmo!

— Igual dinheiro.

— Igual dinheiro — assentiu. — O negócio é que a Tamba Tajá era muito esperta, e sempre ficava nas costas do marido, olhando para a copa das árvores. E sempre via quando um desses pássaros passava. Aí eles começaram a pegar muitas penas, ela apontava e ele os acertava, e tiravam as penonas vermelhas e guardavam tudo numa cumbuca.

— Ficaram ricos — eu ri.

— Tavam ficando — concordou. — Mas aí veio o homem branco, os paulistas, para escravizar os índios quando o litoral ficou pobre. Mas os dois já sabiam como eles eram, e já sabiam que um dia viriam. E teve um dia então que vieram! Chegaram como a chuva, e o índio fugiu com a Tamba-Tajá e a colocou numa canoa, agarrada com a cumbuca deles cheia de penas. Dava para ouvir os paulistas chegando e ele então empurrou a canoa dela rio acima e voltou para retardá-los. Disse para ela se esconder, que ele iria atrás depois e a acharia.

— Mas ele foi morto — concluí.

— Ele foi pego e levado para ser escravo numa das vilas dos bandeirantes. Mas, como ele era muito forte, ninguém dava o preço que pediam, e ele ficou lá numa gaiola no meio da cidade, por meses. Viu todos os seus companheiros serem levados. E assistiu à vida na vila, e percebeu que os homens brancos não usavam penas. Usavam uns disquinhos dourados, e viu que eles conseguiam comprar tudo com aquilo, cavalos, armas, mulheres, índios, roupas, comida, tudo! Muito mais e melhor do que qualquer outra coisa que ele já tinha visto na vida!

— Era ouro! — eu disse.

— Era! — ela assentiu. — Um dia, um incêndio destruiu a vila, e deixaram o índio lá. Ele conseguiu fugir quando o fogo consumiu a gaiola de madeira e se embrenhou no mato, antes que os homens voltassem. Correu por dias, seguiu pelas margens do rio. Correu dias e dias, semanas, revirou aquela mata, mas não a encontrou. Quando ele já tinha desistido, encontrou uma cabana, uma oca baixa e malfeita, numa clareira, perto do rio. Entrou na cabana e lá estava ela, que quase morreu de felicidade. Ela também não acreditava mais. Nesse meio-tempo, ela tinha aprendido a atirar com o arco e tinha acumulado ainda mais penas e, assim, tava ansiosa para mostrar para ele. Mas ele também não acreditava mais nas penas vermelhas. Aí que eles saem, pro meio da mata, e ela morre nas costas dele.

— Nossa. Se bem que dá uma dimensão mais familiar para coisa, o fato de ele ter se enterrado também.

— Como assim? — pergunta.

— Tem um elemento de falência também. Não só material, mas de todo o sistema de crenças deles — eu disse, e ela me olhou, perplexa. Eu estava falando um academiquês babaca, logo percebi.

— Não! — negou, com veemência. — Ele se enterrou junto porque não queria mais viver sem ela. Ele aguentou tudo para poder voltar, provavelmente não lutou nas revoltas junto com os companheiros que queriam escapar porque queria voltar de qualquer jeito, encontrá-la de novo!

— É verdade — concordei; não queria estragar nada tão bonito. E quem disse que não era isso mesmo? — Será que existe amor assim? — perguntei, sincero.

— Existe! — ela respondeu, com total convicção. — O nosso!

E se lançou em meus braços, num abraço abandonado.

No Tietê... Quando quiser... Quando quiser!

Senti meu peito encolher. Era incrível! Aquilo teria soado piegas em qualquer outro momento da minha vida adulta, mas não ali. Pelo contrário. Era como se eu estivesse ganhando de graça algo que me tivesse sido roubado havia muito tempo.

Ainda que tivesse o sol em suas mãos, ainda assim precisaria dela, para entender o que é luz, dizia o poema de Moacir Novaes.

Me deixei envolver pelo seu abraço, e só a enlacei. Me faltavam forças.

Ficamos ali, parados. Foram alguns segundos. Lembro disso. Depois ela se despiu e me ajudou a passar minha camiseta pelo braço enfaixado, e nos beijamos, e ela se deitou em cima de mim.

— Não precisa tirar — ela sussurrou.

Não tirei. Apesar de anuviado, de tantas outras lembranças sobrepostas desde então... Desse momento eu me lembro totalmente, até hoje.

* * *

Nós que somos brancos, ela disse.

Mas não éramos. Não totalmente. Não no sentido europeu. Elisa era ainda um pouco mais escura que eu, que tinha olhos claros e uma barba rareada que insistia em não crescer. Na escola, no dia do índio, passaríamos por mestiços adotados pelos selvagens. Éramos paulistas, da estirpe antiga, de antes do café. Majoritariamente brancos, mas para sempre maculados com um rescaldo primitivo, oculto, muitas vezes renegado.

Os homens daquele povo, que já era antigo quando nossos antepassados chegaram, foram exterminados. E só restaram as mulheres.

Dessas, muitas resistiram às violações comendo as plantas venenosas da terra, que usavam para banhar flechas. Muitas não resistiram, por medo.

Mas houve ainda outras, aquelas que tomaram os olhos claros dos homens como força, porque eles vinham vestidos de armaduras e carregavam com eles lanças que trovejavam. Essas se apaixonaram por eles e se deixaram tomar. E as que se mataram depois foi por terem sido deixadas.

Essas mulheres, as covardes e as apaixonadas, pariram bastardos, de olhos castanhos. Que aprenderam a temer a Deus e a cantar em latim. Aquele povo ancestral foi diluído através das gerações e se tornou o povo que ficou conhecido como *paulista*. Da linhagem materna do medo e da luxúria. Mas, além das predisposições genéticas, algo mais sobreviveu. Uma ou outra história, alguns temores antigos que acabaram esquecidos. Ou então alguns nomes que também permaneceram. E pararam de ser vistos como terrores. Mas que, claro, continuam aqui. Correndo em nosso sangue. E às vezes nos assombram, sem que ninguém saiba ao certo o porquê. Essas coisas sempre voltam.

Correm aqui dentro.

* * *

Sabíamos que estávamos sendo perseguidos. Nem por isso deixamos de sair de casa quando ouvimos o guincho dos pneus, o barulho de metal batendo. Um acidente na estrada ao lado da entrada para a casa da Elisa.

— São eles? — ela perguntou, e só então percebi que poderiam ser eles, sim.

— É muito elaborado, forjar um acidente — eu disse, mas logo duvidei de mim mesmo. E se não fosse eu o homem mais procurado da cidade? E se fosse a mula? A mais procurada, desde sempre?

Nosso passo lento em direção à estrada entregava que nossa intenção não era acudir o acidentado. Elisa pegou na minha mão; senti-a gelada. Eu trazia minha arma na cintura. Caminhávamos em direção à armadilha com a dignidade dos condenados. Éramos resolutos. Os mortos se orgulhariam.

Chegamos à estrada e vimos o carro entortado no barranco, pendendo engraçado. Lá dentro, a silhueta da cabeça de um homem pendia para o lado oposto da batida. Parado. Como um boneco.

Adiante, veio um carro e piscou os faróis. Elisa e eu nos puxamos pela mão e corremos de volta para o mato, para a casa. Ele seria atendido. Os homens do resgate passariam muitas vezes pelo ponto de onde dava para ver a casa, algum deles se deteria ali e repararia no que ninguém reparara. Discutimos se seria melhor se a janela estivesse aberta ou fechada. Acabamos concordando que a janela aberta pareceria menos um esconderijo, mas sabíamos que não faria diferença.

Não saímos na janela por todo o tempo em que as sirenes e as vozes dos homens passaram por lá. Já não tínhamos como nos antecipar a uma invasão. Quando percebemos que o movimento rareou, cortamos salame, tomates e queijo e fizemos um sanduíche sem usar o fogão a lenha. E bebemos muito.

Quando a tarde já ia longe, olhamos pela primeira vez pela janela, Elisa fez questão de se debruçar sobre ela sem blusa e sem sutiã. Uma sereia num casebre horrível.

Só as contas de vidro do para-brisa reluziam, espalhadas no asfalto. Elisa virou-se para mim, lançou seus braços sobre os meus e foi escorregando até meus pés, depois tirou minha camiseta. Dormimos enquanto o tempo fechava, a chuva castigando a terra a alguns quilômetros dali.

* * *

Sonhei com Brasília. É estranho que, naquele momento de pânico descuidado, eu tenha sonhado com uma cidade que nunca significou nada para mim.

Eu estava no aeroporto, meu pai ainda estava vivo e tentava me ligar, mas a conexão sempre caía. Eu estava preocupado. Meu pai parecia nervoso, e dificilmente eu via meu pai nervoso. Ele queria me dizer algo, gritava para que eu ficasse parado, para ouvir o que ele queria me dizer. No sonho, me irritei com isso e desliguei o telefone.

O Henrique estava lá também, passando as malas de mão na esteira dos raios X.

Era agradável estar lá, estar viajando, voltávamos juntos para São Paulo. Claro que isso nunca aconteceu.

A única vez que estive em Brasília foi a trabalho. Foi a minha única viagem a trabalho e eu estava excitado com a possibilidade de parecer profissional em uma outra cidade. Fui para um congresso, fiquei dois dias, mas imaginava as coisas que eu faria, como seria competente, e não foi nada de mais. Fui bem medíocre no congresso, as mulheres que sonhava conhecer até apareceram, mas não se interessaram muito por mim, não a ponto de eu arriscar minha postura e tentar alguma coisa. Por fim, foi só. Mas sonhei com Brasília, aquele experimento utópico para o novo homem que acabou abrigando quem nós sempre fomos. O Brasil é cheio de experimentos desse tipo.

O que houve de marcante no sonho é que eu, em dado momento, percebi que estava sonhando! Talvez nada de sobrenatural estivesse acontecendo, afinal. Só a minha loucura, aliada a um intelecto fértil, que se desenvolvia no mesmo lugar em que alguns militares se aproveitavam de uma tragédia natural para implementar um experimento ideológico.

Tinha certeza de que sonhava, mas vi o Henrique lá do outro lado da esteira.

— Cara, você tá vivo?!

— Porra, é claro que tô!

E rimos. Mas eu sabia que era um sonho. E nele embarcávamos para São Paulo, onde eu encontraria a Elisa. Sabia que era um sonho, mas resolvi comprar um chocolate, um importado que, no sonho, ela gostava. Na vida acordada, eu nunca soube de que marca de chocolate ela gostava.

Hoje, vejo que esse sonho foi tão nítido e sua sensação tão persistente na memória, porque deixou uma impressão gostosa, razoável e derradeira. O último suspiro de sanidade contra o mundo que eu encontraria assim que acordasse.

12.
SE VOCÊ ME QUER

Acordei sozinho na cama, gelado pela janela aberta. No escuro. Já era noite. Não tinha calendário, celular ou registro do tempo, mas na mesma hora eu soube: era noite de quinta-feira.

Saí da cama sem pressa. Elisa tinha saído, sua ronda noturna. Mesmo livre da sua forma fumegante, estava habituada a cumprir sua maldição.

Apesar do clima opressor, a noite era estranhamente bela, daquelas em que não sabemos se vestimos uma calça ou uma bermuda. A brisa soprava como se não houvesse montanhas, como se fosse tudo mar ao redor. A lua enorme, laranja no horizonte, clareava o quarto. Notei que no criado-mudo havia um livro aberto na metade. Ao me aproximar para fechá-lo, vi meu nome escrito numa das páginas.

... Ismael acorda no meio da noite e pensa que Elisa vaga pela terra como mula sanguinária, semeando terror, mas decide atenuar seu pensamento e reprimir sua imaginação. Não sabe que ela está em casa, repassando seus planos para sua última noite juntos. Enquanto isso, a prefeita se reúne com o Rei Criança e supervisiona os preparativos para a Noite de Reis.

Era o livro, o livro proibido!
Aberto.
Quem estivera lendo essa abominação?!

Fechei o livreto com força. Saí do quarto a passos lentos, abri a porta devagar e lá estava ela! De costas, debruçada sobre um antigo mapa rodoviário da cidade. Elisa.

Ela se virou para mim, surpresa, e fechou o mapa. Pude ver de relance uma trilha marcada a lápis. Uma trilha que passava por ruas e estradas, mas que cobria principalmente lugares onde não havia estrada.

— O que é isso? — perguntei, tentando parecer casual.

— Hoje é o dia de fugirmos de Rio das Almas.

— Que dia é hoje?

— Quinta-feira. Mas não se preocupe — ela disse, e pegou na minha mão.

— Hoje também é Dia de Reis, não?

— Isso.

— E o que acontece no Dia de Reis?

— Nada, que eu saiba — disse, mas mentia. — Mas precisamos ir agora!

— Tá bom. Vou pegar minhas coisas.

— Já tão no carro.

— No carro? — me inquietei. — Vão pegar a gente se a gente sair de carro!

— Hoje não. Vamos, temos que ir!

* * *

A estrada, como ela falou, estava deserta. Contrariando o que ela dissera, voltei para pegar os dois livretos, o diário do padre e o livro proibido. O revólver e a espingarda já estavam no carro. Dirigimos pela estrada, e ela me ordenou que entrássemos numa intersecção, uma estrada de terra. Obedeci. Nem cinco quilômetros à frente, ela me pediu que entrasse no mato, onde não havia estrada.

— Tem uma barreira mais à frente, onde eles estão nos esperando — ela disse.

Não protestei. Naquele trecho havia árvores, mas fomos até onde deu, alguns metros mata adentro, e estacionei o carro numa clareira.

— Como vamos para São Paulo, a pé?!

— Temos que andar até sairmos do perímetro urbano. De lá, pegamos carona, um ônibus, o que der! — ela respondeu.

Mas eu vi onde tínhamos virado. Era onde a trilha a lápis indicava naquele mapa que ela lia quando a surpreendi.

— É o caminho daquele mapa, não é? — perguntei, enquanto a alcançava no meio do mato.

— É.

— Onde conseguiu aquele mapa? — perguntei.

Ela silenciou, como se tivesse que pensar numa mentira.

Agarrei Elisa pelo braço. Ela me olhou nos olhos. Não tinha medo. Era ódio. Nem um segundo durou sua expressão reveladora, que se abrandou para algo neutro, racional.

— Aquele é o caminho da antiga estrada do ouro — disse. — É o único que eles não conhecem.

— Mas você conhece! — acusei.

— Eu conheço.

— É a trilha da maldição, que você tem que seguir todas as noites quando aquilo acontece com você!

— Isso — assentiu.

— É o que você tá fazendo agora?

— Você tirou o meu freio. Não vou virar aquilo de novo até que você morra. Ou coloque de volta.

— Já aconteceu antes?

— Já.

— De colocarem o freio de volta?

— Também.

— Que horror! Por quê?! — perguntei. Queria saber, mesmo sabendo que o freio estava longe, na prateleira do quartinho de ferramentas da casa de pedra.

— Não sou confiável — ela disse. — Mas você... Você pode confiar em mim!

Me puxou pela mão e a segui pelo mato. Logo notei que conseguíamos caminhar pela mata fechada sem dificuldades. Nenhuma árvore ou mato alto crescia naquela faixa de terra. Era uma trilha de terra batida, escura. *Calcinada.*

Andamos rápido, como se houvesse perseguidores no nosso encalço. Atravessamos colinas onde o mato rareava. Nesses trechos, ela corria e me puxava junto. Até alcançarmos o topo de mais uma colina, onde avistamos luz. Atrás da próxima colina, havia luz e um murmúrio de vozes. Elisa me puxou para baixo, nos agachamos e observamos. Não dava para ver o que acontecia lá atrás, talvez uma festa, com riso e falatório.

Ela desviou o caminho, e corremos abaixados em direção a um outro trecho de mato, à direita, como pelos no meio das coxas das colinas. Não olhamos para trás e começamos a nos mover entre a folhagem na direção contrária daquele burburinho.

— Alto! — gritaram, atrás de nós.

Corremos, alcancei meu revólver, não antes de ser surpreendido por um militar, com uma arma apontada para nós.

— Solta a arma! — o militar bradou.

Elisa havia parado. A arma, recém-sacada, apontava para o chão. Não tive escolha a não ser soltá-la.

Tínhamos sido capturados.

* * *

Já voltei atrás muitas vezes na minha história, e todos os psiquiatras pelos quais passei já me fizeram admitir que minhas memórias do que aconteceu são fruto de um colapso nervoso, esquizoide, consequência — e não causa — da minha esquizofrenia avançada, misteriosamente não incapacitante.

A falta de qualquer indício ou prova, registro ou depoimento que sustente minha história também me faz duvidar do que vi. Hoje desconfio que a mutabilidade do meu relato, que me ocorre sensivelmente diferente cada vez que me lembro do que aconteceu, não passa da expressão do desespero de uma mente fragmentada que tenta encontrar sentido para o que imaginou durante um colapso nervoso.

Mas tenho uma narrativa, um conjunto de imagens que me vêm, de tempos em tempos, que, se não parecem mais vívidas que as que me assaltam durante esses exercícios da memória, pelo menos são mais recorrentes. Vamos a elas! Sobre o que vi.

Era um *trem*!

Uma locomotiva, na base daquela colina. De metal negro, estacionada no meio daquela terra abandonada, junto a uma plataforma de madeira que lhe servia de estação. Havia, sim, trilhos, como há por todo interior de São Paulo, Rio e Minas Gerais. Abandonados. Trilhos que lhe calçavam e se perdiam de vista, em meio àquelas colinas desertas. Que ligavam o nada a lugar nenhum.

Um trem, que consistia em quatro vagões. Três composições de passageiros, iluminadas, ricamente decoradas, e um vagão de carga atrás, para onde fomos levados. Ao redor do comboio, um grupo de militares, que não entrava no trem. E, ao lado, embarcando, o mais chocante: uma fila de homens vestidos de branco, com o chapéu pontudo das procissões e máscaras brancas, que entravam em fila nos vagões de passageiros. E se viravam para nós, seus olhos recortados atrás dos capuzes, enquanto éramos conduzidos ao vagão posterior.

Ao passar por entre os militares e os fantasmas encapuzados que estavam embarcando, pude olhar pelas janelas dos vagões de passageiros. E o avistei, o capitão infantiloide, sobre um assento luxuoso. Um dos pés engessado, seus dedos pendendo para fora do gesso. Ele olhava e acenava, como um rei em seu trono, para os encapuzados que entravam, um a um, no vagão.

Ao seu lado havia uma menina infeliz, de olhos vendados, paralisada junto à cadeira. Reconheci-a.
Amandinha.
A infeliz garota da Câmara Municipal. Vestida com a túnica azul e branca de Nossa Senhora.
Os outros vagões tinham menos móveis, mas não eram menos bem decorados. Palcos ainda vazios de um festival grotesco. Prontos para abrigar uma encenação de uma Bíblia proscrita, sem redenção, cujos atos eu não conhecia. Mas que acabaria em martírio.
Elisa foi conduzida primeiro para dentro do vagão de carga, o último. Ela se antecipou e subiu no vagão, para ajudar nossos algozes. Como tantas antes dela. Desisti de oferecer resistência e subi logo atrás. Era um vagão vazio, de paredes de madeira, sem janelas, iluminado por uma lâmpada elétrica no teto. Notei um banco de madeira ao fundo. Fecharam e trancaram a porta atrás de nós. Elisa se lançou sobre mim e chorou no meu peito. Eu afaguei seus cabelos. Queria dizer que estava tudo bem, mas não conseguia falar.
Estávamos presos dentro do vagão de carga. Aquelas tábuas correndo transversais, e a única quebra no padrão daquela caixa gigante era um retângulo à frente, uma porta sem maçaneta, que ligava o nosso vagão ao anterior. Imaginava a procissão desenlaçando-se por atos, tudo a seu tempo. Presumi que os atos se sucederiam, e cada nova cena se desenrolaria no vagão anterior, numa via-crúcis reversa. Se fosse isso mesmo, éramos o *grand finale*.
Não tive tempo de pensar em mais nada, a locomotiva se pôs a funcionar. Os vapores que saíam da maria-fumaça empesteavam nosso vagão com um cheiro de carvão e enxofre. Havia uma pequena abertura na parede junto ao teto, e era por lá que a fumaça entrava.
Elisa chorava. Eu a embalava, mas não conseguia pensar direito. Logo, aquelas engrenagens estalaram e rangeram. A locomotiva entrou em movimento!

Elisa soltou um gritinho abafado, mas logo se recompôs e parou de chorar. Não sei por onde trilhávamos, parecia que nem voltávamos por onde viemos nem avançávamos para fora da cidade. A locomotiva fez uma curva, longa, e agora seguíamos em direção desconhecida.

O vagão parou de sacolejar e as rodas não rangiam mais tanto, parecia que viajávamos em linha reta. Assim que se estabilizou, a porta que dava para o outro vagão se abriu. Um homem encapuzado deu passagem à prefeita e fechou a porta atrás dela.

Ela caminhou em nossa direção e parou, no meio do caminho. Olhava para nós — mas principalmente para Elisa, como se quisesse desvendar de onde a conhecia. Mas foi a mim que ela se dirigiu.

— Ismael — ela disse. — Por que vieram aqui?

— Estávamos indo para São Paulo — eu disse.

— Pela mata? — ela disse, incrédula.

— Tive um problema com o capitão, num puteiro. Queríamos evitar a estrada.

— Parece que encontraram o que estavam procurando — ela disse, e se virou para Elisa, que a olhava nos olhos. — Eu não me lembro de você, mas sei quem você é. É assim mesmo, não é?

Elisa baixou os olhos. A prefeita parecia encantada, talvez por quem ela sempre imaginou finalmente ter um rosto.

— Você é muito bonita — disse. — Não a beleza óbvia, dos homens sem imaginação. Mas consigo ver além do que as mulheres tomam por beleza, do que os gays tomam por belo. Eu sempre gostei de homens. Desde menina sei do que eles gostam. Você é exatamente como eu sempre pensei que fosse!

Elisa respirava pesado. Apesar de ter sido esquecida, ela conhecia a prefeita. Tinha medo dela.

— Como é ter passado a vida deturpando nossa cidade? — continuou a prefeita. — Como foi ter seduzido o padre?

Dizem que ele era o homem mais bonito de Rio das Almas, é verdade?

Elisa assentiu.

— Esse é um momento que eu nunca pensei que chegaria. Você corrompeu a cidade, abriu caminho para uma geração de padres loucos e pervertidos, que carcomeram nossa alma. Destroçaram tudo. Acho que eles mesmos procuravam nossa paróquia, assim que os boatos corriam. Sua sacanagem inicial atraiu todo tipo de doente. Fez da nossa cidade o sonho de todos os loucos que sonhavam em se vingar do mundo. Trouxe a doença, a loucura para esta terra!

— Esta terra já era doente muito antes de qualquer um de nós — Elisa retrucou.

— Também ouvi dizer — concordou a prefeita. — O ouro, os jesuítas, mesmo antes de tudo isso. Já estava aqui. Esta terra é má! Mas isso estava dormindo. Você inaugurou a danação da terra como a conhecemos hoje. Atraiu os padres loucos, suas interpretações distorcidas. E eles fizeram o que quiseram. Veja você o que vai acontecer hoje!

— Não foi culpa minha — Elisa disse.

— Eu acredito que não tenha sido só culpa sua — disse a prefeita. — O padre, o primeiro, o bonitão que você fez se esgueirar pelas matas da cidade. Ele era um homem bom. Talvez por isso a maldição tenha vindo por ele.

— Era de verdade, aquilo. E ele me amava. Faz muito tempo.

— E os outros, todos os outros? Meu primo também se matou por sua causa. Lembra dele, o Reginaldo? Vocês chegaram a se casar, não?

— Eu sempre disse para ele!

— Disse o quê? — perguntou a prefeita, sem se alterar. — Que não o amava?

— Eu sempre disse quem eu era! — respondeu Elisa. Notei que ela chorava.

— E isso dá margem para todo tipo de interpretação, não acha? Especialmente para um homem que queria acreditar — sentenciou a prefeita.

Elisa soltou a minha mão, antes que eu soltasse. Limpou o rosto.

— Não se engane, menina, eu sou mulher, e sempre estive do lado das mulheres. Na minha cidade, nunca deixei que abusassem das mais fracas. Mas sou velha o bastante para saber que entre um homem e uma mulher tem sempre um abusador. E é sempre a personalidade mais forte, mais enérgica. Mais histérica. O Reginaldo era o meu primo mais próximo.

Elisa chorava abertamente agora. Mesmo que não fosse verdade, ser confrontada por aquela mulher assustadora fazia dela um ser frágil. Como eu sempre soube que ela era.

— E aquela menina lá, vestida de Nossa Senhora?! — perguntou Elisa.

— Eu aprendi muito cedo que, para governar esta cidade, eu tinha que acomodar as forças. Impedir que as pessoas se devorassem umas às outras. Porque é isso que elas querem! Sem inspeção permanente, tudo se desfaz! — disse a prefeita.
— Aprendi a identificar os elementos dissonantes. Aprendi que deveria negociar com os sádicos que têm o poder de nos destruir. E destruir os sádicos que não têm. Como você!

Agora, Elisa a fitava com ódio. Como se todas as lembranças que tinha da prefeita, lembranças que só ela tinha, e ninguém mais, aflorassem ao mesmo tempo.

De repente, começamos a ouvir. Cânticos, gritos da menina. Ao fundo, bem ao longe. Isso nos incomodou. À prefeita e a nós. Eles tinham passado para o próximo vagão, o do meio. A encenação progredia.

— Você é tão filha da puta quanto a sua mãe! — disse Elisa.
— Minha mãe — disse a prefeita. — Mas isso é injusto. Quão injusto é isso, você ter conhecido minha mãe, que morreu no meu parto, muito melhor do que eu! E, ainda assim, todos sempre me dizem que eu me pareço com ela!

— Sua mãe foi a maior vagabunda da cidade!

— Se isso que todo mundo fala é verdade, devo te prevenir de que sou imune à sua sedução. Que já encantou muita gente daqui, até mulheres — a prefeita se virou para mim —, até diferentes gerações que você veio a desfrutar depois.

Elisa a encarava, com um semblante desconhecido por mim.

— Desculpe — disse a prefeita —, não estou aqui para ser deselegante.

Mexeu na sua bolsa e tirou de lá um par de algemas cromadas. Dois círculos abertos, ligados por uma corrente. Jogou as algemas aos nossos pés.

— Bem — continuou a prefeita —, só vim aqui como mensageira. Nosso louco do momento imaginou infinitas possibilidades. Um ritual, algemas, um trem em movimento. Mas tenho pouca paciência para esse joguinho sádico. O idiota do capitão me pediu que trouxesse aqui esse par de algemas e que o jogasse para vocês. Sinceramente, não sei o que ele planeja. Mas é isso, vim aqui para isso, para lhes entregar essas algemas — disse a prefeita, e se virou, e abriu a porta.

Pudemos ver a comitiva dos encapuzados abrindo a outra porta e entrando no outro vagão, o anterior ao nosso. O último ato tinha começado.

A prefeita fechou a porta e ficamos nós dois, no vagão sem janelas. As algemas diante de nós, dançando no chão trepidante. Elisa se virou para mim, tirando minha atenção das algemas.

— Não é assim que eu queria que você se lembrasse de mim — ela disse.

E me beijou. Se ajoelhou diante de mim e fez com que eu abaixasse até ela. Pôs minha mão nela.

Eu não conseguia deixar de prestar atenção nos sons que vinham da encenação no vagão ao lado. Parecia uma festa. Elisa passou a acompanhar também o desenrolar do festival. Nós dois, abraçados, com os olhos fixos naquela porta fechada. Quando a menina tentava suplicar algo, Elisa enterrava as unhas no meu braço. E a algazarra do folguedo continuava.

A menina parou de gritar. Senti alívio por ela. Estava quase acabando.

Os murmúrios da festa se tornaram tensos. Sussurros, vez por outra alguém levantava a voz, em tom acusatório. Podia ser que estivessem chocados com o resultado de seu próprio ritual.

Uma voz, para nós incompreensível àquela altura, se destacava. Quando ela falava, os outros ouviam em silêncio. E então respondiam, muitos homens exaltados. Que pareciam tentar convencer a primeira voz. Não ouvíamos as respostas do capitão, que devia falar sem exaltação. O burburinho se intensificou, por um momento parecia haver uma briga generalizada. Que terminou num silêncio profundo.

Novas vozes foram ouvidas, a reunião tomava seu curso novamente.

Assisti a Elisa se levantar e caminhar até o meio do vagão.
— Elisa — sussurrei. — Volta aqui!
Ela me ignorou, foi em frente. Pegou as algemas.
— Elisa!
Ela se voltou para onde estávamos, com as algemas na mão. Debruçou-se sobre mim e me deu um beijo doce.

E me algemou junto ao pé do banquinho de madeira.

Olhei para ela; eu estava em pânico. Segurei seu braço, poderia enforcá-la, mas ela sabia que eu não o faria. O olhar que ela me lançou de volta ainda hoje é algo único. Ela não se desculpava. Não estava triste. Nem era esse um olhar mecânico, frio, como se estivesse cumprindo uma obrigação desagradável. Era um olhar terno, divertido. Cheio de cumplicidade. Como se ela soubesse que eu sabia o que estava prestes a fazer.

Elisa se despiu na minha frente. Se inclinou ao tirar as peças, para que eu olhasse suas formas. Me deu um selinho, tentei agarrá-la, mas ela era forte, desvencilhou-se dos meus braços. Olhou nos meus olhos, enquanto saía andando em direção à porta fechada. Por um tempo. Foi a última vez que olhei nos olhos dela. Até que se virou e continuou, sem olhar para trás.

Ao chegar diante da porta fechada, se agachou. Mexeu dentro dela, como se procurasse por alguma coisa escondida ali na carne íntima. E tirou um cabo de metal de lá, como se o parisse. Era o freio!

Sem nunca olhar para trás, ajustou o freio na boca. Abriu a porta — nunca esteve trancada, então! — que dava para a outra porta, fechada. Ficou dançando sobre o gingado do trem, o espaço entre os dois vagões. Agachou-se de novo. Com as mãos nuas, soltou o gigantesco ferrolho que conectava os vagões. Senti meu vagão desacelerando e a vi, do outro lado, abrindo a outra porta. Indo embora com o trem, diminuindo com a distância, enquanto meu vagão desacelerava e ficava para trás. Pude vê-la entrando no vagão da festa, sob os olhares surpresos dos mascarados. Ela, a assassina das meninas.

Ainda pude ver as chamas, incinerando o vagão num instante. E ouvir os gritos, desaparecendo a distância, quando meu vagão finalmente parou.

* * *

Além de toda a implausibilidade de tudo o que narrei até aqui — além da minha condição esquizofrênica —, muitas incongruências contribuem para enfraquecer ainda mais meu relato. Arrebentei, aos pontapés, o pé do banco que me prendia, o que pode ter sido verdade, se a madeira estivesse podre. Mas o mais irreal vem agora. Não é possível que o fogo tenha queimado apenas o trilho por onde corre o trem, sem se alastrar pela floresta que o margeia, mas foi o que aconteceu.

Saí correndo, com a algema pendente, até o topo do morro que margeava um grande vale. Ainda vi a locomotiva e seus três vagões restantes cortando a escuridão lá em baixo. Mesmo hoje custo a acreditar...

Não é possível que ela queimasse como um ferrorama embebido em álcool, sua silhueta negra dentro das chamas que a envolviam. Não é possível que suas ferragens queimassem e começassem a se contorcer, chupadas para dentro, a máscara da tragédia do teatro grego. Não é possível que os trilhos também se contorcessem assim que o trem passasse, deixados num rastro ondulado, perfeitamente paralelos uns aos outros. Também é irreal que, ao mero contato com o primeiro vagão, os trilhos se deformassem a ponto de virarem para o trajeto antigo, da ponte destruída na enxurrada. Se o trem caísse então, apenas despencaria na vertical, não o faria saltando num arco, num mergulho perfeito sobre as águas escuras do rio que dava nome à cidade, como se houvesse ainda trilhos no ar, uma montanha-russa para o inferno. Por fim, ainda que tudo isso acontecesse, assim que o metal em brasa chiasse ao mergulhar na água, como nas forjas, ela não continuaria borbulhando por um longo tempo depois que o último vagão desaparecesse na superfície calma daquele rio sem memória.

※ ※ ※

A rodovia ficava a menos de dez quilômetros dali, mas não sei como cheguei lá. Não sei também como consegui carona num caminhão, não na boleia, mas atrás, em cima da carga, na lona laranja que transportava algo macio. Só lembro que adormeci e sonhei. E, do sonho, lembro-me até hoje.

Eu não estava nele. Era como se assistisse a um filme.

Há a mata, a floresta úmida. Um índio esquálido, doente, caminha resoluto. Como se estivesse no quilômetro final. Quando avista uma tenda, uma oca torta, feita por mãos doentes.

Suas pernas fraquejam quando ele descobre a oca, uma chance em mil, no meio de toda a terra florestada. Finalmente encontrara o que estivera procurando!

A índia, uma menina muito bonita e aleijada, o reconhece desde o princípio. Ele está mais magro, mais velho, mas ao vê-la recupera a vitalidade e corre para abraçá-la. Ela se lança a ele e ele a tira do chão, se abraçam. Se chamam em sua língua desconhecida. Se beijam. Choram.

Já dentro da oca escura, a índia se arrasta até o canto do cômodo, até uma jarra, escondida debaixo de trapos sujos. Quer que ele veja algo. Ele vai atrás, ela faz suspense. Olha para ele, não querendo perder nada. E então abre a tampa da jarra.

Lá dentro, centenas de penas vermelhas, que ela aperta com a mão e mostra para ele, joga pelo chão, rindo, orgulhosa. Dá penas para ele, que também as segura em suas mãos. Mas então nota que ele não reage. E, quando reage, é tudo o contrário do que ela vinha esperando.

Ele começa a chorar. Um choro amargo, desesperado. Abandonado, que consome o resto de força que ainda o segurava em pé. Ela se arrasta na direção dele e o abraça. E o consola. Sem entender.

* * *

Só me lembro de ter acordado em cima do caminhão na estrada e o dia já estar clareando, antes dos primeiros raios do sol. E a avistei, no horizonte: a parede de prédios ao longe. Um ao lado do outro, e depois um atrás do outro, crescendo na terra como uma ferida, a perder de vista. A parede de prédios, de blocos brancos de concreto sem gosto, infinita, ao fim da estrada. E só acreditei quando passei pela placa.

Bem-vindo a São Paulo. Eu estava de volta.

É possível que alguém tenha folheado o álbum de casamento do Reginaldo, em preto e branco. Ele sorria, o noivo, carregando a mulher invisível. É possível que tenham deixado o álbum aberto em cima da mesa. E que um vendaval tenha soprado e virado as páginas.

Houve uma greve geral em São Paulo em 1917.

Houve também os comícios das Diretas Já. Na Sé.

Houve hippies e estudantes tomando o centro da cidade.

Não muito longe dali, o Brasil perdia sua própria Copa do Mundo, o Maracanã silenciou. Então houve outra Copa, ainda pior. Mas dessa vez já estávamos preparados.

Do outro lado do mundo, uma bomba varria a Terra.

Há uma foto dos meus pais em alguma piscina desconhecida. Dois jovens, bem mais jovens do que eu sou hoje. Sorrindo com seus copos de bebida. O futuro inteiro à frente.

Houve outra, em outra piscina que não lembro. Um dia bom. Eu com a minha irmã, para sempre criança.

E mais outra da minha mãe apertando os olhos, as rugas começando a surgir.

Fazendo gracinha, apertando os olhos.

O futuro é feito por mãos invisíveis.

A única certeza que podemos ter é que ele se repete.

Essa é a lei do futuro. Tudo o que aconteceu vai acontecer de novo.

Não adianta acreditar no que os outros dizem.

Quando o futuro chegar, você vai perceber.

EPÍLOGO
COMO APRENDI A DIRIGIR

Nem dois meses depois, vendi a casa de pedra!

Foi um negócio bom, eu acho, considerando as imagens que correram o país das enxurradas, dos desaparecidos e o silêncio que se seguiu a elas. A época dos militares. Quando voltou a aparecer nos noticiários, Rio das Almas parecia uma cidade idílica, negligenciada pelos seus políticos — que sumiram com o dinheiro repassado para a construção de novas moradias — e que pagava aluguel social aos sobreviventes que ficaram desabrigados. Nada que chamasse a atenção. Nem uma palavra sobre o trem, que levara a prefeita e sabe Deus quem mais daquela cidade para o fundo do rio.

Tentei checar a repercussão do que tinha acontecido, mas sem muito afinco. O mais longe que cheguei foi comprar o jornal local, *A sentinela* — nada a ver com o famigerado jornal das Testemunhas de Jeová. Comprei duas edições dos dias posteriores à tragédia. Na primeira, nenhuma menção ao acidente. Na segunda, o mais estranho. Na capa, logo abaixo da manchete "Mais três corpos encontrados a trezentos quilômetros da enxurrada", havia uma matéria, com o título: "Prefeita de Rio das Almas continua desaparecida".

Continua.

Nenhuma menção ao dia em que isso aconteceu. Ou como teria acontecido. Comprei ainda as cinco edições anteriores.

Numa delas, em meio aos anúncios de lojas de ferragens, móveis de madeira e clínicas odontológicas, a prefeita discursava e levava alimentos para os desamparados pela enxurrada. Prometia tomar medidas, cuidar deles. Depois, só "continuava" desaparecida. Uma fonte, um psicólogo, dizia que a prefeita tinha "dado indícios" e até confessado a amigos próximos que "não aguentava mais a situação da cidade" e que "um dia vão chegar à prefeitura e eu vou ter ido embora". Tentei entrar em contato com o dr. Paulo Torres, a fonte da reportagem. Ele, é claro, não me atendeu.

Confesso que não insisti. Também não decidi fazer da minha busca pela história do trem uma cruzada. Achei melhor deixar as coisas como estavam. Sei que, se voltasse lá, as pessoas evitariam falar sobre o assunto. Desconversariam. Como sempre fizeram. Rio das Almas era uma sociedade fechada. Acostumada a dormir sobre os seus segredos e a evitar mencioná-los. Talvez, se tivesse ido até lá e insistido, algum dia, tarde da noite, num bar, alguém soltaria alguma coisa. Mas esses seriam a escória da cidade, os falastrões, os bêbados, os loucos. O tipo de gente que vê discos voadores e tem revelações conspiratórias. Naquela cidade má, o segredo protegia a si mesmo.

Eu nunca mais voltei a Rio das Almas. O que quer que estivesse lá estava selado e circulava em segredo dentro dos limites da terra. Pessoas cochichariam, mas não revelariam nada que as fizesse parecer caipiras supersticiosos. O tempo das assombrações havia passado, e os habitantes da cidade estariam ocupados com suas próprias vidas. Seus empregos, suas famílias e associações. Seus sonhos com roupas bonitas, resultados de jogos de futebol nas capitais e mulheres, e a vida sexual delas, e o desejo de que um dia se cruzassem com a deles e eles pudessem ter um pouco delas para si. A única diferença é que, pairando sobre tudo, haveria também segredos. E havia a enxurrada, que levara tantos daquela cidade, de um jeito tão inesperado, de uma vez. As pessoas de lá estariam em silêncio, recolhendo seus próprios cacos, limpando a lama de casa e esperando a ajuda do governo — que não viria — para recomeçar.

Acabei vendendo a casa por um milhão e meio. Valia um milhão a mais do que isso, mas usaram a enxurrada para baixar o preço. Depois baixaram mais e, quando pedi o contrato pelo correio para assinar, baixaram ainda mais. Aceitei. Um milhão e meio não era mal.

Como paulista, entendia perfeitamente o funcionamento da mentalidade das terras de imigração depauperadas.

Recomeçar... Recomeçar... Mil vezes recomeçar! — Dizia o personagem daquele filme, *São Paulo S.A.* Era isso mesmo. Eu também tinha minha própria vida derramada para juntar.

Pedi ao seu Dimas, o amigo de confiança do meu pai, que se encarregasse de vender também o meu carro. Na verdade, pedi duas coisas para ele.

Que voltasse para a casa de pedra e procurasse, no fundo da piscina e no quartinho de ferramentas, um par de sapatos velhos e um freio de cavalo. O freio ele não encontrou. Os sapatos estão comigo até hoje.

Pedi também que me mandasse os livretos que estavam dentro do meu carro. Ele mandou, mas faltou um. Quando o cobrei, ele disse que não o tinha encontrado. Achei que fosse verdade. E dei o assunto por encerrado. Só quando falei com seu Dimas pela última vez, para combinar com ele para onde deveria mandar as multas do carro, percebi que mentira.

Ele estava perturbado, disse coisas desconexas. Mas foi o que disse por último que me deu certeza.

— Eu já sei quando eu vou morrer — ele disse.

— Seu Dimas, fecha esse livro! Para de ler agora, leva o livro para fora, queime-o!

— Eu vi você me dizendo isso, um segundo antes de dizer — ele disse, e riu. Ele tinha *lido*, não visto na sua imaginação. Estava com o livro aberto, na frente dele.

— Seu Dimas, por favor, fecha esse livro! — eu gritei.
Ele disse mais algo, desconexo.
— Seu Dimas — eu disse, mas ele tinha desligado.
Não me atendeu mais.

* * *

Aquilo me perturbou. Pensei em ir até Rio das Almas, mas sabia o que encontraria. Uma certeza mórbida me impediu de ligar para outras pessoas, para pedir que fossem até a casa dele. Acabei não ligando. Devia ter ligado.

Minha perturbação aumentou no dia seguinte. A possibilidade — para não dizer certeza — de aquele livro circular. De mão em mão, indefinidamente, destruindo tudo. Era como as ideias ou como aquele outro que matou meus pais. Um vírus. Se espalhava sem direção, infestava aqueles com quem entrava em contato.

No segundo dia, meu dinheiro caiu na conta. Não tive forças para voltar a Rio das Almas, nem mesmo para tentar pegar o livro. Tirá-lo de circulação. E, como tantas coisas antes na minha vida, deixei que o descaso se encarregasse de levá-lo embora. O livro seguiria sua marcha, porque eu tinha medo de tocá-lo. E assim foi.

* * *

Um dia cheguei em casa e havia um pacote para mim. De Terra Nova, Mato Grosso. Um pacote muito fino, quase um envelope. Aos cuidados de Ismael. Não sabia meu sobrenome, ou não escreveu, mas sabia onde eu morava. Não era da Elisa. A Elisa sabia o meu sobrenome.

Cheguei em casa, abri uma cerveja, acendi um cigarro e me sentei ao lado do abajur. Abri o pacote com infinito cuidado. Era um pen drive.

No fundo do envelope havia uma carta. Era mais um bilhete. Escrito à mão, letra de homem, são.

Prezado Ismael,

Encontrei este vídeo no celular de uma das meninas assassinadas. É a única cópia e não foi passado para a frente, até onde pude averiguar. Julguei que tinha o direito de assistir a ele. Sugiro que o destrua depois.

PS: Não responda esta carta.

Não estava assinado, mas eu sabia quem era. O delegado Marco. E essa era a carta. Tão simples, tão nada!

Liguei imediatamente meu notebook e coloquei o pen drive.

Uma sala de aula por um segundo. E depois um rosto. Era uma das meninas, a primeira que tinha sido encontrada sem os olhos, que já estava morta quando cheguei à cidade.

Ela liga o vídeo num canto, ajeita o ângulo enquanto a classe toda saía apressada pela porta. A câmera enquadra Henrique, sentado à sua mesa, mexendo no diário de classe, enquanto os adolescentes passam por ele.

A menina se demora a sair. Uma amiga dela percebe a demora e ri, e a menina faz sinal para que vá embora. Quando é a última menina na sala, Henrique, ainda com os olhos fixos no diário de classe, a chama antes que ela atravesse a porta.

— Ah, Natasha, peraí que eu já devolvo a sua redação — diz ele.

Ela volta e espera enquanto ele mexe na papelada dentro da pasta. Chega ao bolo de redações e a encontra. E a estende para Natasha, a menina.

— Brigada — diz ela, depois de ver a nota. E se vira para ir embora. Henrique a observa enquanto ela vai. Mas ela se detém, antes de atravessar a porta.

— Por que oito? — pergunta, voltando-se para ele.

— Deixa eu ver.

Ele faz menção para que ela se sente. Relê a redação diante dela, sem pressa.

— Você tirou um ponto por vírgula? — pergunta ela.

— Não tiro ponto por vírgula, não sou professor de gramática — ele diz, compenetrado.

— Por que oito, então?

— Você diz aqui que sua avó não gostava de negros, homossexuais, que era contra o aborto e a favor da virgindade até o casamento.

— E daí?

— Era para comparar as duas últimas gerações da sua família. Você escolheu a sua mãe e a sua avó. Te digo o porquê do oito. Por causa de uma palavra você perdeu os dois pontos. Você chama a sua avó de *burra*.

— Ela era burra, alguma dúvida?

— Nenhuma! Mas, quando descreve sua mãe, você não diz nada sobre ela. Pela comparação, posso entender que você acha sua avó burra e sua mãe inteligente. Mas você não escreveu essa palavra. Você acha sua mãe inteligente?

— Bom, pelo menos ela não é hipócrita como a minha vó!

— Você diz aqui que sua mãe, ao contrário da sua avó, tem amigos gays, tem amigos negros, transou antes do casamento e até já praticou aborto, um, que você saiba, porque viu!

— Eu escrevi isso porque confiava em você — ela diz, irritada.

— Mas percebe que tudo o que sua mãe acha é o que mostram na novela? Que ela só reproduz o que vê na TV, que nenhuma dessas ideias veio dela mesma?

— E daí?! Por acaso você concorda com a minha vó?

— De forma alguma! Concordo com sua mãe. Em tudo. Só quero chamar a atenção para o fato de que pode ser que sua mãe também seja burra!

A menina o fita com ódio incontido. Sabemos disso mesmo sem ver seu rosto.

— O que você tem que entender é que a nossa cultura portuguesa, nossa cultura latina, valoriza a mentira. Desde os jesuítas, com as suas exigências impossíveis! — continua Henrique. — Nós desprezamos os políticos que são pegos, não os que roubam. Aposto que sua mãe votou de novo na prefeita, não? Não adianta falar em corrupção, esse é um termo vago, que serve para descrever todos nós!

— Eu tinha outra impressão de você — ela diz, soando adulta.

— O problema é que você assiste a muito seriado americano e acha que é a mesma coisa. Mas aqui é diferente. A mentira é parte da nossa sociedade, ela é desejada, e as pessoas têm pena de quem não sabe ser outra coisa...

— Engraçado como você fala isso com a mão na minha perna...

— Perceba, eu não estou dizendo que isso seja uma vergonha — continua Henrique, ignorando-a, sem tirar a mão da perna. — Nem que seja algo ruim. Estou dizendo que é assim que é!

Ela continua parada, um animal paralisado pelo farol na estrada. Vemos a mão de Henrique aparecendo, acariciando-a, e sumindo novamente atrás da coxa dela.

— Hoje eu aceito isso, aprendi a gostar — continua Henrique. — É cultural, não há o que fazer! Coisa que você e seus amigos maconheiros vão acabar descobrindo, que não dá para mudar a cultura pela sua vontade. É quem nós somos!

Natasha se levanta, rechaçando a mão de Henrique.

— Eu esperava tão mais de você — ela diz.

— Eu sinto muito, Natasha — ele diz, sem cinismo. — É que vejo você insistindo nesse mundo que você fez para si mesma...

Ela vira o rosto, ele faz menção de se levantar, mas não levanta.

— Você falou do Renan Calheiros na outra redação. Você sabe o que é o Senado? Em latim é a "casa dos velhos" — ele diz. — Você sabe por quê? Porque é a câmara alta do Parlamento. Não é lugar para moleques. Você imagina o destino do país sendo decidido por jovens idealistas? É preciso saber fazer acordos, se corromper. Espero que você me entenda, senão vai ser uma hippie perdida e sem emprego, que vai ter que se casar com um babaca.

Natasha sai da sala. Henrique leva as mãos à cabeça. E volta à sua papelada, guarda a redação e acaba de lançar a chamada.

E quando termina, fecha o diário de classe. E fecha os olhos em dor.

E, fica lá, por um momento, de olhos fechados.

Por fim, recolhe suas coisas, se levanta e sai da sala.

O vídeo continua, gravando a mesa do professor vazia. Dois minutos depois, Natasha volta à sala.

Olha para ver se ninguém está vendo e entra na sala, transtornada. A própria figura da amargura. A Medeia adolescente.

Vai até a câmera, o celular, e o deixa cair, um estampido surdo.

— Merda! — sussurra, em desespero.

A câmera dá voltas pelo teto da sala.

E desliga.

* * *

E a única coisa que senti foi saudade!

Engraçado isso. Era o Henrique sendo o Henrique! Um pouco mais velho do que eu me lembrava, meio amargurado, talvez nem conseguisse mais ser engraçado como era antes. Mas era ele, o mesmo cara que conheci no banheiro do colégio, pichando a parede, pela volta do professor de Educação Física!

Havia muitas coisas implicadas naquele vídeo, que talvez ele fosse um canalha da pior espécie, do tipo que se aproveita da inocência dos outros. Que talvez ele fosse o tipo de professor que fica doutrinando seus alunos, porque eles não têm bagagem para se defender. E fosse dos que têm prazer em humilhar as pessoas menos inteligentes que ele. E — esse era o subtexto de tudo, a razão pela qual acredito ter recebido o vídeo — talvez fosse ele quem tivesse matado as meninas. Nisso eu não acredito. Vi coisas demais para acreditar que tudo tenha sido um pesadelo louco de uma mente fragilizada. E tenho duas cicatrizes de bala no braço.

De qualquer forma...

O Henrique que eu conheci não era aproveitador, nem demagogo, nem hipócrita, nem suposto assassino. É por isso que, quando me perguntam, digo que não tenho amigos. Aquele Henrique podia ser tudo isso, eu não me importava. Estabeleceu para mim um parâmetro impossível do que era um amigo de verdade. Uma pessoa que, mesmo que mude, você não se importa.

* * *

Dois dias depois, eu andava pelo meu bairro, Santana, quando passou um mendigo sem pernas numa cadeira de rodas. Ele vinha descendo a ladeira, gritando, na contramão da avenida.

— Seu corno do caralho! Vagabundo do caralho! — gritava ele com alguém que não estava lá. — Vai plantar! Vai plantar, caralho! Vai preparar a terra! Limpar! Corno do caralho!

No centro de Santana. A miséria humana sobre rodas. Os carros freavam, e ele descia a rua, até desaparecer na curva.

Nem quinze minutos depois, voltando do banco para minha casa recém-alugada, entrei numa ruela estreita, espremida entre dois condomínios. Para fazer o caminho mais longo. Havia um mendigo recostado no muro, fiquei tenso, mas decidi ir assim mesmo. Ele tinha cabelos longos e desgrenhados, e o olhar perdido para o muro da frente. Não o olhar vidrado e perturbado. Era um olhar distante, desapontado. Como se reprovasse a falta de reboco no muro. Não me viu chegando. Quando estava passando por ele, eu o vi de perto.

Era o Henrique!

Quase ao mesmo tempo ele me viu e se assustou, e então sorriu.

— Isma! — ele disse, com infinita felicidade, e se levantou e veio me abraçar.

Eu o abracei, com força. Ele cheirava mal.

Ele notou minha reticência e balbuciou:

— Foi mal.

— Que é isso, cara! — eu respondi, e ele deve ter notado que eu estava arrependido pela minha repulsa, pois deixou que eu o abraçasse de novo, um abraço forte.

— Caralho, cara! Você tá vivo! — eu disse.

— Mais ou menos — ele disse, constrangido. Era para ser uma piada.

— Eu sonhei que eles tinham te matado! Tinha certeza!

— Quem são *eles*?

— Os militares! Não foram eles que te pegaram?

— Foi — ele disse, como se tivesse sido há anos. — Iam me matar, eu acho, mas um dia eu acordei e a porta da minha cela tava aberta.

— Meu Deus, cara! Que loucura! — eu disse, mal podia acreditar.

E então, sem mais nem menos, senti que chorava. Chorei bem pouco quando minha mãe morreu ou quando o meu pai morreu. Mas agora, depois de anos, eu chorava de verdade. E ele começou a chorar também. Mas continuamos conversando do mesmo jeito, como se não chorássemos.

Toquei no assunto da menina, do vídeo, e ele ficou surpreso. Não muito. Falávamos como se estivéssemos falando de outra pessoa. Ele disse que se arrependeu depois, quando encontrou a menina na rua, com a bochecha inchada. Eles se cumprimentaram e ela disse que tinha ido ao dentista e ele perguntou se ela tinha tirado o dente do siso. E ela disse que não, que o dente do siso dela só ia nascer mais tarde, quando fosse mais velha. E Henrique me disse que quando chegou em casa chorou. Estranho ouvir alguém chorando contando de quando chorou. Aqui minha lembrança fica nublada.

Não lembro mais do que conversamos, de como nos despedimos.

Lembro de ter insistido para que ele fosse para a minha casa, que fosse morar comigo. Lembro também que ofereci dinheiro para ele se reerguer, e ele recusou também, terminantemente.

* * *

No dia seguinte procurei por ele, decidido a arrastá-lo à força.

Conversei com os mendigos do bairro, todos o conheciam como *o professor*.

Me disseram que ele tinha se matado.

Que se enforcara no galho de uma árvore de uma ruazinha perto dali. E o que eu senti nem sei descrever.

Eu sabia onde era. Era a mesma onde eu o encontrara. Engraçado que o Henrique era o cara que eu sempre sabia onde estava. Não tem muita gente no mundo de quem a gente possa dizer isso. E eu fui até lá.

A ruazinha, nem a quatrocentos metros de onde eu morava. Emparedada entre os muros dos condomínios. Senti vertigem ao virar nela e vê-la deserta. Um carro passou ao fundo.

Logo avistei a árvore. Caminhei pela rua e a vi aumentando de tamanho, achei que fosse desmaiar. Mas não desmaiei, continuei e toquei o muro, mais ou menos onde o tinha encontrado. Mais à frente, estava a árvore. Mirrada, torta, junto ao muro. Era um pé de jabuticaba. O chão debaixo da pequena copa estava manchado, mas não tinha frutos. Os mendigos deviam ter colhido, antes mesmo de amadurecerem. Tinha só um, lá no alto.

Subi na árvore, que estremeceu com o meu peso. Já não estava mais tonto. Estiquei o braço e alcancei a jabuticaba, que se esmigalhou em minha mão. Comi, como se o Henrique tivesse sido enterrado lá embaixo. Minha homenagem. Ao descer da árvore, olhei ainda para a rua deserta. E peguei o exato momento em que os postes de luz se acenderam. Em trinta anos de vida, nunca tinha visto acontecer.

Saí pelo outro lado da rua, que dava numa rua normal, com casas, que eu não conhecia. Não leva nada a lugar nenhum. É só um caminho mais longo.

Hoje em dia passo pouco por lá, mas passo. Em dias vazios, especiais. Só quando não tenho motivo. E toda vez espero sentir alguma coisa, e tenho medo de não sentir, mas sempre sinto. E atravesso, e toco o muro, que não lembro exatamente onde era — arrancaram a árvore —, e cada vez lembro menos. E passo pelos pinos de cocaína e camisinhas jiboiando no paralelepípedo, que talvez sempre tivessem estado lá. E chego enfim à esquina, onde o lixo se acumula quando chove. Não tem nada de mais, é uma coisa só minha. E é bonito!

Toda vez que passo por lá acendo um cigarro. Como se fosse um incenso.

Eu nunca tinha ouvido falar de mendigo que se mata, pelo menos nunca de um que tivesse se enforcado numa árvore! Mas, estranhamente, aquilo fazia sentido. O Henrique nunca viveu a vida de um homem normal. Ele também não morreria como um homem normal. Não há um mês que se passe que eu não lembre daquele nosso último encontro.

É uma coisa estranha, essa chama recatada que inunda a nossa alma. Que já existia antes. E já amargava os frutos que crescem por aqui.

Portugueses, ex-escravos, italianos, japoneses, sírios, libaneses, búlgaros, ucranianos, chineses, coreanos, bolivianos, nordestinos, gente vinda do interior, de todo o estado — e de todo o Brasil! A árvore de dinheiro. A chance de deixar para trás anos de miséria, de recomeçar, dessa vez direito, de fazer a vida. Desde sempre as pessoas têm vindo a São Paulo para vencer. Eu não sabia que algumas vinham para morrer.

* * *

Hoje subi no topo do prédio do Banespa. De onde dá para ver a cidade, de cima. Estava nublado. Se tivesse fila, teria ido ao Martinelli. Mas o Martinelli não tem bandeira.

A bandeira de São Paulo tremulava no Banespão.

Ditei meu RG, peguei o elevador para o último andar. Um casal de adolescentes entrou no elevador comigo. Não tinham mais de catorze anos. Também iam para o mirante, ver a cidade.

— Eu também trazia as meninas de que eu gostava para cá — eu disse, e eles se assustaram.

A menina não aguentou e riu, mas o moleque ouviu com atenção. Devia estar interessado ou estava sendo educado. Dá na mesma.

— *Onde tinha garoa e enchente / hoje tem seu corpo ardente / calmo ao acordar!* — cantei, para eles.

A porta do elevador se abriu e a menina saltou para fora, aliviada de estar se livrando de um provável pedófilo. O menino ficou de boa. Devia ser de Santana.

No mirante, me debrucei sobre a mureta. Ouvi o casal rindo, reconhecendo um prédio no horizonte. Reconheci alguns também. Aquela vastidão! O céu invertido. Andrea Ormond disse que São Paulo não precisava de mar, São Paulo *era* o mar! Só que ela não era daqui.

O que mais fascina em São Paulo é a possibilidade de encontrar pessoas. Alguém que, no meio da multidão idiota, te faça ter certeza de que você gostou das coisas certas, perseguiu os sonhos certos. E que também tenha se fodido um pouco, como você. Aquela pequena coincidência, que nos resgataria para sempre da nossa vida solitária. Essa é a promessa da cidade.

Acendi um cigarro. Já só olhava, tinha esquecido a paisagem.
— Senhor — disse um homem, um segurança.
Me virei para ele.
— Não é permitido fumar aqui — ele disse.
— Desculpa — assenti.
E apaguei a brasa na sola do sapato.

* * *

Estive no último ano da Fuvest em que se podia sair para fumar antes de fazer a redação. Antigamente, se podia fumar em todo lugar. Inclusive nas salas de espera das maternidades.

Meu pai também fumava.

Deve ter sido glorioso aplacar a espera de *se daria tudo certo* com um cigarro atrás do outro! E o alívio, quando chamaram seu nome para dar a notícia e ele apagou o cigarro, que ficou semiaceso fumegando no cinzeiro.

Minto.

Meu pai, sendo quem ele era, deve ter apagado o cigarro, apertado até extinguir a brasa, antes de caminhar apressado até o médico.

* * *

Eu tinha empatia por mendigos. Meu avô tinha sido um deles. Morreu bem antes de eu nascer, é lógico. Quando minha mãe ainda era adolescente.

Ela falava dele com um carinho triste. E nunca disse a palavra *mendigo*.

Se fosse mais velha, poderia ter usado a palavra *vagabundo*. Se fosse inglesa, provavelmente usaria *errante* ou *desgarrado*. Se fosse americana, talvez tivesse dito que ele era um *cowboy*. São todos sinônimos para as pessoas que transitam pelos lugares que os outros construíram. Mas, como minha mãe tinha sido adolescente nos anos sessenta, quando falava do meu avô, sempre se referia a ele como um *hippie*.

— Quando os hippies ainda não existiam — ponderava, com orgulho.

Mas meu avô existira. Minha mãe estava ali para provar.

※ ※ ※

Também sonho bastante com a Elisa. Todo mês, praticamente. Mas são só sonhos.

Tem os realistas e os surreais. Os ruins e os bons. Nos bons, tem sempre ela fazendo alguma coisa. Fazendo palavras cruzadas. Escolhendo o prato, num menu com os nomes em italiano. Escolhendo uma cortina que não ia comprar, num catálogo de loja. Escrevendo uma palavra difícil, para falar certo da próxima vez. Numa loja que nunca vi, anotando o nome e a data de nascimento de um cliente, sem ele saber, para mandar "Feliz Aniversário" quando o dia chegar. Aguando uma planta. Nunca é a tamba-tajá. E todos esses sonhos são em São Paulo.

Não se parecem com sonhos, eu sei. Mas são exatamente assim, como eu os descrevo. Geográfica e cronologicamente imprecisos. Antes da Elisa, era só isso que eu procurava. Alguma bondade, alguma ingenuidade sensual. Alguma menina que pudesse levar as mãos ao rosto no meio do metrô, em público, por se sentir desesperada. A Elisa, se vivesse em São Paulo. Porque ela ainda está viva.

Como sei?

Eu *sei* que ela está viva, lá longe, em Rio das Almas, nesse instante em que escrevo essas palavras. Do mesmo jeito, com seus olhinhos sonhadores, do mesmo jeito, enquanto envelheço por aqui. Como todos envelhecem. Menos a Elisa e a minha irmã.

Muitas pessoas passam mesmo pela vida, mas algumas deixam uma ressonância. Sentimos como se ressoassem no peito, de repente, mesmo muito tempo depois. Vêm como um susto, nos vãos momentos dos dias, e reverberam dentro da gente. Não sei se são delas a imagem que estará gravada na retina, na hora da morte. Não tem como saber. Mas desconfio que não.

Não tem a ver com a intensidade com que passaram por nossa vida. Nem pelo tempo que ficaram. Nem pela dor que causaram. Nem por quão loucamente queimaram, nem por quão subitamente partiram. Tem a ver com alguma outra coisa...

* * *

— Alô

— Fala, Isma! É o tio!

— Oi, tio! Tudo bem?

— E aí?!

— Tudo certo!

— Escuta, tenho um negócio para você!

— É? Dá barato?

— Moleque safado! — ele riu, e eu ri também. — Depende, para mim deu!

— E o que é?

— É a moto do seu pai! Tava comigo, sua mãe me deu para tirar dele. Fomos felizes juntos, mas acho que ela é sua!

— Pode ficar, tio. Eu nem sei dirigir.

— Eu também não sabia! Tô indo viajar, vou deixar a chave na portaria. E leva a caixa com as coisas dele.

* * *

Algo significativo, que mude tanto a vida das pessoas quanto o horário de verão — eu pensei, parafraseando minha mãe, e mudando um pouco, segundo eu mesmo. Na falta de filósofos melhores.

Cheguei à porta da garagem com isso em mente, não sei por quê. Eram sete e dez, mas ainda era dia. O sol entrou pelo portão automático quando ele se abriu, iluminando a moto e a caixa de papelão.

Que moto linda!

Uma Yamaha alguma coisa, dos anos 1980, importada. Grandona, não sei quantas cilindradas, mas dava para ver que muitas, pelos escapamentos cromados. Combinava com a minha nova conta bancária. E meu estilo de vida de pedir licença no banco. Eu vendera a casa. Não teria que me preocupar com dinheiro pelos próximos dez anos. Era linda mesmo! Exatamente como eu me lembrava.

Rasguei a fita adesiva da caixa com a minha chave de casa. As luvas do meu pai! De couro, enormes. Do meu número! Quando tirei as luvas para experimentar, a surpresa. Debaixo delas havia algo côncavo, amarelo. A ironia das ironias.

O capacete do Ayrton Senna.

O capacete do Senna que meu pai usava para andar de moto pela cidade! Comigo na garupa, todo mundo se virava para ver. Era um fanfarrão mesmo!

Eu ri, com aquele capacetão nas mãos. O coloquei na cabeça e ajustei o fecho. E calcei as luvas. Olhei no espelhinho da garagem, era incrível que aquilo estivesse acontecendo!

Eu ria dentro daquela coisa espacial e imaginei meu pai rindo, os amigos dele rindo. Que coisa mais babaca! Eu faria as honras da casa.

Saí da garagem bamboleando em cima daquela moto, desfilei pela cidade, pelo meu bairro — o mesmo do Senna, aliás — e voltei para casa, vivo e triunfante!

* * *

Levei um mês ainda saindo com aquela moto e aquele capacete à noite. Parecia que nunca ia perder a graça. Aprendi a dirigir tão bem que, no fim daquele mês, me senti pronto para pegar a estrada. Não tinha carta de moto. Mas levava junto à minha habilitação de motorista duas notas de cem, um macete que um dia vi meu pai fazendo.

— Seu guarda — ele disse. — Se aparecer uma onça aqui, o senhor vai embora?

— Onça, não — respondeu o guarda daquela vez. — Mas, se aparecerem dois peixes, posso ir!

Daria certo, eu não tinha dúvida! E eu tinha mais um mês de licença no banco. Mas talvez não voltasse.

Seria até traição, pensei, caso eu voltasse. Caso levasse minha vida de um jeito diferente do meu pai. Caso não fosse descuidado. Talvez eu não volte, e isso nem seria esforço. Seria o mais natural. Seria quem eu era. Tudo isso passava pela minha cabeça quando entrei na Marginal Tietê.

Aquele vento forte que fazia tremer minha jaqueta, como uma bandeira prestes a ser desfraldada. Aquele vento contra mim, me puxando de volta, e de repente algo mágico aconteceu: era como se estivesse deixando para trás todos aqueles dias em que senti que meu eu pleno, uma vez tão vivo de expectativas, havia me abandonado. Agora não. Eu *transbordava*. Era como um milagre!

Apesar de a nostalgia ser sempre sobre algum tempo, parece que o tempo se congela nos lugares que deixamos para trás. O bom de viver a vida toda no mesmo lugar é que isso te poupa de nostalgias ilusórias. Nem essa sorte o Henrique teve. Nem meus pais. Nem eu. Só ela! Talvez eu não voltasse mais.

Outro pensamento logo se sobrepôs a esses, nem três pontes da Marginal depois. Assim que passei por baixo da Ponte das Bandeiras.

Mas, antes dele, só mais uma consideração: admito que eu não tenha conseguido te convencer da minha obsessão em encontrar o Henrique, quando ainda estava em Rio das Almas. Admito que essa repetição de *ter de encontrá-lo* tenha soado meio forçada, e era meio forçada mesmo. Ainda mais quando colocada à sombra daquela paixão pela Elisa, que eu tinha acabado de conhecer. Eu nunca mais consegui gostar tanto do Henrique, mas só porque nunca mais consegui gostar tanto de mim mesmo, e ele era — sempre foi — parte tão integrante de mim. Mas, agora que estamos quase no fim, deixe-me tentar explicar, mais uma vez, a imensidão do que eu sentia por ele. Que me veio ali, naquele instante, quando eu saía de moto de São Paulo e cruzava a Ponte das Bandeiras. Você vai me entender!

Lembrei-me de uma vez, há muito tempo, quando passávamos *por cima* da ponte, éramos garotos, no carro do pai do Henrique. Fazíamos a volta na Praça Campo de Bagatelle, na entrada de Santana. O pai do Henrique não apareceu na história, mas ele tinha um pai. Era um homem quieto. Na sua vida adulta, só havia sido feliz no começo dos anos 1990. O que ele creditava — com razão — à chegada da Parmalat ao Palmeiras. Era um sujeito sombrio, meio canalha até, mas que tinha arroubos de generosidade inacreditáveis. O que fazia com que ele pudesse continuar sendo canalha a vida inteira. Eu me lembro, estávamos voltando de um de seus convites generosos. Tínhamos ido comprar esfirras no Grupo Sérgio e eu trazia o pacote quente no colo, enchendo o ambiente com aquele cheiro. O Henrique ia na frente com o pai. E pareceu ter visto pela primeira vez o que tinha no meio daquela rotatória.

— *Quem* é isso? — perguntou o Henrique.
— É o 14-bis — respondeu o pai dele.
— É um avião?
— É o avião do Santos Dumont — disse o pai.
— Ele pousou o avião dele aqui e foi embora?

— Não aqui. Ele pousou o avião dele em Paris.
— E o que que o avião tá fazendo aqui?
— Não é ele de verdade. É só uma estátua.
— Ah, tá — disse o Henrique, e algo se acendeu nele. Que só eu notei.

Eis o Henrique!

Eu voltaria, pensei, assim que vi a placa que sinalizava o caminho para o Rio de Janeiro. Iria para o norte, veria a praia, torraria uma grana e voltaria!

Para a Meca dos equivocados, bela, em retrospecto, pairando sob uma nuvem cinza quando se volta a ela. Minha cidade natal, onde nasceram todos os meus amigos e viveram quase todos os outros que já amei.

Nada mais seria como antes.

Mas, houvesse outra Elisa, outro Henrique, outros dos nossos pais, outra *chance*. Se nos fosse dado outro futuro, só consigo imaginar um lugar no mundo onde ele aconteceria. E nenhum outro, só aqui, nessa terra de sonhos e acaso.

FIM

Eu que perdi um tio no Joelma
Um fóssil calcinado aos vinte e dois
Fui assaltado na Nove de Julho
Se isso quer dizer algo, me diz, meu amor
Depois do rio há memória parada
Onde a gente primeiro se encontrou.

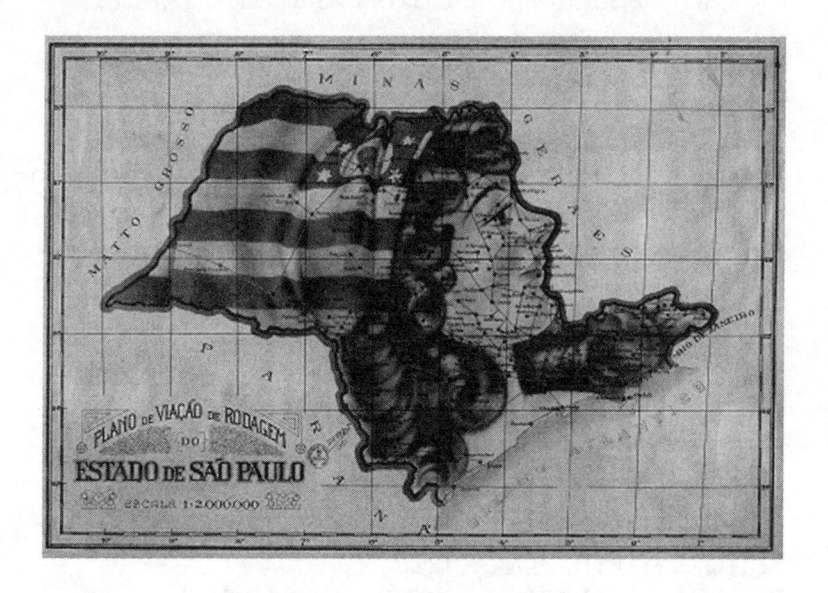

© 2018 Filipe de Campos Ribeiro.
Todos os direitos desta edição reservadas à Editora Martin Claret Ltda.

Direção
MARTIN CLARET

Produção editorial
CAROLINA MARANI LIMA / MAYARA ZUCHELI

Direção de arte
JOSÉ DUARTE T. DE CASTRO

Diagramação
GIOVANA GATTI QUADROTTI

Ilustração de capa
WEBERSON SANTIAGO

Preparação
ALEXANDER B. SIQUEIRA

Revisão
ELOIZA LOPES

Impressão e acabamento
PAULUS GRÁFICA

A ortografia deste livro segue o novo Acordo Ortográfico da Língua Portuguesa.

Dados Internacionais de Catalogação na Publicação (CIP)
(Câmara Brasileira do Livro, SP, Brasil)

Ribeiro, Filipe de Campos
Terra de sonhos e acaso / Filipe de Campos Ribeiro — São Paulo: Martin Claret, 2018.

ISBN 978-85-440-0203-2

1. Literatura fantástica brasileira I. Título

18-19726   CDD-869.9

Índices para catálogo sistemático:

1. Literatura fantástica: Literatura brasileira   869.9

EDITORA MARTIN CLARET LTDA.
Rua Alegrete, 62 — Bairro Sumaré — CEP: 01254-010 — São Paulo — SP
Tel.: (11) 3672-8144 — www.martinclaret.com.br
Impresso — 2019

CONTINUE COM A GENTE!

- Editora Martin Claret
- editoramartinclaret
- @EdMartinClaret
- www.martinclaret.com.br